Julian Barnes

Une histoire du monde en 10 chapitres 1/2

Traduit de l'anglais
par Michel Courtois-Fourcy

Mercure de France

Pages 210-211 : Géricault, *Le radeau de la Méduse*,
Musée du Louvre, Paris.
Photo © RMN/Daniel Arnaudet.

Titre original :

A HISTORY OF THE WORLD IN 10 1/2 CHAPTERS
(Jonathan Cape, Londres)

Julian Barnes est né à Leicester en 1946. Il compte parmi les plus brillants et célèbres romanciers anglais contemporains et est l'auteur de nombreux romans traduits en plus de quarante langues dont *Le perroquet de Flaubert* (prix Médicis essai), *Love, etc.* (prix Femina étranger), *England, England, Arthur & George* et *Une fille, qui danse* (Man Booker Prize 2011) ; de recueils de nouvelles et d'essais, de livres de cuisine, *Un homme dans sa cuisine* entre autres, et, sous le nom de Dan Kavanagh, de quatre polars. Julian Barnes est aussi à l'occasion traducteur d'Alphonse Daudet. Il a reçu le prix David Cohen en 2011 pour l'ensemble de son œuvre.

À Pat Kavanagh

Le passager clandestin

On mit les béhémoths dans la cale, en compagnie des rhinocéros, des hippopotames et des éléphants. C'était une bonne idée de s'en servir comme ballast : néanmoins, vous imaginez la puanteur. Et il n'y avait personne pour faire les litières. Les hommes étaient débordés par les problèmes incessants de nourriture et leurs femmes (qui, sans leurs parfums, auraient sans doute pué autant que nous) étaient bien trop délicates. Donc, s'il fallait nettoyer, c'était sur nous que ça retombait. Tous les deux ou trois mois, on actionnait le treuil de l'énorme écoutille du pont arrière pour faire entrer les oiseaux récureurs. D'abord, c'est évident, il fallait laisser partir l'odeur (fort peu de volontaires d'ailleurs pour actionner le treuil) ; puis sept ou huit oiseaux parmi les moins dégoûtés commençaient à voltiger avec précaution durant une minute ou deux autour de l'écoutille avant de plonger à l'intérieur. Je ne me souviens pas du nom de tous — à vrai dire, un de ces couples n'existe plus maintenant —, mais vous voyez de quelle sorte je veux parler. Vous avez certainement déjà vu des hippopotames la gueule grande ouverte, avec de jolis petits oiseaux colorés dedans, picorant entre les dents, comme l'assistante énervée d'un dentiste. Imaginez ce genre de scène à une plus grande et surtout plus répugnante échelle. Je ne suis pas facilement dégoûté, pourtant je frissonnais rien qu'à la vue de ce qui se passait sous le pont : une rangée de monstres bigles, se faisant pomponner dans un cloaque.

Dans l'Arche, la discipline était extrêmement sévère : c'est la première remarque d'importance. Ça n'avait rien à voir avec ces images de nursery peintes sur bois, avec lesquelles vous avez peut-être joué enfant — rien que des couples heureux, regardant gaiement au-dessus de la balustrade qui délimite leurs stalles confortables et propres. Ne pensez surtout pas à une croisière en Méditerranée, au cours de laquelle on joue, un air langoureux sur le visage, à la roulette et où l'on s'habille pour le dîner : sur l'Arche, seuls les pingouins avaient des queues-de-pie. Pensez-y : il s'agissait d'un long et dangereux voyage — dangereux même si certains points avaient été fixés d'avance. Pensez aussi que nous avions toute la faune du monde à bord : était-il imaginable de mettre l'antilope à la portée des guépards ? Un certain niveau de sécurité était indispensable. Nous acceptions donc les serrures de sûreté, l'inspection des stalles, le couvre-feu. Malheureusement, il y avait aussi des châtiments et des cachots. Quelqu'un de très haut placé fut pris de l'obsession du renseignement et certains des voyageurs acceptèrent des rôles de mouchards. Je suis au regret de devoir signaler que la délation, pour complaire aux autorités, fut parfois largement répandue. Notre Arche, croyez-moi, n'était pas une réserve naturelle : à certains moments, elle ressemblait plutôt à une drôle de galère.

Aujourd'hui, je me rends compte que les récits diffèrent. Votre espèce a sa version fort répandue, qui enchante encore même les plus sceptiques, alors que les animaux offrent un compendium de tous les mythes sentimentaux. Mais ils ne vont pas faire chavirer le navire, n'est-ce pas ? Surtout lorsqu'on les traite en héros, quand c'est devenu une question d'orgueil et que tous, tant qu'ils sont, peuvent prouver que l'arbre généalogique de leur famille remonte en ligne directe jusqu'à l'Arche. Ils ont été choisis, ils ont souffert avec patience, ils ont survécu : c'est normal dans ces conditions qu'ils passent volontiers sur les épisodes malheureux, qu'ils aient quelques trous de mémoire. Mais, pour ma part, je ne suis nullement entravé de cette manière. Je n'ai jamais été choisi. En fait, comme pour plusieurs autres espèces, on prit bien soin de ne pas me choisir. Je suis donc devenu un passager clandestin. Moi aussi, j'ai survécu ; moi aussi, je m'en suis tiré (se sortir de là n'était guère plus facile que d'y entrer) ; moi aussi, j'ai prospéré. Je suis un peu mis à l'écart du reste du monde animal qui tient encore de nostalgiques réunions : il y a même un club du Pied marin pour les espèces qui n'ont jamais eu le moindre haut-le-cœur. Lorsque je me souviens du Voyage, je ne me sens nullement tenu à quoi que ce soit : la gratitude n'a guère laissé de traces de vaseline sur mon objectif. On peut faire confiance à mon récit.

Vous avez probablement compris que l'Arche représentait plusieurs navires ? C'était le nom qu'on avait donné à toute la flottille (on ne peut quand même pas espérer entasser toute la faune dans un espace de quelque trois cents coudées de long). Il a plu pendant quarante jours et quarante nuits ? Ce n'aurait guère été plus que ce qui tombe au cours d'un été anglais moyen. Non, il a plu pendant environ un an et demi, d'après mes calculs. Et les eaux recouvrirent la terre pendant cent cinquante jours ? Disons plutôt autour de quatre ans. Et ainsi de suite. Votre espèce a toujours été nulle lorsqu'il s'agit de dates. Je mets ça sur le compte de votre curieuse obsession concernant les multiples de sept.

Au départ, l'Arche comprenait huit vaisseaux : le galion de Noé qui remorquait le bateau contenant la réserve de vivres, puis quatre navires un peu plus petits, commandés par chacun des fils de Noé. Derrière eux, à bonne distance (la famille avait une peur superstitieuse de la maladie), le vaisseau-hôpital. Le huitième bateau donna lieu à un petit mystère : un sloop rapide, avec des motifs décoratifs en bois de santal à la poupe, qui faisait route servilement, à côté de l'Arche de Cham. Lorsqu'on était sous le vent, d'étranges effluves nous assaillaient parfois ; et, à l'occasion, le soir, quand le vent mollissait, on entendait des musiques pimpantes et des rires stridents — des bruits fort surprenants pour nous, car nous supposions que les épouses des fils de Noé étaient confortablement installées sur leurs propres vaisseaux. Cependant, ce bateau parfumé, plein de rires, n'était guère solide : il coula bel et bien lors d'un grain. Cham resta ensuite pensif pour plusieurs semaines.

Ce fut le bateau chargé de vivres qu'on perdit ensuite pendant une nuit noire alors que le vent était tombé et que les vigies somnolaient. Au matin, le navire amiral de Noé ne traînait plus derrière lui qu'une corde de remorquage rongée par les incisives acérées d'un animal habitué, de toute évidence, à s'accrocher à des cordes mouillées. Il y eut maintes récriminations à propos de cette affaire, croyez-moi. À vrai dire, ce fut peut-être la première fois qu'une espèce disparut par-dessus bord. Peu de temps après, ce fut le tour du bateau-hôpital. La rumeur courut que les deux incidents étaient liés, que la femme de Cham — qui manquait pour le moins de sérénité — avait décidé de se venger sur les animaux. Apparemment, toutes les couvertures qu'elle avait brodées au long de sa vie avaient coulé avec le navire de vivres. Mais rien n'a jamais été prouvé.

Cependant, la pire catastrophe, et de loin, fut la perte de Varadi. Les noms de Cham, de Sem et de celui qui commence par un J vous sont familiers ; mais vous ignorez celui de Varadi, n'est-ce pas ? C'était le plus jeune et le plus fort des fils de Noé, ce qui, bien entendu, n'en faisait pas le chouchou des membres de la famille. Il avait aussi un sens certain de l'humour — ou du moins il riait beaucoup, ce qui est généralement une preuve suffisante pour votre espèce. Eh oui ! Varadi était

toujours joyeux. On le voyait parader sur le gaillard
d'arrière, un perroquet sur chaque épaule ; il donnait de grandes tapes affectueuses sur l'arrière-
train des quadrupèdes qui le remerciaient en émettant un beuglement reconnaissant. On racontait
que son arche était dirigée de manière moins tyrannique que celle des autres. Mais voilà : un matin
nous nous réveillâmes pour découvrir que le bateau
de Varadi avait disparu de l'horizon, entraînant
avec lui un cinquième du monde animal. Vous
auriez, je pense, pris plaisir à voir le simurgh avec sa
tête argentée et sa queue de paon — mais l'oiseau
qui nichait dans l'Arbre de la Connaissance n'était
pas plus à l'abri des vagues que le campagnol mou-
cheté. Les frères aînés de Varadi, bien sûr, mirent
en cause ses capacités de navigateur ; ils déclarèrent
qu'il avait passé bien trop de temps à fraterniser
avec les animaux ; ils insinuèrent même que Dieu
pouvait l'avoir puni pour quelques insolences commises lorsqu'il était un enfant âgé de quatre-vingt-
cinq ans. Quelle que soit la vérité sur la disparition
de Varadi, ce fut, en tout cas, une perte sérieuse
pour votre espèce. Ses gènes vous auraient été du
plus grand secours.

En ce qui nous concerne, toute cette affaire du
Voyage commença lorsqu'on nous invita à nous
rendre à un certain endroit, à un moment donné.
Ce fut la première fois que nous entendîmes parler
du projet. Nous ignorions tout des arrière-plans
politiques. La colère de Dieu pour sa propre création était une nouveauté pour nous, nous fûmes mis
au courant bon gré, mal gré. On ne pouvait pas, en

tout cas, rejeter le blâme sur nous (vous ne croyez quand même pas à cette histoire du serpent ? — ce n'était que le fruit de la sale propagande d'Adam) et pourtant les conséquences furent également sévères : toutes les espèces balayées, à l'exception d'un couple reproducteur. De plus, ce couple allait se retrouver en haute mer, sous les ordres d'un vieux coquin alcoolique, qui était déjà dans sa sept centième année.

Donc, les choses commencèrent à filtrer et, selon l'habitude, on ne nous dit pas la vérité. Pouvez-vous imaginer que dans le voisinage du palais de Noé (oh ! il n'était pas pauvre, ce Noé) vivait un échantillon convenable de toutes les espèces qu'on trouve sur terre ? Allons, allons. Mais non, voyons. Ils se trouvèrent donc dans l'obligation de faire de la réclame, puis de sélectionner le meilleur couple parmi ceux qui se présentaient. Étant donné qu'ils ne voulaient pas provoquer une panique universelle, ils créèrent un concours destiné aux couples — une sorte de concours de beauté, de fête populaire avec un jury d'experts. Ils demandèrent aux participants de se présenter à l'entrée du palais de Noé au cours d'un certain mois. Vous voyez d'ici le problème. Pour commencer, tout le monde n'a pas le goût de la compétition, aussi, seuls peut-être les plus délurés se présentèrent. Les animaux, qui n'étaient pas suffisamment malins pour lire entre les lignes, pensaient qu'ils n'avaient tout simplement aucun besoin de gagner une luxueuse croisière pour deux personnes, tous frais payés, merci beaucoup.

Ni Noé ni son état-major ne s'étaient rendu compte que certaines espèces hibernaient pendant une période de l'année ; sans parler bien sûr du fait, absolument évident, que quelques animaux avancent plus lentement que d'autres. Il y avait en particulier un animal d'une étonnante paresse, incroyablement détendu — une créature exquise, je peux m'en porter personnellement garant — qui, par exemple, était à peine arrivé au pied de son arbre lorsqu'il fut balayé par la grande vague vengeresse de Dieu. Comment appelez-vous ça ? De la sélection naturelle ? Quant à moi, je préfère lui donner le nom de faute professionnelle.

Les préparatifs, franchement, se firent dans une vraie pagaïe. Noé prit du retard dans la construction des navires (ça n'arrangea pas les choses lorsque les artisans découvrirent qu'il n'y avait pas suffisamment de couchettes pour qu'on puisse les emmener), avec comme résultat une attention insuffisante portée aux animaux choisis. Le premier couple apparemment présentable qui arrivait était accepté — cette attitude devint un système : on prenait à peine le soin de jeter un rapide coup d'œil sur le pedigree. Et, bien entendu, alors qu'ils disaient qu'ils embarqueraient deux individus de chaque espèce, quand ils étaient mis au pied du mur... bon, certaines créatures étaient tout simplement considérées comme indésirables. Ce fut notre cas : c'est pourquoi nous sommes montés à bord clandestinement. Un nombre élevé de bêtes, avec des arguments légaux parfaitement clairs qui montraient que leur espèce était bien particulière, virent leurs revendications rejetées. Non, pas vous, leur dit-on, nous avons déjà un couple comme vous. Bien sûr, quelle importance ça peut avoir de posséder quelques anneaux supplémentaires sur la queue ou encore une grosse touffe de poils en plus ? Nous vous avons déjà, toutes nos excuses.

Des animaux splendides arrivèrent sans compagnon et se virent refouler ; certains parents refusèrent de se séparer de leur progéniture et choisirent de mourir ensemble ; souvent les examens médicaux étaient indiscrets et brutaux ; et tout au long des nuits, de l'autre côté de la palissade du palais de Noé, l'air était rempli des gémissements des rejetés. Pouvez-vous imaginer l'atmosphère qui se mit à régner lorsque la nouvelle se répandit des véritables raisons pour lesquelles on nous avait demandé de nous soumettre à cette compétition pour le moins nébuleuse ? Comme vous pouvez l'imaginer facilement, ces révélations ouvrirent la voie aux mauvais sentiments et à la jalousie. Quelques-unes des espèces les plus nobles se retirèrent à pas feutrés dans la forêt, refusant de se plier pour survivre aux conditions insultantes proposées par Dieu et Noé, préférant, à tout prendre, l'extinction et la noyade. Des paroles très dures, dictées par l'envie, furent lancées contre les poissons : les batraciens commencèrent à se montrer suffisants ; les oiseaux décidèrent de s'entraîner à rester le plus longtemps possible en l'air. On vit certaines espèces de singes essayer de construire par eux-mêmes de grossiers radeaux. Une certaine semaine, on servit de la nourriture dangereusement avariée dans l'Enclos des

Élus, si bien que, pour quelques espèces parmi les moins robustes, le processus de sélection naturelle repartait à zéro.

Par instants, Noé et ses fils s'abandonnaient à de vraies crises d'hystérie. Ça ne concorde pas avec ce que l'on vous a raconté, n'est-ce pas ? On vous a toujours donné à penser que Noé était un homme sage, vertueux, craignant Dieu, alors que je l'ai déjà décrit comme un coquin surexcité et alcoolique. Ces deux points de vue ne sont pas totalement incompatibles. Disons, voulez-vous, que Noé n'était guère reluisant, mais que, comparé aux autres... Nous ne fûmes guère surpris d'apprendre que Dieu avait décidé de tout effacer d'un bon coup d'éponge. Ce qui nous rendit perplexes fut de voir qu'il souhaitait aussi garder quelques membres de cette espèce dont la présence sur terre, pourtant, ne donne pas une très bonne idée de son créateur.

Par moments, Noé était dans tous ses états. Et, comme la construction de l'Arche prenait du retard, on commença à fouetter les artisans. Des centaines d'animaux apeurés bivouaquaient aux alentours du palais ; et personne ne savait le jour où il allait se mettre à pleuvoir. Dieu ne lui avait même pas donné une date précise. Chaque matin, nous regardions les nuages : sera-ce un vent d'ouest qui, comme d'habitude, amènera la pluie, ou Dieu enverra-t-il une averse toute spéciale venant d'une direction insolite ? Et, comme le temps se gâtait lentement, les germes de révolte grossissaient. Certains rejetés envisageaient de s'emparer de force de l'Arche pour s'enfuir, d'autres voulaient la détruire complètement. Des animaux ayant un penchant pour la spéculation commencèrent à présenter d'autres principes de sélection, fondés sur la taille, sur l'utilité, plutôt que sur le nombre ; mais Noé refusa dédaigneusement de négocier. C'était un homme qui avait ses petites idées et qui ne souhaitait pas s'encombrer de celles des autres.

Comme la construction de la flottille approchait de sa fin, il fallut garder les bateaux jour et nuit. Les tentatives d'embarquement clandestin se multiplièrent. Un artisan fut surpris un jour alors qu'il essayait de se ménager une cachette au bas de la charpente du bateau de vivres. Il y eut aussi quelques scènes dramatiques : un jeune élan fut trouvé pendu à la rambarde de l'Arche de Sem ; des oiseaux s'abattaient sans cesse en piqué sur le filet de protection, etc. Les passagers clandestins, lorsqu'ils étaient repérés, étaient immédiatement mis à mort, mais ces exécutions publiques ne parvenaient pas à décourager les désespérés. Notre espèce, je suis fier de le rapporter, parvint à s'embarquer sans donner de pots-de-vin ni se livrer à la violence. Évidemment il n'est pas aussi facile de nous repérer qu'un jeune élan. Comment avons-nous fait ? Nos parents avaient le don de double vue. Alors que Noé et ses fils fouillaient avec grossièreté les animaux au moment où ils apparaissaient sur la passerelle, qu'ils passaient leurs grosses mains soupçonneuses sur les toisons broussailleuses, et qu'ils se livraient aux premiers et fort peu hygiéniques examens prostatiques, nous avions déjà échappé à leurs regards inquisiteurs. Nous étions en sécurité dans nos couchettes : un des charpentiers nous y avait emmenés tranquillement, sans évidemment savoir ce qu'il faisait.

Pendant deux jours, le vent souffla de tous les points cardinaux, puis il se mit à pleuvoir. Les écluses du ciel s'ouvrirent lourdement pour purger un monde inique. De grosses gouttes explosaient sur le pont comme des œufs de pigeon. Les représentants choisis de chaque espèce quittèrent l'Enclos des Élus pour gagner l'Arche qui leur était allouée : la scène ressemblait à un mariage de groupe obligatoire. Puis on ferma les écoutilles et nous commençâmes à nous faire à l'obscurité, à la réclusion, à la puanteur. Non pas que nous nous soyons excessivement préoccupés de ces problèmes au début : nous étions bien trop grisés à la pensée de notre survie. La pluie tombait sans arrêt, se transformant de temps à autre en grêlons qui tambourinaient sur les planches. Parfois, on entendait des coups de tonnerre et bien plus souvent les lamentations des animaux abandonnés. Après un certain temps, leurs cris devinrent moins fréquents : nous sûmes alors que les eaux commençaient à monter.

Finalement, arriva le jour que nous avions tant désiré. Tout d'abord, nous pensâmes qu'il s'agissait de l'attaque désespérée des derniers pachydermes, qu'ils essayaient de se frayer un passage dans l'Arche ou, tout au moins, de la renverser. Mais non : c'était le bateau qui tanguait alors que l'eau commençait à le dégager de son ber. Ce fut le point fort du Voyage, si vous voulez tout savoir ; ce fut à ce moment-là que les sentiments de fraternité

parmi les bêtes et de gratitude envers l'homme cou-
lèrent à flots, comme le vin sur la table de Noé.
Ensuite… Mais les animaux peut-être s'étaient
montrés naïfs en faisant confiance en premier lieu
à Noé et à son Dieu.

Même avant que les eaux ne commencent à monter, il y avait eu de belles occasions de malaise.
Je sais que votre espèce a tendance à regarder de
haut notre monde, à le considérer comme brutal,
anthropophage, trompeur (cependant, il vous faut
reconnaître alors que ce jugement ne nous rend
nullement étrangers, mais bien plus proches de
vous). Parmi nous, cependant, a toujours régné,
depuis le début, un sens de l'égalité. Oui, bien sûr,
nous nous entre-dévorons, etc. ; les espèces les plus
faibles savent fort bien ce qui les attend si elles rencontrent un confrère affamé plus gros qu'elles.
Mais pour nous tout cela est simplement lié à la
nature des choses. Qu'un animal soit capable d'en
tuer un autre n'a jamais donné au premier le sentiment d'être supérieur au second. Il est simplement
plus dangereux. Voilà peut-être un concept que
vous avez quelque mal à saisir, mais il y a un respect
mutuel parmi nous. Manger un autre animal ne
signifie nullement qu'on le méprise ; et le fait d'être
mangé n'incite pas la victime — ou la famille de la
victime — à porter une admiration exagérée à
l'espèce la plus vorace.

Noé — ou le Dieu de Noé — changea tout ça. Si
vous avez votre Chute, nous avons aussi la nôtre.
Mais nous y fûmes poussés. Nous le remarquâmes
d'abord lorsque la sélection se fit dans l'Enclos des

Élus. Toute cette salade à propos de deux individus de chaque espèce était vraie (et l'on se rend bien compte qu'il y avait ici un certain bon sens) ; mais ce n'était pas vraiment tout. Dans l'Enclos, nous commençâmes à nous apercevoir que certaines espèces avaient été ramenées non pas à un couple, mais à sept individus (de nouveau cette obsession du chiffre sept). Tout d'abord, nous avons pensé que les cinq en plus étaient là en réserve durant le voyage, au cas où le couple primitif tomberait malade. Et puis, les choses s'éclaircirent lentement. Noé — ou le Dieu de Noé — avait décrété qu'il y aurait deux catégories d'animaux : les purs et les impurs. Les animaux purs montaient dans l'Arche par groupe de sept ; les impurs par deux.

Il y eut, vous vous en doutez, un profond ressentiment face à la politique de division imposée aux animaux par Dieu. À vrai dire, au début, même les bêtes pures se sentirent embarrassées par cette histoire ; elles se rendaient compte qu'elles avaient fait fort peu pour mériter pareille sollicitude. Cependant être « pur », comme on le comprit rapidement, était une faveur douteuse. Ça signifiait en fait qu'on pouvait être dévoré. Sept animaux étaient bienvenus à bord, mais cinq étaient destinés à la casserole. C'était une curieuse forme d'honneur qu'on leur accordait. Cela signifiait aussi, bien entendu, qu'ils auraient les logements les plus confortables, en attendant le jour de leur abattage rituel.

Je pourrais, pourquoi pas, trouver la situation assez drôle et donner libre cours au rire du paria. Néanmoins, parmi les espèces qui se prennent plus

ou moins au sérieux, cette décision souleva mille
sortes de complexes de jalousie. Les cochons étant
par nature sans ambition sociale ne s'en soucièrent
guère ; mais quelques autres animaux considéraient
la notion d'« impur » comme un affront personnel.
Il faut dire que le système — au moins le système
comme le comprenait Noé — manquait de cohé-
rence. On peut se demander ce qu'avaient en effet
de si spécial les ruminants aux sabots fendus ? Et
pourquoi les chameaux et les lapins devaient-ils
être rangés dans la seconde catégorie ? Et pourquoi fallait-il introduire une séparation entre les
poissons à écailles et ceux qui n'en avaient pas ? Le
cygne, le pélican, le héron, la huppe, ne font-ils pas
partie des espèces les plus raffinées ? Cependant,
il ne fut pas question de leur accorder l'étiquette
de « pur ». Pourquoi s'en prendre à la souris et au
lézard — qui avaient déjà suffisamment de problèmes, comme vous pouvez le penser — et saper
encore plus leur confiance en eux ? Si seulement
nous avions pu entrevoir un minimum de logique
derrière tout cela, si seulement Noé s'était mieux
expliqué. Mais il se contentait d'obéir aveuglément.
Comme on vous l'a bien souvent répété, Noé était
un homme qui craignait Dieu ; et, étant donné la
nature de Dieu, c'était probablement la ligne de
conduite la plus sûre à suivre. Pourtant, si vous aviez
pu entendre les pleurs des coquillages, les plaintes
consternées et étonnées des langoustes, si vous
aviez contemplé la honte lugubre de la cigogne,
vous auriez compris que les choses ne seraient plus
jamais pareilles parmi nous.

Et puis surgit une autre petite difficulté. Par je ne sais quelle malheureuse circonstance, notre espèce s'était arrangée pour faire monter à bord clandestinement sept de ses membres. Non seulement étions-nous des passagers clandestins (ce que certains n'appréciaient guère), non seulement étions-nous impurs (ce que certains avaient déjà appris à mépriser), mais nous nous étions également moqués des espèces légitimes et pures, en utilisant leur chiffre sacré. Nous décidâmes rapidement de mentir à propos du nombre de nos représentants et pour ce faire nous n'apparaissions jamais ensemble au même endroit. Nous apprîmes à découvrir quelles étaient les parties du navire dans lesquelles nous étions les bienvenus et celles qu'il nous fallait éviter.

Vous voyez donc qu'il s'agissait dès le départ d'un convoi de malheureux. Certains pleuraient ceux que nous avions bien été forcés de laisser derrière nous, d'autres étaient irrités à cause de leur statut, d'autres encore, bien que favorisés au niveau du concept puisqu'on leur avait accordé le titre de « purs », craignaient avec raison le four. Et en haut de tout ça régnaient Noé et sa famille.

Je ne sais trop comment m'y prendre pour vous mettre au courant, mais Noé n'était pas un brave homme. Je me rends compte que cette idée est gênante, puisque vous tous descendez de lui, mais c'est comme ça. C'était un véritable monstre, un patriarche bouffi d'orgueil, qui passait la moitié de ses journées à s'aplatir devant son Dieu et l'autre moitié à se défouler sur nous. Il avait un bâton en bois de gopher, avec lequel… Bon. Certains animaux en portent encore la marque aujourd'hui. Les effets de la peur sont vraiment étonnants. On m'a dit que parmi votre espèce un choc soudain peut blanchir les cheveux en quelques heures ; eh bien, sur l'Arche, les effets de la peur étaient encore plus forts. Il y avait par exemple ce couple de lézards qui, en entendant simplement le bruit des sandales en bois de gopher de Noé, dans l'escalier des cabines, changeaient, au sens propre, de couleur. Je l'ai vu moi-même. Leur peau perdait sa teinte naturelle pour se confondre avec la couleur ambiante. Noé s'arrêtait en passant devant leur stalle et se demandait un instant pourquoi elle était vide, puis il continuait son chemin. Alors que ses pas s'éloignaient, les lézards terrifiés reprenaient lentement leur couleur normale. Au cours des années qui suivirent l'histoire de l'Arche, cette faculté, apparemment, s'est révélée particulièrement utile, mais il ne faut pas oublier que tout a commencé par une réaction à la crainte horrible que déclenchait l'« Amiral ».

Avec les rennes, ce fut encore plus compliqué. Ils étaient nerveux en permanence, mais ici ce n'était pas seulement la peur de Noé. C'était aussi quelque chose de plus profond. Vous savez que quelques-uns parmi nous, les animaux, ont le don de double vue. Même vous, vous avez été capables de la remarquer grâce à des contacts millénaires avec nos coutumes. « Tiens, regarde, dites-vous, les vaches sont couchées dans la prairie, il ne va pas tarder à pleuvoir. » Évidemment, c'est bien plus subtil que vous ne pouvez même l'envisager, et l'important n'est

certes pas de servir de girouettes bon marché aux
êtres humains. En tout cas… les rennes étaient per-
turbés par quelque chose de plus fort que la crainte
de Noé, plus étrange qu'une crise de nerfs, quelque
chose… à long terme. Ils suaient dans leurs stalles,
pendant les périodes de chaleur étouffante. Ils donnaient des coups de sabot dans les séparations en
bois de gopher même quand il n'y avait aucun danger en vue — ni de danger qui aurait pu se révéler
par la suite —, et même quand Noé s'était, selon ses
critères bien sûr, étonnamment contenu dans sa
conduite. Mais les rennes sentaient quelque chose.
C'était quelque chose qui allait au-delà de ce que
nous savions alors, c'était comme s'ils disaient :
Vous pensez, n'est-ce pas, que c'est le pire ? Eh
bien, n'y comptez pas trop. Quoi qu'il en soit,
même les rennes ne pouvaient guère être précis,
c'était quelque chose de lointain, d'important… à
long terme.

À part les rennes, nous tous, on peut le comprendre facilement, étions bien plus intéressés
par le court terme. On réglait, par exemple, le problème des animaux malades sans aucune pitié.
Nous n'étions pas à bord d'un navire-hôpital, nous
faisaient sans arrêt remarquer les officiels. Il ne
devait y avoir ni malade ni simulateur. Ce qui
n'apparaissait guère équitable ni réaliste. On se gardait bien, de toute façon, de se déclarer malade.
Une petite attaque de gale, et on vous jetait par-
dessus bord avant que vous puissiez tirer la langue
pour qu'on l'examine. Et puis, que pensez-vous
alors qu'il arrivait à votre chère moitié ? À quoi peut

bien servir cinquante pour cent d'un couple reproducteur ? Noé n'était certes pas sentimental au
point de permettre au conjoint en deuil d'attendre
une mort naturelle.

Prenons les choses différemment : que diable pensez-vous que Noé et sa famille mangeaient dans
l'Arche ? Ils nous mangeaient, bien entendu. Je veux
dire, si vous regardez aujourd'hui le monde animal,
vous ne pensez tout de même pas que c'était tout ce
qu'il y avait au départ, n'est-ce pas ? Un tas de bêtes
paraissent plus ou moins reliées, puis une coupure,
puis un autre groupe de bêtes semblent plus
ou moins de la même famille, etc. Je sais que vous
avez quelque théorie pour expliquer tout ça — des
choses en relation avec le milieu, avec les performances héritées ou quoi que ce soit d'autre —, mais
il y a une raison bien plus simple pour ces sauts
déconcertants qui ponctuent l'éventail de la création. Un cinquième du monde animal a disparu
avec Varadi ; quant aux autres espèces manquantes,
la bande de Noé les a avalées. Vraiment. Il y avait
par exemple un couple de plongeons de l'Arctique, c'étaient des oiseaux particulièrement beaux.
Quand ils arrivèrent à bord, leur plumage était mou-
cheté bleu et brun. Quelques mois plus tard, ils
commencèrent à muer, ce qui était tout à fait normal. Leurs plumes d'été tombaient, tandis que leur
plumage d'hiver, d'un blanc éclatant, commençait à
apparaître. Bien entendu, nous n'étions pas aux
abords des latitudes de l'Arctique. Donc, à propre-
ment parler, c'était inutile, mais on ne peut guère
arrêter la nature, n'est-ce pas ? Ni non plus, malheu-

reusement, arrêter Noé. Aussitôt qu'il découvrit que les plongeons devenaient blancs, il pensa qu'ils étaient malades et, généreusement, prenant en considération la santé du reste des passagers, il les fit bouillir, accommodés de quelques algues. Par certains côtés, c'était un ignorant et sûrement pas un ornithologue. On organisa une pétition afin de lui expliquer certaines choses concernant la mue et ce genre de trucs. Finalement, il parut comprendre. Mais les plongeons de l'Arctique étaient envolés.

Évidemment, ça n'en resta pas là. Pour Noé et sa famille, nous étions juste une cafétéria flottante. Purs et impurs se mélangeaient sur l'Arche ; repas d'abord, piété ensuite, c'était la règle. Vous n'imaginez pas la richesse de la vie sauvage dont vous a privés Noé. Ou plutôt si, étant donné que c'est précisément ce que vous faites. Vous l'imaginez. Tous ces animaux mythiques dont vos poètes ont rêvé au cours des premiers siècles, vous supposez, n'est-ce pas, qu'ils ont été inventés délibérément ou qu'ils sont la description terrifiée d'animaux entraperçus dans la forêt après un trop bon déjeuner de chasse. Je crains que l'explication soit bien plus simple : Noé et sa suite les ont bouffés. Au début du Voyage, comme je l'ai dit, il y avait un couple de béhémoths dans la cale. Personnellement, je ne les ai pas beaucoup regardés, mais on m'a dit que c'étaient des créatures impressionnantes. Pourtant, Cham, Sem, ou celui dont le nom commence par un J, avancèrent apparemment devant le conseil de famille que si on avait des éléphants et des hippopotames, on pouvait fort bien se passer des béhémoths. Cette argumentation de plus était à la fois théorique et pratique : deux carcasses de cette envergure permettraient à la famille de Noé de ne pas avoir de problème de nourriture pendant des mois.

Évidemment, ça ne s'est pas passé comme ça. Après quelques semaines, on commença à se plaindre de recevoir chaque jour pour dîner du béhémoth et donc — simplement pour changer l'ordinaire — quelques autres espèces furent sacrifiées. Ils prenaient de temps en temps des airs coupables en relation avec l'économie domestique, mais je peux vous dire ceci : il restait un tas de béhémoth salé à la fin du voyage.

La salamandre suivit le même chemin. Je parle de la véritable salamandre, non de cet animal quelconque auquel vous avez donné son nom ; notre salamandre vivait dans le feu. C'était vraiment et sans erreur possible un animal unique ; cependant Cham ou Sem, ou l'autre aussi, n'arrêtaient pas de faire remarquer que sur un navire en bois le risque était simplement trop grand. Donc les deux salamandres et les deux feux jumelés qui les abritaient furent condamnés à l'extinction. L'escarboucle disparut également, à cause d'une histoire ridicule qu'avait entendu raconter la femme de Cham : cet animal aurait eu une pierre précieuse à l'intérieur de la tête. Cette femme de Cham voulait toujours être sur son trente et un. Donc, ils prirent une des escarboucles et lui coupèrent la tête ; ils lui fendirent le crâne et ne trouvèrent rien du tout. Peut-être que la pierre ne se trouve que dans la tête de la femelle, suggéra la femme de Cham. Donc, on ouvrit le crâne de l'autre de la même manière pour obtenir de nouveau un résultat négatif.

Je vous offre la suggestion suivante avec quelques hésitations, néanmoins je sens que je dois la faire. Par moments, nous supposions qu'il devait y avoir une sorte de système derrière ce massacre perpétuel. Certainement cette boucherie allait au-delà de ce qui était strictement nécessaire pour des besoins de nourriture — bien au-delà. Par moments, on supprimait des espèces qui n'avaient pratiquement aucune chair sur elles ; bien plus, les mouettes, de temps à autre, signalaient qu'elles avaient vu des carcasses jetées par-dessus la poupe avec de la viande parfaitement comestible encore accrochée aux os. Nous commençâmes à supposer que Noé et sa tribu avaient une dent contre certains animaux, tout simplement parce qu'ils étaient ce qu'ils étaient. Le basilic, par exemple, passa rapidement par-dessus bord. Évidemment, il n'était pas très plaisant à regarder, mais je sens que c'est de mon devoir de signaler qu'il y avait fort peu à manger sous ses écailles et que cet oiseau n'était certainement pas malade au moment de sa mise à mort.

En fait, lorsqu'on regarde en arrière, on commence à discerner, après les événements, une forme, et cette forme apparut avec le basilic. Vous n'en avez jamais vu, bien sûr.

Mais si je décris un coq à quatre pattes, avec une queue de serpent, qui a, disons, un regard vraiment mauvais et qui pond un œuf informe qu'il fait couver par un crapaud, vous comprendrez que ce n'était pas l'animal le plus séduisant de l'Arche.

Pourtant, il avait ses droits comme n'importe qui d'autre, n'est-ce pas ? Après le basilic, ce fut le tour du griffon ; après le griffon, le sphinx ; après le sphinx, l'hippogriffe. Vous pensez peut-être que toutes ces bêtes étaient le fruit d'imaginations douteuses ? Mais pas du tout. Et ne voyez-vous pas ce qu'elles avaient en commun ? C'étaient toutes des hybrides. Nous pensons que c'était Sem — bien que ce puisse bien être Noé lui-même — qui commença à lancer l'idée de pureté de l'espèce. Un fou, évidemment ; et, comme nous le disions entre nous, il suffit de regarder Noé et sa femme, ou leurs trois fils et leurs trois épouses, pour comprendre la déroute génétique qu'allait subir la race humaine. Pourquoi alors fallait-il qu'ils deviennent si pointilleux à propos des hybrides ?

Et, pourtant, ce fut l'affaire de la licorne qui fut la plus pénible. Cette histoire nous déprima pendant des mois. Bien entendu, il y eut les habituelles rumeurs sordides — que la femme de Cham s'était servie de sa corne pour un usage obscène — et les campagnes, de rigueur après la mort, lancées par les officiels pour dénigrer le caractère de la bête ; mais tout cela ne fit que nous rendre encore plus mal à l'aise. Le fait incontestable, c'est que Noé était jaloux. Nous respections tous la licorne, et le vieux coquin ne pouvait le supporter. Noé — à quoi ça pourrait-il servir de ne pas vous dire la vérité ? — était irascible, peu fiable, envieux et lâche. De plus, il puait. Ce n'était même pas un bon marin : lorsque la mer était agitée, il s'enfermait dans sa cabine, se jetait sur son lit en bois de gopher et ne le quittait que pour aller vider son estomac dans son lavabo en bois de gopher lui aussi ; ses effluves arrivaient à un pont de distance. À l'opposé, la licorne était forte, honnête, intrépide, toujours extrêmement soignée ; son pied marin n'avait jamais la moindre défaillance. Un jour, dans un coup de vent, la femme de Cham perdit l'équilibre près de la rambarde et faillit passer par-dessus bord. La licorne — qui avait le droit de se promener sur le pont à cause de son extrême popularité — bondit pour planter sa corne dans la traîne du manteau, le clouant ainsi au pont. Quel joli remerciement elle reçut pour son courage ! Noé et sa famille la mirent à la casserole le dimanche suivant. Je peux en témoigner. J'ai parlé personnellement au faucon qui transporta la marmite brûlante dans l'Arche de Sem.

Vous pouvez ne pas me croire, évidemment, mais que disent vos archives ? Prenez, voulez-vous, l'histoire de la nudité de Noé — vous vous souvenez ? Ça s'est passé après l'accostage. Noé, ce n'était pas surprenant, était encore plus satisfait de lui qu'avant — il avait sauvé la race humaine, il avait établi avec succès sa dynastie, il avait passé une alliance avec Dieu —, aussi décida-t-il de ne pas s'en faire au cours des trois cent cinquante dernières années de sa vie. Il fonda un village (que vous appelez Argutie) au bas de la pente de la montagne et passa ses jours à rêver de nouveaux honneurs, de nouvelles décorations : Saint Chevalier de la Tempête, Grand Commandeur des Bourrasques, etc.

Dans vos livres sacrés, on vous apprend qu'il planta
une vigne dans sa propriété. Ah ! Même l'esprit le
plus borné peut saisir ce petit euphémisme : il était
ivre tout le temps. Un soir, après une séance particulièrement sévère, à peine Noé avait-il fini de se
déshabiller qu'il tomba ivre mort sur le sol de sa
chambre à coucher — ce qui n'avait rien d'excep-
tionnel. Cham et ses frères, qui passaient devant sa
« tente » (ils continuaient d'utiliser d'une manière
sentimentale cet ancien mot du désert pour parler
de leur palais) entrèrent pour voir si leur vieil alcoolique de père ne s'était pas fait mal. Cham pénétra
dans la chambre à coucher et… Bon, un homme
nu de six cent cinquante ans environ, étendu par
terre au milieu des vapeurs de l'alcool, n'est pas une
vue particulièrement réjouissante. Cham fit ce que
tout bon fils aurait fait, il alla chercher ses frères
pour qu'ils l'aident à recouvrir leur père. Par respect — même si à cette époque cette coutume était
déjà passée de mode —, Sem et celui dont le nom
commence par un J entrèrent à reculons dans la
chambre de leur père et firent en sorte de le mettre
dans son lit sans que leurs yeux ne tombent sur les
organes de la génération qui, mystérieusement, pro-
voquent chez votre espèce de la honte. Un acte
pieux et respectable, direz-vous. Et comment pensez-vous que Noé réagit lorsqu'il se réveilla avec
cette sorte de gueule de bois perforante, provoquée
par le vin nouveau ? Il maudit le fils qui l'avait trouvé
et décréta que tous les enfants de Cham devien-
draient les serviteurs des familles des deux frères, de
ceux qui étaient entrés dans sa chambre les fesses en

avant. Qu'est-ce que cela peut bien signifier ? Je devine ce que vous pensez : son jugement était altéré par la boisson et nous devons le prendre en pitié plutôt que de le critiquer. Bon, peut-être. Pourtant, je veux simplement faire cette remarque : nous l'avons vu à l'œuvre dans l'Arche.

Il était grand, ce Noé — à peu près de la taille d'un gorille, quoique la ressemblance s'achève ici. Le capitaine de la flottille — il se nomma amiral à la moitié du Voyage — était un vieux machin extrêmement laid, sans aucune élégance dans ses mouvements et ignorant totalement l'hygiène corporelle. Il n'avait même pas l'astuce de laisser pousser ses propres poils en dehors de ceux de son visage ; pour le reste du corps, il devait compter sur la peau des autres espèces. Mettez-le côte à côte avec le gorille, et vous discernerez facilement l'espèce supérieure : celle qui a des mouvements gracieux, une force nettement supérieure et l'instinct bien ancré de se défaire de sa vermine. Sur l'Arche, nous n'en finissions pas de nous pencher sur cette énigme. On cherchait à comprendre comment Dieu en était venu à choisir l'homme comme Son protégé, alors qu'il y avait tant d'autres candidats bien mieux placés. Il aurait trouvé chez la plupart des autres espèces bien plus de loyauté. S'Il s'était décidé pour le gorille, je doute fort qu'il y ait eu sur terre ne serait-ce que la moitié des actes de désobéissance auxquels on assista — et donc le déluge n'aurait peut-être pas été nécessaire.

Et l'odeur de ce type... Des fourrures humides, recouvrant le corps d'une espèce qui s'enorgueillit de l'entretenir, c'est une chose, mais un pelage humide, raide de sel, pendant lamentablement du cou d'une espèce qui se néglige et à qui en plus il n'appartient pas est tout à fait une autre affaire. Même lorsque le calme revint, ce vieux Noé parut incapable de ne pas s'imbiber (je rapporte ce que disaient les oiseaux auxquels on peut faire confiance). L'humidité et la tempête lui collaient à la peau comme un souvenir coupable ou la perspective de nouvelles tempêtes.

Durant le Voyage, il y avait aussi d'autres dangers que celui d'être transformé en déjeuner. Prenez notre espèce, par exemple. Une fois que nous fûmes à bord, bien cachés, nous nous sentîmes plutôt satisfaits. C'était, vous vous en doutez, bien avant l'époque des jolies seringues remplies de solutions de phénol et d'alcool, avant la créosote, les naphthénates métalliques, les pentachlorophénols, le benzène, le paradichlorobenzène et l'orthodichlorobenzène. Heureusement, nous ne tombâmes pas sur la famille des cléridés, ni sur la mite pédiculidée, ou les guêpes parasites de la famille des brachycères. Néanmoins, nous avions un ennemi, et un ennemi fort patient : le temps. Qu'allait-il se passer si le temps nous obligeait à nos inévitables changements ?

Ce fut un sérieux avertissement le jour où nous constatâmes que le temps et la nature se rencontraient chez notre cousin xestobium rufo-villosum. Cela déclencha une vraie panique. C'était vers la fin du Voyage, durant une période de calme. Nous restions là, toute la journée, à attendre le bon plaisir de Dieu. Au milieu de la nuit, alors que l'Arche n'était plus battue par le vent et que le silence régnait partout — un silence si rare, si épais que toutes les bêtes s'arrêtaient pour l'écouter, le rendant ainsi encore plus profond —, nous entendîmes à notre étonnement le bruit de tic-tac du xestobium rufo-villosum. Quatre ou cinq claquements secs suivis d'une pause, puis d'une réponse un peu plus lointaine. Nous, les humbles, les discrets, les dédaignés, les néanmoins raisonnables anobium domesticum, ne pouvions en croire nos oreilles. Que l'œuf devienne larve, la larve chrysalide, la chrysalide imago est la loi inflexible de notre monde : il n'y a rien à blâmer dans ces transformations. Mais que nos cousins devenus adultes puissent choisir ce moment, ce moment entre tous, pour faire connaître leurs intentions amoureuses, était au-delà de toute imagination. Nous étions en danger sur la mer, avec à l'horizon la possibilité d'une extinction définitive et le xestobium rufo-villosum ne pensait en tout et pour tout qu'au sexe. Ce devait être la réaction névrotique à la crainte de l'extinction ou quelque chose comme ça. Mais quand même…

Un des fils de Noé vint voir d'où arrivait le bruit, alors que nos stupides cousins, éperdus, esclaves de leurs désirs érotiques, cognaient leurs joues contre le mur de leurs galeries. Heureusement, la progéniture de l'« Amiral » n'avait qu'une vague connaissance du royaume animal dont il avait la charge, si bien qu'il pensa que ce tapage, que ces craquements provenaient de la charpente du bateau. Bientôt, le vent se leva de nouveau et xestobium rufo-villosum put s'adonner à ses occupations amou-reuses en toute sécurité. Mais cette affaire nous incita fortement à la prudence. Anobium domesti-cum, à l'unanimité des sept participants au vote, résolut de ne pas se livrer à ce genre d'ébats jus-qu'au lendemain du Débarquement.

Il faut dire aussi que Noé, qu'il fasse beau ou vilain temps, n'était guère un grand marin. On l'avait choisi pour sa piété plutôt que pour ses connaissances de navigateur. Il était nul lors des tempêtes et guère mieux par mer calme. Comment puis-je en juger ? Une fois de plus, je me reporte à ce que disaient les oiseaux — des oiseaux qui peuvent rester en l'air pendant des semaines de suite, des oiseaux qui sont capables de retrouver leur chemin d'un bout de la planète à l'autre grâce à un système de navigation aussi élaboré que tous ceux que votre espèce a pu inventer. Et ces oiseaux disaient que Noé ne savait pas ce qu'il faisait — qu'il n'était qu'un fanfaron confit en prières. Sa tâche pourtant n'était pas difficile, ne trouvez-vous pas ? Durant les tempêtes, il lui fallait quitter rapidement le centre de la tourmente pour ne pas sombrer, et par temps calme s'assurer que nous ne nous éloi-gnions pas trop, en dérivant, de nos points de repère, au risque de nous retrouver, au moment d'aborder, dans quelque Sahara inhabitable. La meilleure chose qu'on puisse dire de Noé, c'est qu'il a survécu au Déluge (bien qu'il n'ait guère eu à s'inquiéter des récifs et des côtes, ce qui rendait sa navigation plutôt facile) et que, lorsque finalement les eaux se retirèrent, ce ne fut pas pour nous retrouver par erreur au beau milieu d'un océan illimité. Si ç'avait été le cas, il est difficile de dire le temps que nous aurions finalement passé en mer.

Bien entendu, les oiseaux offrirent de mettre leur expérience au service de Noé ; mais il était bien trop fier. Sans prendre en compte le moins du monde leurs véritables capacités, il se contenta de leur donner quelques missions de reconnaissance — par exemple repérer les maelströms et les tornades. Il envoya aussi un certain nombre d'espèces à la mort en leur demandant de prendre l'air par gros temps, alors que ces espèces n'étaient pas réellement équipées pour le faire. Lorsque Noé expédia l'oie gazouillante dans un vent de force 9 (il est vrai que cet oiseau avait un cri passablement irritant, particulièrement lorsqu'on essayait de s'endormir), le pétrel, dit aussi l'oiseau des tempêtes, se porta volontaire pour prendre sa place. Mais l'offre fut rejetée — ce qui provoqua l'extinction de l'oie gazouillante.

D'accord, d'accord, Noé avait aussi ses qualités. Il avait un sens aigu de la survie — et pas seulement lorsqu'il s'agissait du Voyage. Il sut aussi déchiffrer le secret lié à une longue vie, secret que devait par la suite perdre votre espèce. Mais ce n'était pas un brave homme. Avez-vous entendu parler du jour où il fit passer l'âne sous la quille ? Trouvez-vous ce récit dans vos comptes rendus ? C'était au cours de l'an deux, quand le règlement s'était un petit peu relâché et que des voyageurs choisis étaient autorisés à se mélanger. Bon. Noé surprit l'âne alors qu'il essayait de monter la jument. Il piqua une ter-

rible crise, hurlant qu'une union semblable ne pouvait rien apporter de bon — ce qui renforce notre
théorie concernant son horreur des hybrides — et
proclama qu'il allait faire un exemple. On lia donc
ensemble les pattes de l'animal, on le hissa par-
dessus bord, on le tira sous la quille et on le fit
remonter de l'autre côté, dans une mer déchaînée.
La plupart d'entre nous attribuèrent cet acte de
violence à une pure jalousie sexuelle. C'était aussi
simple que cela. Ce qui était étonnant, pourtant, fut
la manière dont l'âne prit la chose. Ces types en
connaissent un bout sur l'endurance, croyez-moi.
Quand on le refit passer au-dessus du bastingage, il
se trouvait dans un état terrible. Ses pauvres vieilles
oreilles ressemblaient à des algues gluantes et sa
queue à un mètre de corde détrempée. Un certain
nombre d'animaux, qui à cette époque n'étaient
plus très fous de Noé, se rassemblèrent autour de
lui. La chèvre, je crois, lui donna doucement
quelques coups de tête sur le côté, pour voir s'il
était encore vivant. L'âne ouvrit un œil, jeta un
regard circulaire sur les museaux soucieux qui se
penchaient vers lui et dit : « Maintenant, je sais ce
que c'est que d'être un phoque. » Pas si mauvais, vu
les circonstances. Mais je dois vous dire que vous
avez aussi failli perdre cette espèce-là.

 Je suppose que ce n'était pas entièrement la faute
de Noé. Je veux dire que le Dieu qu'il adorait était
réellement oppressif. Noé ne pouvait rien faire sans
d'abord se demander ce qu'Il allait penser. Écoutez,
ce n'est quand même pas une manière d'agir. Toujours à regarder au-dessus de son épaule pour cher-

cher une approbation — ce n'est pas se conduire en adulte, non ? Et Noé n'avait pas non plus l'excuse d'être un jeune homme. Il avait environ six cents ans, si l'on accepte la manière de compter de votre espèce. Six cents ans de vie devraient avoir produit une certaine largeur de vue, la faculté d'aborder les problèmes par les deux bouts. Absolument pas. Tenez, prenons la construction de l'Arche. Qu'a-t-il fait ? Il l'a construite en bois de gopher. En bois de gopher ? Même Sem fit des objections. Rien à faire, c'était ce que voulait Noé et c'était ce qu'il allait avoir. Qu'il n'y ait guère de bois de gopher dans les environs ne changea rien à la chose. Sans doute suivait-il les instructions de son cher modèle, mais quand même. N'importe qui s'y connaissant un peu en bois — et je peux me vanter d'avoir une certaine autorité en la matière — aurait pu lui dire qu'une bonne douzaine d'autres essences auraient pu tout aussi bien faire l'affaire, et même mieux. Et regardez-moi la suite. L'idée de construire absolument tout dans un bateau à partir d'un seul bois est stupide. Il faut choisir les matériaux en accord avec ce qu'on se propose de faire ; tout le monde sait cela. Mais voilà, on avait affaire au vieux Noé — et chez lui la souplesse d'esprit… Incapable de voir autre chose qu'un seul aspect du problème. Des accessoires de salle de bains en bois de gopher — avez-vous jamais entendu parler d'une chose plus ridicule ?

Ça lui était dicté, comme je l'ai dit, par son cher modèle. Qu'est-ce que Dieu allait penser ? C'était la question perpétuellement en suspens sur ses lèvres.

Il y avait quelque chose d'un peu sinistre dans la dévotion que Noé avait pour Dieu ; ça vous donnait la chair de poule, si vous voyez ce que je veux dire. De toute façon, il savait certainement de quel côté se trouvait le beurre sur sa tartine. J'imagine que d'avoir été choisi ainsi, en tant que survivant élu, de savoir que sa dynastie restera la seule sur terre, ça doit effectivement vous tourner la tête, non ? Quant à ses fils — Cham, Sem et celui dont le nom commence par un J —, il est certain que cette situation ne fit certainement aucun bien à leur ego. Ils passaient leur temps à faire de l'esbroufe sur le pont, comme la famille royale.

Voyez-vous, il y a une chose que je veux absolument éclaircir : toute cette affaire de l'Arche. Vous pensez sans doute encore que Noé, malgré ses multiples défauts, était au fond une sorte d'écologiste, qu'il rassemblait les animaux parce qu'il ne voulait pas qu'ils soient éliminés, qu'il ne supportait pas l'idée de ne plus jamais voir une girafe, qu'il faisait tout cela pour nous. Ce n'était absolument pas le cas. Il nous avait rassemblés parce que son modèle le lui avait dit, mais aussi par intérêt égoïste, teinté de cynisme. Il voulait avoir quelque chose à manger lorsque la mer se serait retirée. Au bout de cinq ans passés au fond de l'eau, la plupart des potagers avaient été réduits à rien, c'est moi qui vous le dis. Seules les rizières avaient prospéré. Eh bien, la plupart de nous savaient qu'aux yeux de Noé nous n'étions que de futurs repas, sur deux, quatre pattes, ou quel qu'en soit le nombre. Si ce n'était pas immédiatement, ce serait pour plus tard ; si ce n'était pas nous, alors ce seraient nos enfants. Cette sensation n'était pas particulièrement agréable, comme vous pouvez l'imaginer. Une atmosphère de terreur paranoïaque régnait dans cette arche de Noé. Lequel d'entre nous serait la prochaine victime ? Il vous suffisait tout simplement de ne plus plaire à la femme de Cham aujourd'hui pour avoir toutes les chances de vous retrouver préparé en fricassée le lendemain soir. Cette sorte d'incertitude peut inciter à des conduites extrêmement bizarres. Je me souviens qu'un couple de lemmings fut surpris, alors qu'il essayait d'escalader la rambarde — les deux bêtes dirent qu'elles voulaient en finir une fois pour toutes, qu'elles ne supportaient plus ce suspens. Mais Sem les attrapa juste à temps et les enferma dans une caisse. De temps en temps, lorsqu'il s'ennuyait, il faisait glisser le couvercle et agitait un grand couteau à l'intérieur de la caisse. C'était sa manière à lui de plaisanter. Mais si ce truc n'a pas traumatisé l'espèce tout entière, j'en serais vraiment surpris.

Bien entendu, lorsque le voyage fut fini, Dieu reconnut officiellement les droits aux dîners de Noé. Pour salaire de son obéissance, il obtint la permission de manger pour le reste de sa vie n'importe lequel d'entre nous qu'il choisirait. Ça faisait partie d'une sorte de pacte ou d'alliance instauré entre les deux. Un joli coup fourré, si vous voulez mon avis. En fin de compte, après avoir éliminé tout le monde sur la terre, Dieu devait forcément se contenter de la seule famille d'adorateurs qu'il avait épargnée. Il n'aurait pas pu dire : Non, vraiment vous n'êtes pas assez bien. Noé se rendit probablement compte qu'il tenait Dieu à sa merci (quel échec retentissant de provoquer le déluge, puis d'être obligé d'en finir avec la Famille élue). De toute façon, nous pensons qu'on nous aurait mangés, avec ou sans traité. Cette prétendue alliance ne contenait pour nous rien d'autre que notre arrêt de mort. Oui, c'est vrai, on nous accorda une bagatelle — il était interdit à Noé et aux siens de manger une femelle pleine. Cette échappatoire conduisit à pas mal d'activités frénétiques autour de l'Arche échouée. Elle eut aussi quelques effets secondaires, psychologiquement assez étranges. Avez-vous jamais pensé à l'origine de la grossesse nerveuse ?

Ce qui me rappelle l'histoire de la femme de Cham. Ce n'étaient que de sales rumeurs, dirent-ils, et l'on peut voir comment elles ont pu prendre naissance. La femme de Cham n'était pas la personne la plus populaire sur l'Arche. Et la perte du bateau-hôpital, comme je l'ai déjà dit, lui était généralement attribuée. Encore fort séduisante — elle n'avait que cent cinquante ans au moment du déluge —, elle était aussi entêtée et colérique. C'était certainement elle qui portait la culotte. Maintenant, voici les faits. Cham et sa femme avaient, au moment de l'embarquement, deux enfants — deux enfants mâles, puisque c'était ainsi qu'ils comptaient —, appelés Koush et Miçraïm. Sur l'Arche, ils eurent un troisième fils, nommé Pouth, et après le Débarquement, un quatrième, Canaan. Noé et sa femme avaient les cheveux noirs et les yeux bruns. Il en était de même pour Cham et sa femme, pour Sem et Varadi et aussi pour celui dont le nom commence par un J. Et tous les enfants de Sem et de Varadi et tous ceux de celui dont le nom commence par un J avaient également des cheveux noirs et des yeux bruns. Il en était de même pour Koush et Miçraïm et Canaan. Mais Pouth, celui qui était né sur l'Arche, avait des cheveux roux. Des cheveux roux et des yeux verts. Voilà les faits.

Dès maintenant, nous quittons le havre des certitudes pour le grand large des rumeurs (à propos, c'était de cette manière que parlait généralement Noé). Je n'étais pas quant à moi sur l'arche de Cham, aussi, je ne fais que rapporter sans passion ce que dirent les oiseaux. Il y avait deux principales histoires, et je vous laisse le soin de choisir entre les deux. Vous vous souvenez de cet artisan qui s'était ménagé une cachette sur le bateau de vivres ? Eh bien, l'on dit — quoi que ce ne fût pas confirmé officiellement — que, lorsqu'on fouilla les appartements de la femme de Cham, on découvrit un espace que personne n'avait pensé trouver là, un espace qui n'était en tout cas nullement porté sur les plans. La femme de Cham nia en avoir eu connaissance, bien qu'apparemment une de ses chemises en peau de yak fût trouvée pendue à une patère et qu'un examen attentif et jaloux du plancher fit découvrir plusieurs cheveux roux pris entre les lattes du parquet.

La seconde histoire — que je raconterai également sans commentaire — se rapporte à une matière plus délicate ; pourtant, étant donné qu'elle concerne directement un pourcentage important de votre espèce, je me vois obligé de poursuivre. Il y avait à bord sur l'arche de Cham un couple de simiens de la plus extraordinaire beauté et respirant la santé. Ils étaient, selon les dires, d'une intelligence supérieure, d'un aspect soigné et avaient des visages si mobiles que vous auriez juré qu'ils allaient se mettre à parler. Ils avaient aussi un superbe pelage roux et des yeux verts. Cette espèce n'existe plus : elle n'a pas survécu au Voyage et les circonstances qui entourent sa disparition à bord n'ont jamais été parfaitement éclaircies. (Il s'agissait de quelque chose autour de la chute d'un espar...) Mais quelle coïncidence quand même, nous disions-nous, que la chute d'un espar puisse tuer le mâle et la femelle, d'un seul coup, et au même moment, d'une espèce particulièrement agile.

L'explication officielle était, évidemment, très différente. Il n'y avait aucun compartiment secret, il n'y avait pas eu de croisement. L'espar qui avait tué les simiens était énorme et avait aussi supprimé un ondatra pourpre, deux autruches naines et un couple d'oryctéropes à la queue plate. Les étranges couleurs des cheveux et des yeux de Pouth étaient le signe de Dieu — même si ce dernier ne pouvait être déchiffré sur le moment par l'espèce humaine. Plus tard, sa signification devint claire : c'était le signe que le Voyage était arrivé à la moitié. Donc, Pouth était un enfant béni qui n'appelait ni inquiétude ni châtiment. Noé lui-même l'annonça plus tard. Dieu l'avait visité en rêve et lui avait dit de se garder de lever la main sur l'enfant. Noé, étant un homme pieux comme il le faisait souvent remarquer, agit en conséquence.

Inutile de vous dire que les animaux étaient fortement divisés à propos de ce qu'il fallait croire. Les mammifères, pas exemple, refusaient d'admettre l'idée que le mâle de ces simiens au pelage roux et aux yeux verts ait pu avoir des rapports charnels avec la femme de Cham. Bien que nous ne sachions jamais quel secret se trouve dans le cœur même de nos meilleurs amis, les mammifères étaient cependant prêts à jurer sur leur espèce que cela n'avait pu se produire. Ils connaissaient trop bien ce simien, disaient-ils, et pouvaient se porter garants de son niveau moral élevé et de la pureté rigoureuse de ses mœurs. Il était même, insinuèrent-ils, un peu snob. Et en supposant — en supposant simplement — qu'il ait voulu avoir une aventure un peu légère, il y avait des spécimens bien plus attirants sur le bateau que la femme de Cham. Pourquoi ne se serait-il pas intéressé plutôt à ces charmants petits singes à la queue jaune, dont tout le monde peut jouir pour une quantité dérisoire de noix de muscade écrasée ?

Voici venir la fin de mes révélations. Elles ont été faites — vous devez le comprendre —, dans un esprit amical. Si vous pensez que je cherche la provocation, c'est probablement parce que votre espèce — j'espère que vous ne m'en voudrez pas de parler ainsi — est désespérément dogmatique. Vous croyez ce que vous avez envie de croire et vous vous y tenez. Bon, vous avez tous évidemment des gènes de Noé. Sans doute cela explique-t-il aussi votre manque, souvent étrange, de curiosité.

Vous ne posez jamais, par exemple, de question sur ce point délicat du début de votre histoire : qu'est-il arrivé au corbeau ?

Quand l'Arche se posa au sommet de la montagne (c'était bien plus compliqué que ça, bien sûr, mais passons sur les détails), Noé envoya un corbeau et une colombe pour voir si les eaux s'étaient effectivement retirées de la surface de la terre. Eh bien, dans la version que vous avez privilégiée, le corbeau joue un très petit rôle : il volette simplement çà et là, sans servir à grand-chose, est-on conduit à conclure. Les trois voyages de la colombe, d'un autre côté, sont qualifiés d'héroïques. On pleure lorsqu'elle ne trouve aucun endroit où poser ses pattes, on se réjouit quand elle revient à l'Arche avec un rameau d'olivier. Vous avez fait de cet oiseau, si je comprends bien, un être chargé de valeur symbolique. Aussi, laissez-moi quand même faire remarquer ceci : le corbeau a toujours soutenu que c'était lui qui avait trouvé l'olivier ; que c'était lui qui avait ramené le rameau dans l'Arche, mais que Noé avait pensé que c'était « plus opportun » de dire que c'était la colombe qui l'avait découvert. Personnellement, j'ai toujours cru le corbeau qui, sans parler d'autre chose, est nettement plus puissant en vol que la colombe. De plus, c'était tout à fait le genre de Noé (modelant sa conduite sur celle de son Dieu) de provoquer une dispute parmi les animaux. Noé fit courir le bruit que le corbeau, au lieu de revenir le plus vite possible avec la preuve de l'assèchement des terres, avait tiré au flanc, qu'on l'avait vu (qui donc l'avait vu ?

pas même la colombe, d'ailleurs, même cette petite arriviste ne se serait pas abaissée à une telle calomnie) en train de se régaler d'une charogne. Le corbeau, faut-il le signaler, se sentit profondément blessé et trahi devant cette falsification immédiate de l'histoire. Certains disent — ceux qui ont une meilleure oreille que la mienne — qu'on peut entendre encore aujourd'hui le croassement de tristesse et de mécontentement dans sa voix. La colombe, en revanche, commença à prendre un ton insupportablement suffisant dès l'instant du Débarquement. Elle se voyait déjà représentée sur les timbres et sur les en-têtes.

Avant que la passerelle ne fût abaissée l'« Amiral » s'adressa aux animaux qui se trouvaient sur son Arche, et ses paroles furent rapportées à ceux d'entre nous qui naviguaient sur les autres bateaux. Il nous remercia de notre coopération, s'excusa de la portion parfois congrue des rations et promit, étant donné que nous avions joué notre rôle dans cette affaire, d'obtenir le meilleur *quid pro quo* de Dieu au cours des prochaines négociations. Certains d'entre nous émirent un petit rire de doute en entendant cette déclaration : nous nous souvenions de l'âne enfoncé sous la quille, de la perte du bateau-hôpital, de la politique d'extermination des hybrides, de la mort de la licorne… Il était évident pour nous que, si Noé était devenu monsieur Gentil-Gentil, c'était parce qu'il sentait ce que n'importe quel animal à l'esprit clair allait faire à l'instant où il poserait le pied à terre : il filerait en direction de la forêt et des collines. Noé, évidemment, nous passait de la pommade pour nous pousser à rester aux alentours de son nouveau palais, dont il avait choisi d'annoncer la construction au même moment. Les équipements, ici, fourniraient de l'eau gratuitement aux animaux qui seraient aussi nourris lors des hivers rigoureux. Évidemment, il avait peur que les repas carnés auxquels il avait pris goût sur l'Arche l'abandonnent aussi vite que le permettraient les deux, quatre pattes, ou quel que soit leur nombre, de ceux qui en fournissaient la matière première. Sa famille alors devrait se remettre à manger des baies et des amandes. Curieusement, des animaux pensèrent que l'offre de Noé était honnête : après tout, proclamèrent-ils, il ne peut pas nous manger tous, il ne supprimera probablement que les vieillards et les malades. Aussi, certains d'entre eux — pas les plus intelligents, il faut le dire — restèrent dans les parages, attendant que se construise le palais et que l'eau se mette à couler comme le vin. Les cochons, les bœufs, les moutons et quelques chèvres parmi les plus stupides, les poulets… On les prévint ou, du moins, on essaya. On leur chuchotait en ricanant : « Braisé… ou rôti ? » Mais sans résultat. Comme je l'ai dit, ce n'étaient pas des sujets particulièrement brillants. De plus, probablement effrayés de retrouver une nature sauvage, ils étaient maintenant dépendants de leur prison et de leurs geôliers. Ce qui arriva au bout de quelques générations était parfaitement prévisible : ils devinrent l'ombre d'eux-mêmes. Les cochons et les moutons que vous voyez marcher aujourd'hui autour de vous sont des zombis par rapport à leurs ancêtres pleins d'entrain qui se trouvaient sur l'Arche. On leur a enlevé les tripes. Et c'est dur pour certains d'entre eux, comme la dinde, de se voir farcir, d'une manière ignoble, dans le vide laissé par leurs boyaux, avant d'être mis à la broche ou à la casserole.

Et, évidemment, qu'est-ce que Noé accorda réellement dans son fameux traité du Débarquement concocté avec Dieu ? Qu'obtint-il en retour pour les sacrifices et la loyauté de sa tribu (sans parler des épreuves bien plus considérables du royaume animal) ? Dieu dit — et cela est la meilleure interprétation possible de la chose que trouva Noé — qu'Il promettait de ne pas envoyer un autre déluge et qu'en signe de Sa promesse, Il allait créer l'arc-en-ciel. L'arc-en-ciel ! Ah ! C'est une bien jolie chose en vérité, et le premier qu'on nous octroya — un demi-cercle irisé, avec un double un peu plus pâle, tous les deux scintillants dans un ciel indigo — fit lever la tête de beaucoup d'entre nous, alors qu'ils étaient en train de paître. On voit bien l'idée derrière tout cela : alors que la pluie cède à regret la place au soleil, cet éclatant symbole nous rappelle chaque fois que la pluie ne va pas continuer et se transformer de nouveau en déluge. Mais quand même, ce n'était pas un extraordinaire marché. Et de plus, est-ce que ça a force de loi ? Essayez donc de faire venir un arc-en-ciel au palais de justice.

Les animaux les plus malins voyaient clairement dans l'offre de demi-pension proposée par Noé de quoi il s'agissait en réalité : ils filèrent vers les collines et les bois, comptant sur leur propre aptitude pour trouver de l'eau et de la nourriture en hiver. Les rennes, on ne peut s'empêcher de le remarquer, furent les premiers à prendre le large pour s'éloigner de l'« Amiral » et de tous ses descendants à venir, emportant leur mystérieuse prémonition. Vous avez raison, en vérité, de voir dans les animaux qui s'enfuirent — des traîtres et des ingrats selon Noé — les représentants des plus nobles espèces. Est-ce qu'un cochon peut être noble ? Un mouton ? Un poulet ? Si seulement vous aviez vu la licorne… Ce fut un autre des aspects litigieux du discours que fit Noé après le Débarquement à ceux qui s'attardaient encore aux abords de sa palissade. Il dit que Dieu, en nous accordant l'arc-en-ciel, promettait en vérité de garder la mesure des merveilles du monde comble. Un renvoi parfaitement clair, s'il y en eut jamais un, aux nombreuses merveilles qui, au cours du Voyage, avaient été envoyées par-dessus bord des bateaux de Noé ou qui avaient disparu dans les entrailles de sa famille. L'arc-en-ciel à la place de la licorne ? Pourquoi Dieu ne redonna-t-Il pas simplement vie à la licorne ? Nous, les animaux, aurions été bien plus satisfaits de cette résurrection que de ce gros signe dans le ciel qui nous proclame la magnanimité de Dieu chaque fois qu'il s'arrête de pleuvoir.

Sortir de l'Arche, je crois vous l'avoir dit, n'était guère plus facile que d'y monter. Il y avait eu, hélas, un certain nombre de dénonciations dues à quelques espèces élues, aussi n'était-il nullement question que Noé se précipite sur la passerelle en criant : « Bon débarquement ! » Tous les animaux durent accepter d'être fouillés complètement, avant de se voir relâchés ; certains même furent plongés dans des baquets d'eau qui sentaient le goudron. Plusieurs femelles se plaignirent d'avoir été obligées de se soumettre à un examen des plus intimes par Sem. Pas mal de passagers clandestins furent découverts : quelques-uns des scarabées les plus voyants, quelques rats qui s'étaient bêtement empiffrés durant le voyage au point de devenir vraiment trop gras, et aussi un serpent ou deux. Nous descendîmes à terre — je ne vois pas pourquoi garder le secret plus longtemps — dans le bout creux d'une corne de bélier. C'était un animal puissant, bourru, subversif, dont nous avions, à dessein, cultivé l'amitié pendant les trois dernières années du voyage en mer. Il n'avait aucun respect pour Noé et fut ravi de nous aider à le berner après l'accostage.

Lorsque nous sortîmes tous les sept de cette corne de bélier, nous étions incroyablement euphoriques. Nous avions survécu. Nous avions voyagé clandestinement, nous avions survécu et nous étions libres — et tout cela sans passer aucun accord louche avec Dieu ou avec Noé. Nous avions réussi grâce à nos seuls moyens. Nous avions ennobli notre propre espèce. Cela peut vous paraître comique, pourtant c'est ce que nous éprouvions : nous nous étions ennoblis. Ce Voyage nous avait enseigné mille choses, voyez-vous, dont la plus importante était celle-ci : que l'homme appartient à une espèce peu évoluée, si on le compare aux animaux. Nous ne nions pas, bien sûr, votre intelli-

gence, vos capacités potentielles considérables.
Mais vous êtes encore à un stade peu avancé de
votre développement. Nous autres, par exemple,
nous sommes toujours nous-mêmes : et c'est ce que
ça veut dire d'être évolué. Nous sommes ce que
nous sommes, et nous savons ce que ça signifie. On
ne s'attend pas à voir brusquement un chat se
mettre à aboyer, n'est-ce pas, ou un cochon à meu-
gler ? Mais pourtant c'est exactement, façon de
parler, ce que ceux d'entre nous qui firent le
Voyage sur l'Arche apprirent à attendre de votre
espèce. À un moment vous aboyez, à un autre, vous
meuglez ; à un moment vous désirez retourner à
l'état sauvage, à un autre, vous souhaitez être
domestiqués. Avec Noé on savait exactement où on
en était d'une seule manière : je veux dire qu'on
ne savait jamais exactement où on en était avec lui.

Votre espèce n'a pas non plus un amour déme-
suré de la vérité. Vous n'arrêtez pas d'oublier un tas
de choses, ou tout au moins de faire semblant. Avez-
vous déjà entendu quelqu'un parler de la perte de
Varadi et de son arche ? Je vois peut-être là un des
côtés positifs de cette manière que vous avez de
détourner les yeux : ignorer les choses désagréables
vous permet de les supporter beaucoup mieux.
Mais, à force d'ignorer les choses désagréables,
vous finirez par croire qu'elles n'ont jamais existé.
Si bien qu'elles risquent ensuite de vous étonner à
tout propos. Ça vous surprend que les armes tuent,
que la monnaie corrompe, que la neige tombe en
hiver. Une telle naïveté peut être charmante ; hélas,
elle peut aussi être dangereuse.

Par exemple, vous ne voulez même pas admettre la vraie nature de Noé, votre premier père — le pieux patriarche, le fervent écologiste. J'ai appris qu'une de vos anciennes légendes hébraïques affirme que Noé a découvert le principe de l'ivresse en voyant une chèvre s'enivrer, couchée sur des raisins fermentés. N'est-ce pas la tentative la plus effrontée de rejeter toujours la responsabilité sur les animaux ? Et tout cela, malheureusement, fait partie d'un système. La Chute fut causée par le serpent, l'honnête corbeau était un fainéant et un glouton, la chèvre transforma Noé en vieil ivrogne. Écoutez, vous pouvez me croire là-dessus : Noé n'avait pas besoin d'un animal aux sabots fendus pour découvrir le secret de la vigne.

Rejeter la faute sur quelqu'un d'autre, c'est toujours votre première réaction. Et si vous ne pouvez blâmer personne, alors, vous commencez à affirmer que le problème n'a rien à voir avec un problème. Vous réécrivez les règles du jeu, vous déplacez les poteaux des buts. Quelques-uns de vos chercheurs, qui consacrent leur vie à l'étude de vos textes sacrés, ont même essayé de prouver que le Noé de l'Arche n'était pas le même que le Noé accusé d'ivrognerie et d'attentat à la pudeur. Comment serait-il possible qu'un ivrogne fût choisi par Dieu ? Ah ! Voilà, ce n'était pas lui, vous voyez. Pas ce Noé-là. Une simple erreur d'identification. Le problème s'est évaporé.

Comment un ivrogne pourrait-il réellement être choisi par Dieu ? Je vous l'ai dit déjà — parce que tous les autres candidats étaient infiniment pires. Noé fut choisi parmi une drôle de sale bande.

Quant à son alcoolisme, il faut, à vrai dire, comprendre que ce fut le Voyage qui le fit basculer du
mauvais côté. Ce vieux Noé avait toujours pris plaisir, avant l'embarquement, à lever quelques cornes
remplies d'une boisson fermentée ; qui lui jetterait
la pierre ? Mais c'est le Voyage qui le transforma en
poivrot. Il ne pouvait tout simplement pas supporter
cette immense responsabilité. Il prit quelques décisions funestes en matière de navigation, il perdit
quatre de ses huit vaisseaux et environ un tiers des
espèces qu'on lui avait confiées — il serait passé en
cour martiale s'il y avait eu quelqu'un pour s'asseoir
au banc des juges. En dépit de toutes ses fanfa-
ronnades, il se sentait coupable d'avoir perdu la
moitié de sa flottille. Culpabilité, immaturité, lutte
constante pour accomplir une tâche au-delà de ses
possibilités forment une combinaison détonante
qui aurait eu les mêmes effets désastreux sur la
plupart des membres de votre espèce. On pourrait même soutenir — j'imagine — que c'est Dieu
qui conduisit Noé à la boisson. Peut-être est-ce
pour cette raison que vos chercheurs sont si excités,
si désireux de différencier le premier Noé du
second : la suite est embarrassante. Mais l'histoire
du « second » Noé — l'ivrognerie, l'indécence, la
punition imméritée d'un fils respectueux —,
croyez-moi, ne surprend aucun de ceux d'entre
nous qui connurent le « premier » Noé sur l'Arche.
Je crains bien que ce ne soit, encore, qu'un cas
déprimant mais prévisible de déchéance alcoolique.

Comme je l'ai dit tout à l'heure, nous étions plus
qu'euphoriques lorsque nous sommes descendus

de l'Arche. Certes, nous avions mangé suffisamment de bois de gopher pour le reste de notre vie. C'était encore une raison de souhaiter que Noé ait été moins tatillon au moment de la construction de sa flottille : cela nous aurait permis de changer de temps en temps de menu. Évidemment, ça n'entrait guère en ligne de compte pour Noé, étant donné que nous ne devions pas être là. Avec le recul des millénaires, cette exclusion semble encore plus injustifiée qu'elle ne l'était à l'époque. Notre espèce comprenait sept passagers clandestins ; si nous avions été autorisés légalement à monter à bord, seuls deux d'entre nous auraient reçu les papiers nécessaires, et nous aurions tous accepté cette décision. Bien sûr, il est certain que Noé ne pouvait pas prévoir la durée de son Voyage, mais en constatant le peu qu'à sept nous avons mangé durant cinq ans et demi, ç'aurait valu la peine, je pense, de prendre le risque de laisser monter un couple de notre espèce à bord. Après tout, ce n'est pas notre faute si nous sommes des vers de bois.

Les visiteurs

Franklin Hughes était monté à bord une heure plus tôt. Il voulait faire preuve d'une convivialité qu'il savait nécessaire vis-à-vis de ceux qui allaient lui faciliter la tâche au cours des vingt jours à venir. Pour le moment, il se penchait sur le bastingage pour regarder les passagers escalader la passerelle. Des couples âgés ou d'âge moyen pour la plupart, certains affichant ouvertement leur nationalité, d'autres plus réservés, préférant pour l'instant garder l'anonymat sur leur origine. Franklin, son bras entourant légèrement, mais indubitablement les épaules de sa compagne de voyage, se livrait à son jeu annuel : il essayait de deviner de quels pays venait son futur public. Les Américains étaient les plus faciles à repérer, les hommes portaient les tenues de vacances pastel habituelles au Nouveau Monde, et les femmes n'étaient nullement gênées par leurs rondeurs ballottantes. Les Anglais arrivaient en second au niveau de la facilité. Les hommes en veste de tweed du Vieux Monde cachaient des chemisettes ocre ou beiges, leurs femmes, aux genoux robustes, étaient impatientes de marteler de leur pas n'importe quelle montagne, si elles reniflaient là-haut le moindre temple grec. Deux couples de Canadiens portaient des chapeaux en tissu éponge avec, cousu dessus, l'emblème éclatant de la feuille d'érable ; une famille de Suédois offrait quatre silhouettes élancées à la tête blonde ; quelques Italiens et quelques Français se confondaient entre eux. Franklin les identifiait en marmonnant simplement « baguette » ou « macaroni ». Six Japonais faisaient mentir la tradition : aucun d'entre eux ne portait d'appareil de photos. En dehors de quelques familles et de l'Anglais solitaire, sentant l'esthète, cette petite troupe montait sur la passerelle par couple.

« Les animaux arrivèrent deux par deux », cita Franklin. C'était un homme grand, musclé, d'une quarantaine d'années, avec des cheveux blond doré et un teint de couleur brique, que les envieux attribuaient à la boisson et les personnes charitables à l'abus de soleil. Son visage paraissait familier, de sorte qu'on oubliait de se demander si on le trouvait beau ou non. Sa compagne ou son assistante, en tout cas pas — elle insistait sur ce point — sa secrétaire, était une fille mince, aux cheveux noirs, portant des vêtements de toute évidence récemment achetés en vue de la croisière. Franklin, un vieux de la vieille, portait une chemisette de brousse de couleur kaki et un jean froissé. Bien que ce ne fût pas exactement la tenue que certains passagers auraient attendue du distingué conférencier invité à bord, celle-ci suggérait avec quelque justesse la source d'une originalité que pouvait sans crainte se permettre Franklin. S'il avait été un universitaire américain, il aurait probablement déniché un costume en crépon de coton. S'il avait été un professeur anglais, il aurait porté une veste de toile chiffonnée, aux couleurs de crème glacée. Mais la célébrité de Franklin (qui n'était pas tout à fait aussi grande qu'il le pensait) provenait de la télévision. Il y avait commencé comme présentateur d'autres artistes, un jeune homme en costume de velours, aux manières affables, qui expliquait sans le moindre risque ce qu'était la culture. Au bout d'un certain temps, il s'était rendu compte que, s'il pouvait raconter ces salades, il n'y avait aucune raison qu'il ne soit pas capable de les écrire. Tout d'abord, ce ne fut rien d'autre que « quelques remarques complémentaires par Franklin Hughes », puis il écrivit un scénario en collaboration. Finalement, il en arriva au tant désiré « écrit et présenté par Franklin Hughes ». Son exact domaine de connaissances était difficilement cernable pour qui que ce fût, mais il errait librement dans les univers complexes de l'archéologie, de l'histoire, des cultures comparées. Il se fit une spécialité des remarques chargées d'allusions contemporaines, qui égayaient et rendaient accessibles aux téléspectateurs moyens des sujets aussi mornes que la traversée des Alpes par Hannibal, que les trésors amassés par les Vikings en East Anglia ou que les palais d'Hérode. « Les éléphants d'Hannibal étaient la Panzerdivision de l'époque », déclarait-il, tandis qu'il parcourait à grands pas passionnés une terre étrangère ; ou encore : « Ça représente autant de fantassins qu'on entasse de spectateurs dans le stade de Wembley pour la finale de la Coupe » ; ou même : « Hérode n'était pas seulement un tyran et le grand unificateur de son pays, il était aussi le bienfaiteur des arts — peut-être pourrions-nous penser à lui comme à une sorte de Mussolini qui aurait eu bon goût. »

Le succès de Franklin à la télévision lui amena bientôt une seconde épouse et, deux ans plus tard, un deuxième divorce. Ses contrats avec les Voyages culturels d'Aphrodite prévoyaient toujours une cabine pour son assistante. L'équipage du *Santa Euphemia* remarquait avec admiration que les assistantes, généralement, ne réussissaient jamais à faire un deuxième voyage. Franklin était généreux avec les stewards et populaire parmi ceux qui avaient payé quelques milliers de livres pour une durée de vingt jours. Il avait l'habitude attachante de s'engager tellement à fond dans une de ses digressions favorites qu'il lui fallait s'arrêter soudain, jeter un regard autour de lui et sourire d'un air perplexe avant de se souvenir de l'endroit où il était censé être. Maints passagers commentaient entre eux cet enthousiasme évident de Franklin pour son sujet. Comme cette attitude était rafraîchissante dans une époque de cynisme, comme ce conférencier parvenait à rendre l'histoire vraiment vivante et présente pour eux. Si sa chemise de brousse était souvent mal boutonnée et son pantalon de toile parfois taché par de la langouste, cela corroborait, bien sûr, le zèle plaisant dont il faisait preuve dans son travail. Ses vêtements renvoyaient aussi à l'admirable univers démocratique qui règne dans les temps modernes en ce qui concerne le savoir. Il n'est nullement nécessaire d'être un professeur vieux jeu, au col cassé, pour comprendre les principes de l'architecture grecque.

« Le verre de bienvenue est à huit heures, dit Franklin. Je pense que je ferais mieux de passer quelques heures sur le laïus que je vais faire demain matin.

— Sûrement tu l'as déjà fait un tas de fois. » Tricia espérait à demi que Franklin resterait avec elle sur le pont lorsqu'ils quitteraient le golfe de Venise.

« Il faut que ce soit différent chaque année, autrement ça devient rance. » Il lui toucha légèrement l'avant-bras et descendit vers les cabines. En fait, son discours d'ouverture à dix heures, le lendemain matin, serait exactement le même que celui qu'il avait fait durant les cinq années précédentes ; la seule différence — la seule chose prévue pour empêcher Franklin de devenir rance — était la présence de Tricia au lieu de… de… comment déjà s'appelait l'autre fille ? Mais Franklin aimait donner à penser qu'il travaillait à ses conférences juste avant de les faire et qu'il pouvait de toute façon se passer de voir Venise s'estomper une fois encore. La ville serait toujours là l'année prochaine, simplement enfoncée d'un centimètre ou deux de plus tandis que sa couleur rose, comme celle du visage de Franklin, s'écaillerait un peu plus.

Sur le pont, Tricia regarda la ville jusqu'à ce que le campanile de Saint-Marc devienne de la grosseur d'un bout de crayon. Elle avait rencontré Franklin trois mois plut tôt, lorsqu'il avait participé à la cau-

serie télévisée pour laquelle elle avait travaillé en
tant que toute jeune documentaliste. Ils avaient
couché quelquefois ensemble, mais rien de plus.
Elle avait dit aux copines de son appartement
qu'elle partait avec une camarade de lycée; si les
choses se passaient bien, elle leur dirait la vérité en
revenant, mais pour le moment elle préférait se
montrer un peu superstitieuse. Franklin Hughes!
Et il avait été réellement très délicat jusqu'ici, lui
fournissant même un travail symbolique afin qu'elle
n'apparaisse pas trop ouvertement comme la petite
amie. Tant de gens à la télévision lui paraissaient un
peu faux — charmants, mais au fond pas vraiment
honnêtes. Franklin était exactement le même à la
ville qu'à l'écran: ouvert, blagueur, désireux de
vous apprendre les choses. On croyait ce qu'il disait.
Les critiques de télévision se moquaient de ses vêtements et de la touffe de poils qu'on apercevait sur
sa poitrine là où sa chemise s'ouvrait, et parfois ils
ricanaient de ce qu'il disait, mais c'était tout simplement de l'envie. Elle aimerait voir certains de ses
critiques essayer de faire ce que faisait Franklin.
Donner l'impression que c'est facile, lui avait-il
expliqué au cours de leur premier déjeuner, est la
chose la plus dure de tout. L'autre secret de la télévision, avait-il dit, était de savoir comment se taire
pour laisser les images parler à votre place. « Il faut
arriver à un juste équilibre entre la parole et
l'image. » Secrètement Franklin espérait l'honneur
ultime: « écrit, présenté et réalisé par Franklin
Hughes ». Dans ses rêves, il mettait parfois en scène
pour lui-même un gigantesque travelling dans le

Forum, qui le mènerait de l'arc de Septime Sévère à la maison des Vestales. Le seul problème était de savoir où mettre la caméra.

La première partie du voyage, alors qu'ils descendaient l'Adriatique, se déroula à la manière habituelle. Il y eut le verre de bienvenue, avec l'équipage qui jaugeait les passagers tandis que ceux-ci tournaient en rond les uns autour des autres ; la conférence d'ouverture de Franklin, dans laquelle il flattait son public, dépréciait sa célébrité à la télévision et proclamait qu'il était des plus rafraîchissants de s'adresser à des gens en chair et en os, au lieu de le faire à un œil de verre et à un cameraman qui criait : « Besoin de la bonnette, peux-tu le refaire, mon vieux ? » (Le terme technique serait perdu pour la plupart des auditeurs, ce qui était précisément ce que voulait Franklin : s'ils pouvaient snober la télévision, il ne fallait pas qu'ils pensent que c'était une affaire d'imbéciles.) Et puis il y avait eu l'autre speech d'ouverture de Franklin, speech qu'il était aussi nécessaire de mener à bien que l'autre, dans lequel il expliquait à son assistante que la chose essentielle dont ils devaient l'un et l'autre se souvenir était de prendre du bon temps. Bien sûr, il aurait à travailler — à vrai dire, il y aurait des moments où, bien qu'il n'en eût nulle envie, il serait obligé de s'enfermer dans sa cabine avec ses notes — mais en gros, il sentait qu'ils devaient considérer ce voyage comme trois semaines de vacances, loin du temps pourri d'Angleterre et des coups de couteau dans le dos, distribués si généreusement à la télévision.

Tricia acquiesçait de la tête, même si en tant que jeune documentaliste elle n'avait pas encore vu donner ni bien sûr reçu aucun coup de couteau dans le dos. Une fille ayant un peu plus l'expérience du monde aurait facilement compris que Franklin voulait dire par là : « N'attends rien de plus de moi que ce que nous avons maintenant. » Tricia, qui avait un caractère serein et optimiste, interpréta ce petit speech bien plus légèrement, elle entendit le « prenons garde de ne pas bâtir de châteaux en Espagne » — ce qui, pour être juste, était en gros ce que Franklin Hughes avait l'intention de lui faire comprendre. Il se sentait vaguement amoureux plusieurs fois chaque année, un trait de caractère qu'il lui arrivait de déplorer, mais qu'il n'essayait jamais de corriger. Toutefois, il était loin d'avoir le cœur dur et, lorsqu'il sentait qu'une fille — en particulier une gentille fille — avait plus besoin de lui qu'il n'avait besoin d'elle, une terrible vague d'appréhension commençait à déferler sur lui. Ce bruissement de panique lui faisait généralement suggérer l'une de ces deux choses — ou que la fille vienne s'installer dans son appartement, ou qu'elle disparaisse de sa vie —, dont en fait, il n'avait nullement envie. Aussi, son petit discours de bienvenue à Jenny ou Cathy, ou dans ce cas à Tricia, était dicté bien plus par la prudence que par le cynisme. Pourtant, lorsque finalement les choses se gâtaient, il n'était pas surprenant de voir que Jenny ou Cathy, ou dans ce cas Tricia, se souvenait de lui comme d'un homme bien plus calculateur qu'il ne l'avait été en fait.

La même prudence, à la suite de nombreuses informations sanglantes qui n'arrêtaient pas de bourdonner dans sa tête, avait poussé Franklin Hughes à avoir un passeport irlandais. Le monde n'était plus cet endroit privilégié où la vieille couverture du passeport anglais de couleur bleu marine, allié au mot « journaliste » et « BBC », vous permettait d'obtenir tout ce que vous vouliez. « Le secrétaire d'État de Sa Majesté la reine » — Franklin pouvait encore citer la phrase de mémoire — « demande expressément, au nom de Sa Majesté, à ceux que cela peut concerner, d'accorder au porteur de la présente assistance et protection, autant que cela peut lui être nécessaire. » Vaine pensée. Aujourd'hui, Franklin voyageait avec un passeport irlandais, de couleur verte, avec une harpe dorée sur la couverture, qui lui donnait l'impression d'être un représentant de la maison Guinness chaque fois qu'il le montrait. À l'intérieur, le mot « journaliste » avait été soigneusement omis du signalement très honnête que Hughes donnait de lui-même. Il y a des pays dans le monde qui n'accueillent pas volontiers les journalistes et qui pensent que ces gens à la peau blanche, s'intéressant aux sites archéologiques, sont bien évidemment des espions britanniques. Le mot moins compromettant d'« écrivain » avait également pour but de servir d'encouragement. Si Franklin se décrivait en tant qu'écrivain, cela pouvait l'inciter à en devenir un. On allait très certainement tirer un livre de sa prochaine série télévisée. Ensuite il agitait dans sa tête l'idée de quelque chose de sérieux, mais de commercial — comme une histoire personnelle du monde — qui pourrait rester pendant des mois sur la liste des best-sellers.

Le *Santa Euphemia* était un vieux bateau confortable, avec un élégant capitaine italien et un équipage grec extrêmement efficace. Les Voyages d'Aphrodite attiraient une clientèle sans surprise, aux nationalités multiples mais aux goûts communs : cette sorte de gens qui préfèrent la lecture au jeu de palet sur le pont, et les bains de soleil à la musique disco. Ils suivaient leur conférencier partout, participaient pour la plupart aux excursions supplémentaires et se refusaient à acheter les ânes en paille dans les boutiques de souvenirs. Ils n'étaient pas venus à la recherche d'aventures, même si un trio à cordes les incitait parfois à exécuter quelques danses démodées. Ils avaient leur tour à la table du capitaine, se montraient pleins d'inventions lors des soirées costumées et lisaient soigneusement le journal du bord qui, à côté du trajet de la journée, apportait des messages pour les anniversaires et des informations merveilleusement neutres concernant les événements survenus sur le continent européen.

L'atmosphère apparaissait un peu torpide à Tricia, mais c'était une torpeur parfaitement organisée. Comme dans le petit discours à son assistante, Franklin, lors de sa conférence d'ouverture, avait insisté sur le fait que les prochaines trois semaines devaient se dérouler sous le signe du plaisir et de la détente. Il laissait entendre avec tact que les gens avaient forcément un niveau d'intérêt différent concernant l'antiquité classique et qu'il n'allait sûrement pas tenir un livre de présence et marquer d'une croix noire les absents. Franklin reconnaissait, avec obligeance, qu'il y avait des circonstances où lui-même pouvait être fatigué de voir une autre rangée de colonnes corinthiennes se découper sur un ciel sans nuages ; néanmoins, il disait cette phrase d'une manière qui incitait les passagers à ne pas la prendre trop au sérieux.

Les derniers soubresauts de l'hiver nordique avaient pris fin et, majestueusement, le *Santa Euphemia* entraînait ses heureux passagers vers le calme printemps méditerranéen. Les vestes de tweed étaient remplacées par des vestes de toile et les ensembles pantalon-veste par des bains-de-soleil un peu démodés. Les voyageurs traversèrent de nuit le canal de Corinthe, tandis que quelques passagers, en vêtements de nuit, se collaient contre les hublots et que les plus robustes montaient sur le pont pour faire jaillir de temps à autre l'éclat inutile des flashes de leur appareil de photos. De la mer Ionienne à la mer Égée, le temps fut un peu plus frais, et la mer plus agitée dans les Cyclades, mais personne n'y attacha d'importance. Ils firent escale dans l'île trop recherchée de Mykonos où un vieux directeur d'école se tordit la cheville en visitant des ruines. On s'arrêta aussi sur l'île en marbre de Paros et sur l'île volcanique de Thira. Au dixième jour de croisière, ils visitèrent Rhodes. Tandis que les passagers étaient à terre, le *Santa Euphemia* fit le plein de mazout, de légumes, de viande et de vin. Il prit aussi quelques visiteurs qui ne devaient se montrer que le lendemain matin.

On avait mis maintenant le cap sur la Crète et, à onze heures, Franklin commença sa conférence sur Cnossos et la civilisation minoenne. Il devait faire assez attention parce que son public connaissait déjà un certain nombre de choses sur Cnossos et que quelques-uns de ses auditeurs avaient leur propre théorie. Franklin aimait que les gens lui posent des questions ; ça ne le gênait nullement que d'obscures ou de claires informations soient ajoutées à ce qu'il avait déjà transmis — il remerciait avec un salut poli en murmurant « Herr Professor », signifiant que, dans la mesure où certains d'entre nous ont une vue d'ensemble des choses, il n'est pas mauvais que d'autres remplissent leur tête avec des détails abscons. En revanche, Franklin Hughes ne supportait pas les gens qui brûlaient d'impatience de brandir leur dada au nez de leur conférencier.

« Excusez-moi, Mr. Hughes, cela me paraît extrêmement égyptien, comment savons-nous que ce ne sont pas les Égyptiens qui l'ont construit ? » « Ne peut-on supposer que Homère écrivait, quand les gens pensent qu'il (un petit rire) — ou elle — le faisait ? » « Je ne suis pas, bien entendu, un expert dans la matière, cependant, il m'apparaît que ce serait bien plus clair si… » Il y avait toujours, parmi les passagers, au moins un d'entre eux qui jouait l'amateur perplexe, mais pourtant raisonnable, celui ou celle qui ne se laisse pas impressionner par les opinions reçues. Elle ou lui savait que les historiens n'hésitent pas à bluffer et que les questions compliquées sont bien mieux appréhendées grâce à des intuitions fulgurantes qui ne sont pas corrompues par des connaissances dues à de solides recherches. «J'apprécie à sa juste valeur ce que vous avez dit, Mr. Hughes, pourtant il me semble que ce serait plus logique… » Ce que Franklin avait parfois envie de dire, ce qu'il ne disait jamais, était que ces fulgurantes intuitions concernant les civilisations primitives lui semblaient avoir leur fondement, bien souvent, dans les épopées hollywoodiennes ayant pour vedettes Kirk Douglas ou Burt Lancaster. Il s'imaginait volontiers — après avoir entendu un de ces rigolos — répliquer avec un accent d'ironie placé sur l'adverbe : «Évidemment, vous vous rendez bien compte que le film de *Ben Hur* ne peut totalement être pris au pied de la lettre ? » Mais ce ne serait pas pour ce voyage. En fait, ce ne serait pas avant qu'il ait décidé de faire son dernier voyage. Alors, il pourrait se laisser aller un peu. Il pourrait être plus franc avec son public, moins prudent vis-à-vis de la boisson, plus réceptif aux regards provocants.

Les visiteurs arrivèrent en retard à la conférence de Franklin Hughes sur Cnossos. Il avait déjà terminé le passage dans lequel il faisait semblant d'être sir Arthur Evans lorsqu'ils ouvrirent la porte à deux battants et tirèrent un seul coup de feu dans le plafond. Franklin, encore totalement plongé dans son propre univers murmura : « Pourrait-on me traduire ça en bon anglais ? », mais la vieille plaisanterie de Mcmillan sur Khrouchtchev fut, insuffisante pour reconquérir l'attention de son public. Ils avaient déjà oublié Cnossos et regardaient le grand type à moustache, avec des lunettes, qui venait prendre la place de Franklin au pupitre. Dans des circonstances normales, Franklin aurait pu lui céder le micro après s'être informé courtoisement de ses références. Mais, étant donné que cet homme portait une grosse mitraillette et avait sur la tête ce turban à carreaux rouges, qui naguère désignait les charmants guerriers du désert loyaux à Lawrence d'Arabie, mais qui, dans les années récentes, est devenu le symbole de terroristes hurleurs, avides de massacrer les innocents, Franklin fit simplement un geste de la main, qui signifiait « À vous » et alla s'asseoir sur sa chaise.

Le public de Franklin — il pensait encore à lui avec un bref sentiment de propriété — garda le silence. On évitait les mouvements inutiles, on respirait le plus discrètement possible. Les visiteurs étaient au nombre de trois. Deux d'entre eux gardaient la porte à double battant de la salle de conférence. Le plus grand, celui avec des lunettes, avait presque l'air d'un universitaire lorsqu'il tapota le micro, comme le font les conférenciers partout dans le monde, en partie pour voir s'il fonctionne et aussi pour attirer l'attention sur eux. Le deuxième but de son geste n'était pas absolument nécessaire.

« Excusez-moi du dérangement, commença-t-il déclenchant un ou deux ricanements nerveux, mais je crains qu'il vous faille interrompre vos vacances pour un petit moment. J'espère que cet entracte ne durera pas trop longtemps. Vous allez les uns et les autres rester ici, assis exactement comme vous l'êtes, jusqu'à ce qu'on vous dise ce que vous devez faire. »

Une voix d'homme, irritée, américaine, demanda

au milieu du public : « Qui êtes-vous et que diable voulez-vous ? » L'Arabe revint vers le micro qu'il avait abandonné et, avec la suavité méprisante d'un diplomate, répondit :

« Vraiment désolé, mais je ne réponds pour le moment à aucune question. » Puis, juste pour s'assurer qu'on ne le confondait pas avec un ambassadeur, il poursuivit : « Nous ne sommes pas de ceux qui croient à la violence inutile. Toutefois, lorsque j'ai tiré ce coup de feu dans le plafond pour capter votre attention, j'avais enclenché ce petit cran ici, afin que mon arme ne tire qu'un seul coup. Si je change de cran — il le fit en tournant son arme à demi levée, comme aurait pu le faire un sergent instructeur avec des élèves particulièrement ignorants —, mon arme continuera de tirer jusqu'à ce que le magasin soit vide. J'espère avoir été suffisamment clair. »

L'Arabe quitta la salle. Les gens se prirent les mains ; on entendit çà et là des reniflements et des sanglots, mais en général tout le monde garda le silence. Franklin jeta un coup d'œil sur la gauche, à l'autre bout de la salle, là où se trouvait Tricia. Ses assistantes avaient l'autorisation de venir à ses conférences sans toutefois avoir le droit de s'asseoir juste sous son nez — « On ne doit pas me faire penser à côté du sujet ». Elle n'apparaissait pas effrayée, mais plutôt inquiète de savoir quelle conduite tenir. Franklin voulait dire : « Écoute, ça ne m'est jamais arrivé avant, ce n'est pas normal et je ne sais vraiment que faire », mais il se contenta finalement d'un petit signe vague. Après dix minutes d'un silence pesant, une Américaine d'une cinquantaine d'années se leva. Immédiatement, un des deux hommes qui gardaient la porte se mit à crier dans sa direction. Elle n'en tint pas compte, pas plus qu'elle ne prêta attention aux murmures et aux mains de son mari qui cherchait à la retenir. Elle descendit l'allée centrale en direction des hommes armés, s'arrêta devant eux à quelques mètres et leur dit d'une voix claire, lente, où perçait la panique : « Il faut bien, bon Dieu, que j'aille aux toilettes. »

Les Arabes ne répondirent pas et ne la regardèrent pas non plus dans les yeux. À la place, à l'aide d'un petit mouvement de leurs armes, ils lui indiquèrent, aussi clairement qu'il est possible, qu'elle était pour le moment une bonne cible et que tout mouvement en avant le démontrerait de la manière la plus évidente et la plus définitive. L'Américaine se retourna, regagna sa place et commença à pleurer. Une autre femme, à droite de la salle, se mit tout aussitôt à sangloter. Franklin jeta de nouveau un coup d'œil en direction de Tricia, lui fit un léger signe de tête, se leva et, prenant bien soin de ne pas regarder les deux gardes, s'avança vers son pupitre. « Comme je vous le disais… » Il toussa d'une manière autoritaire et tous les yeux revinrent se poser sur lui. « Je disais que le palais de Cnossos n'était en aucune façon le premier établissement humain sur le site. Ce que nous pensons être la couche minoenne atteint environ deux mètres de profondeur, mais en dessous il y a des signes d'un autre type d'habitation à environ huit mètres de profondeur et ainsi de suite. La vie existait, là où le palais a été construit, au moins dix mille ans avant que la première pierre ne soit posée… »

Ça lui paraissait normal de continuer sa conférence. Il avait aussi l'impression qu'une sorte de manteau de plumes, symbole du chef, avait été jeté sur ses épaules. Il décida de l'accepter indirectement pour le moment. Est-ce que les gardes comprenaient l'anglais ? Peut-être. Avaient-ils jamais mis les pieds à Cnossos ? Peu probable. Aussi, Franklin, tout en décrivant la salle du conseil du palais, inventa une grande tablette d'argile qui, proclama-t-il, avait probablement été suspendue au-dessus du trône d'albâtre. On y lisait — il se tourna vers les Arabes à cet instant : « Nous vivons des temps difficiles. » Tout en continuant de décrire les lieux, il déterra un grand nombre de tablettes, dont beaucoup, comme il le faisait remarquer maintenant sans crainte, portaient un message universel. « Nous devons avant tout ne rien faire d'imprudent », disait l'une d'elles. Une autre : « Des menaces vides sont aussi inutiles qu'un fourreau sans lame. » Une autre encore : « Le tigre attend toujours avant de bondir. » (Hughes se demanda un instant si la civilisation minoenne connaissait les tigres.) Il n'était pas certain du nombre de personnes dans son public qui avaient pigé ce qu'il était en train de faire, mais par moments lui parvenait un grognement d'assentiment. D'une curieuse manière, il prenait plaisir à ce qu'il faisait. Il termina le tour du palais avec l'une des moins minoennes de ses innombrables inscriptions : « Là où se couche le soleil réside un grand pouvoir

qui ne permettra pas que certaines choses arrivent. »
Puis il rassembla ses notes et retourna s'asseoir sous
des applaudissements plus fournis que d'habitude. Il
regarda en direction de Tricia et lui fit un clin d'œil.
Elle avait les larmes aux yeux. Il regarda alors les
deux Arabes et se dit : Vous avez vu, maintenant vous
avez vu de quel bois on se chauffe. Vous voyez que
certaines personnes sont capables de garder leur
sang-froid. Il aurait préféré, bien sûr, faire quelques
aphorismes minoens sur les gens qui portent des
chiffons rouges sur la tête mais il devait s'avouer
qu'il n'en aurait pas eu le courage. Il garderait celui-
là pour plus tard, quand tout le monde serait en
sécurité.

Ils attendirent pendant une demi-heure, dans un
silence à odeur d'urine, avant que ne revienne le
chef des visiteurs. Il s'entretint brièvement avec les
gardes et remonta l'allée en direction du pupitre.
« D'après ce que j'ai compris, on vous a fait une
conférence sur le palais de Cnossos », commença-
t-il. Franklin sentit la sueur humidifier les paumes
de ses mains. « Parfait. Il est important que vous
compreniez les autres civilisations, combien elles
furent grandes et comment — il s'arrêta pour donner plus de poids à ses paroles — elles s'écrou-
lèrent. J'espère beaucoup que vous prendrez plaisir
à votre voyage à Cnossos. »

Il quittait le micro quand la même voix américaine, cette fois sur un ton plus conciliant, comme
si elle tenait compte des tablettes minoennes dit :
« Excusez-moi, pourriez-vous nous dire en gros qui
vous êtes et ce que vous voulez ? »

L'Arabe sourit. « Je suis persuadé que ce ne serait pas opportun au point où nous en sommes. » Il fit un petit signe de tête pour indiquer qu'il en avait terminé, puis s'arrêta comme si une question polie méritait pour le moins une réponse polie. « Laissez-moi vous présenter les choses de cette manière. Si tout se passe selon nos plans, vous pourrez bientôt poursuivre vos explorations de la civilisation minoenne. Nous disparaîtrons exactement de la même manière que nous sommes arrivés et vous penserez simplement que vous nous avez rêvés. Et alors vous pourrez nous oublier. Vous vous souviendrez seulement que nous vous avons occasionné quelque retard. Aussi n'est-ce pas nécessaire pour vous de savoir qui nous sommes, ni d'où nous venons, ni ce que nous voulons. »

Il se préparait à quitter la petite estrade lorsque Franklin, à sa propre surprise, dit : « Excusez-moi. » L'Arabe se retourna. « Plus de question. » Hughes poursuivit : « Ce n'est pas une question. Je pense simplement… Je suis sûr que vous avez autre chose en tête… Que si nous devons rester ici, il faut nous permettre d'aller quelque part. » Le chef des visiteurs fronça les sourcils. « D'aller aux w-c », expliqua Franklin, puis encore : « Aux toilettes.

— Bien sûr. Vous pourrez aller aux toilettes lorsqu'on vous déplacera.

— Dans combien de temps ? » demanda Franklin qui se sentait un peu emporté par le rôle qu'il s'était attribué. Pour sa part, l'Arabe fit preuve d'un inacceptable manque de complaisance. Il répliqua sèchement : « Quand nous le déciderons. »

Puis il s'en alla. Dix minutes plus tard, un Arabe qu'ils n'avaient pas encore vu entra et glissa quelque chose à l'oreille de Hughes. Celui-ci se leva. « On va nous emmener à la salle à manger. Nous nous y rendrons deux par deux. Les occupants d'une même cabine doivent se faire connaître en tant que tels. Nous serons aussi emmenés à nos cabines et il nous sera permis d'aller au petit coin. Nous devons prendre nos passeports avec nous, mais rien d'autre. » L'Arabe glissa de nouveau quelque chose à Hughes. « Et nous ne devons pas fermer la porte des toilettes à clé. » Sans qu'on le lui demande, Franklin ajouta : « Je pense que nos visiteurs doivent être pris avec le plus grand sérieux. Je ne crois pas que nous devions faire quelque chose qui puisse les contrarier. »

Il n'y avait qu'un garde de disponible pour emmener les passagers, de sorte que le déménagement prit plusieurs heures. Comme Franklin et Tricia étaient emmenés vers le pont C, il lui dit, sur le ton qu'on prend en général pour parler du temps : « Enlève ta bague de ta main droite et mets-la à l'annulaire de ta main gauche. Tourne la pierre vers l'intérieur de manière qu'on ne puisse pas la voir. Ne le fais pas maintenant, fais-le lorsque tu iras pisser. »

Dans la salle à manger, les passeports furent examinés par un cinquième Arabe. Tricia fut envoyée tout au bout de la salle : les Britanniques avaient été mis dans un coin et les Américains dans l'autre. Au milieu de la pièce, il y avait les Français, les Italiens, deux Espagnols et les Canadiens. Plus près de la porte se trouvaient les Japonais, les Suédois et Franklin, le seul Irlandais. Parmi les dernières personnes à être amenées dans la salle à manger se trouvaient les Zimmermann, un couple d'Américains solides, vêtus avec recherche. Hughes avait d'abord pensé que le mari travaillait dans le prêt-à-porter, un remarquable coupeur qui s'était installé à son propre compte. Mais à Paros une conversation lui avait appris qu'il s'agissait d'un professeur de philosophie du Middlewest, récemment mis à la retraite. Alors que le couple passait devant la table de Franklin, pour gagner le coin réservé aux Américains, Zimmermann souffla doucement : « La séparation des purs et des impurs. »

Lorsque tout le monde fut là, Franklin fut emmené dans le bureau du commissaire de bord où s'était installé le chef. Il se demanda tout à coup si le gros nez et la moustache s'étaient pas, par hasard, attachés aux lunettes ; peut-être que tout cela s'enlevait d'un coup.

« Ah ! Mr. Hughes. Vous m'apparaissez être leur porte-parole. En tout cas, maintenant, c'est votre position officielle. Vous allez vous charger de leur expliquer ce qui suit. Nous faisons de notre mieux pour préserver leur bien-être, mais ils doivent se rendre compte que nous nous heurtons à certaines difficultés. Ils pourront parler ensemble cinq minutes toutes les heures. À ce moment-là ceux qui désireront aller aux toilettes pourront le faire. Une personne à la fois. Je me rends compte que nous avons affaire à des gens raisonnables et nous n'aimerions pas qu'ils décident de ne pas l'être. Il y a quelqu'un qui affirme ne pouvoir trouver son passeport, quelqu'un qui s'appelle Talbot.

— Mr. Talbot, oui. » Un vieil Anglais, un peu terne, qui aimait à poser des questions sur les religions de l'Antiquité. Un homme doux qui n'avait pas, grâce au ciel, de théories bien à lui.

« Il devra s'asseoir avec les Américains.

— Mais il est anglais. Il vient de Kidderminster.

— S'il se rappelle où se trouve son passeport et s'il est anglais, il pourra s'asseoir avec les Anglais.

— Bien sûr qu'il est anglais. Je peux m'en porter garant. »

L'Arabe ne paraissait nullement impressionné. « Il ne parle pas avec l'accent américain, vous pouvez le constater.

— Je ne lui ai pas parlé. De toute façon, ce ne serait pas une preuve, n'est-ce pas ? Vous, par exemple, vous parlez comme un Anglais, mais votre passeport dit que vous n'êtes pas anglais. » Franklin acquiesça lentement de la tête. « Donc, nous attendrons son passeport.

— Pourquoi nous séparez-vous ainsi ?

— Nous pensons que chacun aimerait rester avec les siens. » Puis l'Arabe lui fit signe de s'en aller.

« Il y a encore autre chose. Ma femme. Peut-elle s'asseoir avec moi ?

— Votre femme ? » L'homme regarda la liste des passagers qu'il avait devant lui. « Vous n'avez pas de femme.

— Si, j'en ai une. Elle voyage sous le nom de Tricia Maitland. C'est son nom de jeune fille. Nous

nous sommes mariés il y a deux semaines. » Franklin s'arrêta, puis ajouta comme une confession : « En réalité, ma troisième femme. »

Mais l'Arabe ne paraissait aucunement impressionné par le harem de Franklin. « Vous vous êtes mariés il y a deux semaines ? Et pourtant, apparemment, vous ne partagez pas la même cabine. Est-ce que les choses en sont déjà à ce point ?

— Non, j'ai une cabine à moi à cause de mon travail, voyez-vous. Les conférences. C'est un luxe d'avoir une autre cabine, un privilège.

— Elle est bien votre femme ? » Le ton était parfaitement neutre.

« Mais oui, voyons, répliqua Franklin sur un ton vaguement indigné.

— Néanmoins elle a un passeport britannique. »

— Elle est irlandaise. Lorsqu'on épouse un Irlandais, on devient irlandaise. C'est la loi en Irlande.

— Mr. Hughes, elle a un passeport britannique. » Il haussa les épaules comme si le problème était insoluble, puis trouva finalement à le résoudre : « Mais, si vous désirez vous asseoir avec votre femme, alors vous pouvez aller la retrouver à la table des Anglais. »

Franklin sourit d'un air gêné. « Si je suis le porte-parole des passagers, comment puis-je vous voir afin de vous transmettre les demandes des passagers ?

— Les demandes des passagers ? Non, vous ne nous avez pas compris. Les passagers n'ont rien à demander. Vous ne me verrez pas à moins que je ne le souhaite. »

Après avoir fait part des nouveaux ordres,

Franklin s'assit à sa table, seul, et réfléchit à la situation. Le bon côté, c'était que jusqu'ici on les avait traités avec une politesse raisonnable ; personne n'avait encore été battu ou abattu et leurs ravisseurs ne semblaient pas être les bouchers hystériques auxquels on aurait pu s'attendre. Par ailleurs, le mauvais côté était en fait relié au bon : s'ils n'étaient pas hystériques, ces visiteurs allaient aussi probablement se révéler efficaces, compétents, résolus dans leur but. Et quel était leur but ? Pourquoi s'en prenaient-ils au *Santa Euphemia* ? Avec qui étaient-ils en train de négocier ? Et qui donc dirigeait maintenant ce foutu navire qui, autant que pouvait en être sûr Franklin, décrivait lentement de grands cercles ?

De temps en temps, il faisait un petit signe de tête encourageant en direction des Japonais qui se trouvaient à la table à côté de la sienne. Les passagers américains, à l'autre bout de la salle à manger — il ne pouvait s'empêcher de le remarquer —, levaient de temps en temps les yeux dans sa direction comme s'ils vérifiaient qu'il était toujours là. Il était devenu l'agent de liaison, peut-être même le chef. Cette conférence sur Cnossos, vu les circonstances, n'était pas loin d'être brillante ; en tout cas, il avait montré plus de courage qu'il ne s'en croyait capable. C'était de rester seul comme ça qui le déprimait : ça l'obligeait à ruminer. Son excitation initiale — assez proche de l'ivresse — était en train de retomber ; elle était remplacée maintenant par l'abattement et l'inquiétude. Peut-être devrait-il aller s'asseoir avec Tricia et les Britanniques. Mais alors il risquait qu'on lui enlève sa citoyenneté. Cette séparation des passagers ne signifiait-elle pas ce qu'il craignait qu'elle signifie ?

En fin d'après-midi, ils entendirent un avion qui les survolait à basse altitude. Il y eut une sorte d'acclamation étouffée dans le coin de la salle à manger où se trouvaient les Américains ; puis l'avion s'éloigna. À six heures, un des stewards grecs apparut avec un grand plateau plein de sand-wiches ; Franklin remarqua alors les effets de la peur sur la faim. À sept heures, comme il allait pisser, une voix à l'accent américain lui murmura : « Continuez à faire du bon boulot. » De retour à sa table, il essaya d'apparaître confiant sans ostenta-tion. L'ennui, c'était que, plus il réfléchissait, moins il se sentait optimiste. Au cours de ses récentes années, les gouvernements de l'Ouest avaient fait beaucoup de bruit autour du terrorisme, déclaré qu'il fallait se montrer fort, abattre la menace. Mais la menace, quant à elle, ne sembla jamais com-prendre ce que cela signifiait et elle continua d'exister comme auparavant. Ceux qui se trou-vaient pris au milieu se faisaient tuer, mais les gou-vernements et les terroristes survivaient fort bien.

À neuf heures, Franklin fut de nouveau appelé dans le bureau du commissaire de bord. On allait une fois de plus déplacer les passagers pour la nuit : les Américains retourneraient dans la salle de conférence, les Britanniques iraient dans la disco-thèque et ainsi de suite. Ces différents campements seraient alors fermés à clé. C'était nécessaire : les visiteurs devaient eux aussi prendre quelque sommeil. Il fallait tenir les passeports prêts à tout moment pour vérification.

« Qu'en est-il avec Mr. Talbot ?

— Il est devenu un citoyen américain honoraire. Jusqu'a ce qu'il retrouve son passeport.

— Et pour ma femme ?

— Miss Maitland ? Qu'y a-t-il encore avec elle ?

— Peut-elle venir me rejoindre ?

— Ah ! Votre femme de nationalité anglaise.

— Elle est irlandaise. Lorsqu'on épouse un Irlandais, on devient irlandaise. C'est la loi.

— La loi, Mr. Hughes. Les gens sont toujours en train de nous dire ce que c'est que la loi. Je suis souvent perplexe en voyant ce qu'ils considèrent comme légal et ce qui ne l'est pas. » Il se retourna vers une carte de la Méditerranée, accrochée au mur derrière Franklin. « Est-ce légal de lancer des bombes sur les camps de réfugiés, par exemple ? J'ai souvent essayé de trouver la loi qui dit qu'on peut le faire. Mais c'est un vieux débat et parfois je pense que les débats sont sans signification, exactement comme la loi. » Il haussa les épaules pour signifier qu'il en avait terminé. « Quant à Miss Maitland, espérons que sa nationalité ne devienne pas, comment pourrais-je dire, adéquate. »

Franklin essaya de retenir un frisson. Parfois, les euphémismes parviennent à être plus effrayants que des menaces directes. « Pouvez-vous me dire quand cela risque de devenir... adéquat ?

— Ils sont stupides, voyez-vous. Ils sont stupides parce qu'ils pensent que nous le sommes. Ils mentent de la manière la plus effrontée. Ils disent qu'ils n'ont pas les pouvoirs suffisants pour agir. Ils disent qu'un accord ne peut être obtenu rapidement. Bien sûr que c'est possible. Le téléphone existe, n'est-ce pas? S'ils pensent avoir appris quelque chose des incidents antérieurs de cette sorte, ils sont bien stupides de ne pas se rendre compte que nous avons aussi appris quelque chose. Nous connaissons leur tactique, mensonges et délais afin de parvenir à établir quelque sorte de relation trouble avec les combattants de la liberté. Nous savons tout cela et nous savons aussi les limites au-delà desquelles le corps se refuse à l'action. Nous sommes donc poussés par vos gouvernements à faire ce que nous avons dit que nous ferions. S'ils voulaient bien commencer à négocier tout de suite, il n'y aurait pas de problème. Mais ils commencent seulement à bouger lorsqu'il est trop tard. C'est à leurs risques et périls.

— À nos risques et périls, dit Franklin.

— Vous, Mr. Hughes, je pense que vous n'avez guère de raison de vous alarmer pour le moment.

— Et quand finit le moment?

— À vrai dire, je crois que vous n'avez nullement besoin de vous inquiéter du tout.

— Quand finit le moment?»

Le chef se tut, puis fit un geste d'excuse. «C'est décidé pour demain. L'horaire, voyez-vous, est fixé. Nous le leur avons dit depuis le début.»

Une part de Franklin Hughes n'arrivait pas à croire qu'il avait effectivement cette conversation. Et une autre voulait soutenir qu'il avait toujours supporté la cause de ses ravisseurs — quelle qu'elle puisse être — et d'ailleurs le gaélique utilisé sur son passeport signifiait qu'il était un membre de l'Ira et, bon Dieu, pourrait-il, s'il vous plaît, retourner à sa cabine pour s'allonger et oublier tout cela. Pourtant, ce n'est pas ce qu'il fit. Il répéta : « L'horaire ? » L'Arabe acquiesça. Sans réfléchir, Franklin demanda : « Un toutes les heures ? » Immédiatement, il regretta d'avoir posé cette question car, bien évidemment, il était en train de donner des idées à ce type.

L'Arabe secoua la tête en signe de négation. « Deux. Un couple toutes les heures. À moins qu'on ne monte les enchères, on ne nous prend pas au sérieux.

— Mon Dieu. Juste grimper à bord et tuer les gens comme ça. Juste comme ça ?

— Vous pensez que ce serait beaucoup mieux si nous leur expliquions pourquoi nous allons les tuer ? » L'intonation était sarcastique.

« Eh bien, oui, certainement.

— Pensez-vous qu'ils seraient coopérants ? » Maintenant, la voix était plus moqueuse que sarcastique. Franklin garda le silence. Il se demandait quand la tuerie allait commencer. « Bonne nuit, Mr. Hughes », dit le chef des visiteurs.

Franklin fut mis pour la nuit dans la cabine de luxe avec les Suédois et les trois couples japonais. Ils étaient, il en déduisit, ceux qui avaient le moins à craindre parmi les passagers. Les Suédois, parce que la neutralité de leur pays était célèbre ; Franklin et les Japonais probablement parce qu'au cours des années récentes l'Irlande et le Japon avaient eu des terroristes. Comme c'était ridicule. On n'avait pas demandé aux six Japonais venus faire une croisière culturelle en Europe s'ils soutenaient effectivement les divers meurtriers politiques de leur propre pays ; et Franklin n'avait pas non plus été interrogé sur l'Ira. Un passeport de représentant de la Guinness, obtenu grâce à d'extraordinaires hasards généalogiques, laissait entrevoir la possibilité d'une certaine sympathie avec les visiteurs. Cela suffisait pour le protéger. En fait, Franklin haïssait l'Ira, exactement comme il haïssait tous les groupes politiques qui interféraient ou auraient pu interférer avec ce qu'il considérait comme son travail à plein temps, c'est-à-dire être Franklin Hughes. Pour ce qu'il en savait — ne voulant pas dévier de sa politique annuelle concernant ses petites amies, il n'avait rien demandé —, Tricia était bien plus indulgente envers les divers groupuscules de maniaques homicides qui partout dans le monde cherchaient sournoisement à interrompre la carrière de Franklin Hughes. Et pourtant, on l'avait fourrée avec tous ces Anglais sataniques.

La conversation fut des plus restreintes dans la grande cabine cette nuit-là. Les Japonais restèrent entre eux ; le couple de Suédois passa son temps à essayer de distraire leurs enfants en parlant de la maison, de Noël, des équipes de football britanniques. Franklin, quant à lui, se sentait écrasé par ce qu'il savait. Il était effrayé, malade ; de plus son isolement semblait engendrer une certaine complicité avec ses ravisseurs. Il essaya de penser à ses deux épouses, à sa fille qui devait avoir — combien ? — quinze ans maintenant : il fallait toujours qu'il remonte à la date de sa naissance pour arriver à savoir son âge. Il devrait s'arranger pour la voir plus souvent. Peut-être pourrait-il la faire venir avec lui lorsqu'il tournerait la prochaine série. Elle le verrait ainsi réaliser son fameux travelling dans le forum ; elle aimerait sûrement cela. Mais voilà, où fallait-il placer la caméra ? Ou peut-être un travelling arrière. Et quelques figurants en toge et en sandales… Oui, il aimait cette idée.

Le lendemain matin, Franklin fut appelé dans le bureau du commissaire de bord. Le chef des visiteurs lui fit signe de s'asseoir. « J'ai décidé de suivre votre conseil.

— Mon conseil ?

— Les négociations, voyez-vous, je le crains, se déroulent fort mal. À vrai dire, il n'y a pas de négociations. Nous avons expliqué notre position, mais ils se montrent extrêmement réticents à expliquer la leur.

— Ils ?

— Ils. Aussi, à moins que les choses ne changent rapidement, nous serons obligés d'exercer une plus grande pression sur eux.

— Pression ? » Même Franklin, qui ne pouvait avoir fait une carrière à la télévision sans connaître le maniement des euphémismes, était hors de lui. « Vous voulez dire de tuer les gens ?

— C'est malheureusement la seule pression qu'ils sont capables de sentir.

— Que diriez-vous d'en essayer d'autres ?

— Nous l'avons fait. Nous avons tenté de rester

assis sur nos mains et d'attendre que l'opinion mondiale vienne à notre secours. Nous avons essayé d'être bons en espérant que nous serions récompensés, qu'on nous rendrait notre terre. Je peux vous assurer que ces sortes de systèmes ne marchent pas.

— Pourquoi ne pas chercher quelque chose entre les deux ?

— Un embargo sur les produits américains, Mr. Hughes ? Je ne pense pas qu'ils nous prendraient au sérieux. Une restriction sur les Chevrolet à Beyrouth ? Non, bien sûr. Malheureusement, il y a des gens qui ne comprennent qu'une certaine sorte de pression. Le monde ne peut avancer…

— … qu'en tuant les gens ? Une riante philosophie.

— Le monde n'est pas une vallée riante. J'aurais pensé que vos recherches sur les civilisations anciennes vous auraient appris au moins cela. Mais de toute façon… j'ai décidé de me rendre à votre conseil. Nous allons expliquer aux passagers ce qui se passe. Comment ils se trouvent mêlés à l'histoire. Et ce qu'est l'histoire.

— Je suis sûr qu'ils vont apprécier. » Franklin avait envie de vomir. « Vous allez leur dire ce qui se passe ?

— Exactement. Vous voyez, à quatre heures, il sera nécessaire de… de commencer à les tuer. Évidemment, nous espérons que ce ne sera pas nécessaire. Mais si ça l'était… Vous avez raison, les choses doivent leur être expliquées si possible. Même un soldat sait pourquoi il se bat. Il est juste que les passagers l'apprennent eux aussi.

— Mais ils ne sont pas en guerre. » Le ton de l'Arabe, autant que ce qu'il disait, mettait Franklin en boule. « Ce sont des civils. Ils sont en vacances. Ils ne sont pas en guerre.

— Il n'y a plus de civils, lança l'Arabe. Vos gouvernements prétendent le contraire, mais ce n'est pas le cas. Vos armes nucléaires sont-elles destinées à être lancées contre des armées ? Les sionistes au moins le comprennent. Tout le monde chez eux est un combattant. Tuer un civil sioniste, c'est tuer un soldat.

— Écoutez, au nom du ciel, il n'y a aucun sioniste ici, sur ce bateau. Ce sont simplement des gens comme ce pauvre vieux Mr. Talbot qui a perdu son passeport et qui se retrouve transformé en Américain.

— Voilà donc de bonnes raisons de leur expliquer les choses.

— Je vois, dit Franklin, en laissant entendre une sorte de ricanement. Vous allez rassembler les passagers et leur expliquer comment il se fait qu'ils sont en réalité des soldats sionistes, et que c'est pour cette raison que vous allez les abattre.

— Non, Mr. Hughes, vous vous méprenez. Ce n'est pas moi qui vais le leur expliquer. Ils ne m'écouteraient pas. Non, Mr. Hughes, c'est vous qui allez leur expliquer les choses.

— Moi ? » Franklin n'était pas désarçonné. Au contraire, il se sentait extrêmement ferme. « Mais

certainement pas. Vous pouvez faire votre sale besogne sans moi.

— Mais, Mr. Hughes, vous êtes conférencier. Je
vous ai entendu, même si c'était pour peu de temps.
Vous faites ça fort bien. Vous pouvez leur présenter
une vue historique du problème. Mon second vous
donnera toutes les informations nécessaires.

— Je n'ai pas besoin de vos informations. Faites
votre sale boulot vous-même.

— Mr. Hughes, je ne peux vraiment pas négocier dans deux directions à la fois. Il est neuf heures
trente. Vous avez une demi-heure pour vous décider. À dix heures, vous me direz si vous faites la
conférence. Vous passerez alors deux heures, trois
si c'est nécessaire, avec mon second pour le briefing. » Franklin faisait non de la tête, mais l'Arabe
continuait sans y prendre garde. « Ensuite, vous
aurez jusqu'à trois heures pour préparer votre
conférence. Je suggère qu'elle dure autour de
quarante-cinq minutes. Je vous écouterai, évidemment, avec la plus grande attention et le plus grand
intérêt. Et, à trois heures quarante-cinq, si je suis
satisfait de la manière dont vous avez expliqué les
choses, nous accepterons en échange la nationalité
irlandaise de la jeune femme que vous avez épou-
sée récemment. J'ai terminé. Vous me ferez parvenir votre réponse à dix heures. »

De retour dans la cabine avec les Suédois et les
Japonais, Franklin se souvint d'une émission télévisée sur la psychologie, qu'on lui avait demandé de
présenter. C'était tombé à l'eau juste après le bout
d'essai, une perte que personne n'avait vraiment

regrettée. Une séquence dans cette émission rapportait une expérience servant à mesurer le point où les intérêts égoïstes prennent le dessus sur l'altruisme. Présenté ainsi, ça paraît presque respectable, mais Franklin avait été révolté par l'expérience réelle. Les chercheurs avaient pris une guenon qui venait de mettre bas et l'avaient enfermée dans une cage spéciale. La mère allaitait encore et faisait toujours la toilette de son petit, toilette assez proche au fond des soins maternels que devaient donner les épouses des expérimentateurs à leurs enfants. Puis, on tourna un bouton, afin de chauffer le sol métallique de la cage. Tout d'abord, la guenon sauta désespérément, puis hurla à tue-tête et commença à danser sur une patte, puis sur l'autre, alors qu'elle tenait son petit dans ses bras. On augmenta la chaleur au sol et la douleur du singe parut plus évidente. À un certain moment, la chaleur devint insupportable et l'animal se vit confronté à un choix, comme disaient les expérimentateurs, entre l'altruisme ou l'intérêt égoïste. La guenon devait supporter une douleur extrême et peut-être même la mort, afin de protéger sa descendance, ou alors poser son petit sur le sol et monter sur lui pour se protéger elle-même. Dans chaque cas, tôt ou tard, l'intérêt égoïste triomphe de l'altruisme.

Cette expérience avait écœuré Franklin qui fut bien content que la série n'aille pas au-delà du bout d'essai, si c'était vraiment cela qu'il aurait dû présenter. Maintenant, il se sentait un peu comme ce singe. On lui demandait de choisir entre deux idées également repoussantes : ou bien abandonner sa petite amie pour conserver son intégrité, ou sauver la jeune femme en acceptant de justifier devant un groupe de gens innocents des arguments qui allaient amener leur propre mort. Et est-ce que cela serait suffisant pour sauver Tricia ? Personne n'avait même promis à Franklin qu'il serait lui-même sauf. Peut-être qu'irlandais, tous les deux cette fois, ils seraient simplement mis en bas de la liste de ceux qui devaient être abattus, en dernier sans doute, mais abattus quand même. Par qui allaient-ils commencer ? Les Américains ? Les Anglais ? S'ils commençaient avec les Américains, combien de temps s'écoulerait avant qu'ils s'en prennent aux Britanniques ? Quatorze, seize Américains, cela signifiait crûment pour Franklin sept ou huit heures. S'ils commençaient à quatre heures et que les gouvernements continuent à garder leurs positions, à minuit ils tueraient les Anglais. Dans quel ordre allaient-ils faire le massacre ? Les hommes d'abord ? Au hasard ? Par ordre alphabétique ? Le nom de Tricia était Maitland. Juste au milieu de l'alphabet. Verrait-elle l'aube ?

Il s'imaginait debout sur le corps de Tricia pour protéger ses pieds de la chaleur. Il frissonna. Il lui fallait faire cette conférence. C'était la différence entre un singe et un être humain. En dernière analyse, les hommes étaient capables d'altruisme. Cela prouvait qu'il n'était pas un singe. Naturellement, il était des plus probable que, lorsqu'il donnerait sa conférence, le public arriverait à la conclusion

exactement opposée — que Franklin agissait par
intérêt personnel, qu'il sauvait sa peau grâce à une
immonde servilité. Mais c'est souvent ainsi avec
l'altruisme, il y a toujours une possibilité de l'inter-
préter de travers. Il pourrait d'ailleurs leur expliquer les choses après coup. S'il y avait un après
coup. S'il y avait encore quelqu'un pour l'entendre.

Quand le second arriva, Franklin demanda à voir
le chef de nouveau. Il avait l'intention de demander
un sauf-conduit pour Tricia et lui en échange de la
conférence. Malheureusement, le second n'était
venu que pour avoir sa réponse, pas pour de nouvelles conversations. Découragé, Franklin acquiesça
de la tête. Il n'avait jamais été bon dans les négociations, de toute façon.

À deux heures quarante-cinq, on permit à
Franklin d'aller dans sa cabine et de se laver. À
trois heures, il entrait dans la salle de conférence
pour trouver le public le plus attentif qu'il ait jamais eu. Il remplit un verre avec l'eau croupie
d'une carafe que personne n'avait pris la peine de
changer. Il sentait devant lui une vague d'épuise-
ment, un courant tourbillonnant de panique.
Après seulement vingt-quatre heures la plupart
des hommes paraissaient barbus et les femmes
décomposées. Ces gens avaient déjà commencé à
ne plus se ressembler, ou tout au moins à ne plus
ressembler à la personne avec laquelle il avait
passé dix jours. Peut-être cela rendait plus facile
l'acte de les tuer.

Avant qu'on le reconnaisse comme auteur,
Franklin était devenu expert dans l'art de présen-

ter les idées des autres de la manière la plus plausible. Mais jamais il n'avait éprouvé une telle appréhension devant un scénario ; jamais aucun metteur en scène n'avait imposé de telles conditions ; jamais ses honoraires n'avaient été aussi bizarres. Lorsqu'il avait accepté de faire ce travail, il s'était persuadé qu'il trouverait sûrement un moyen de faire entendre à son public qu'il agissait sous la contrainte. Il inventerait un stratagème semblable à celui des fausses tablettes minoennes ; ou alors ses déclarations seraient si exagérées, montreraient un tel enthousiasme pour la cause qu'on lui avait fourrée sur les bras, que personne ne pourrait ne pas en voir l'ironie. Non, ça ne marcherait pas. « L'ironie, lui avait un jour confié un ancien producteur de télévision, peut être définie comme ce que les gens ne saisissent pas. » Et les passagers n'étaient certes pas prêts à la percevoir dans l'état actuel des choses. Le briefing avait rendu le travail encore plus difficile : le second lui avait donné des instructions extrêmement précises et ajouté que toute tentative de déviation non seulement enfermerait Miss Maitland dans sa nationalité britannique, mais encore que le passeport irlandais de Franklin ne serait plus pris en considération. Ces salauds, eux, sans aucun doute, savaient négocier.

« J'avais espéré, commença-t-il, que la prochaine fois que je m'adresserais à vous, je pourrais reprendre l'histoire de Cnossos. Malheureusement, comme vous le voyez, les circonstances ont changé. Nous avons des visiteurs avec nous. » Il s'arrêta et regarda au bout de l'allée le chef qui se tenait devant la porte à double battant, un garde de chaque côté. « Les choses sont différentes. Nous sommes entre les mains de nos visiteurs. Notre… destinée ne nous appartient plus. » Franklin toussota. Ce n'était vraiment pas bon. Déjà, il se laissait aller à débiter des euphémismes. Son devoir, le seul devoir intellectuel qu'il se reconnaissait, était de parler aussi directement qu'il le pouvait. Franklin aurait admis volontiers qu'il était un homme du spectacle et qu'il accepterait de se fourrer la tête dans un tonneau de harengs si cela pouvait élever de quelques milliers le nombre de ses téléspectateurs. Pourtant, il y avait chez lui une sorte de sentiment résiduel — mélange d'admiration et de honte — qui lui faisait avoir un respect particulier pour certains hommes des médias, pourtant très différents de lui. C'étaient ceux qui parlent tranquillement avec des mots simples et dont la présence provient de leur calme imperturbable. Franklin, bien que sachant qu'il ne serait jamais comme eux, essayait maintenant de les prendre pour modèle.

« On m'a demandé de vous informer d'un certain nombre de choses. De vous expliquer comment il se fait que vous — que nous — nous trouvions dans la situation où nous sommes maintenant. Je ne suis pas expert en politique du Moyen-Orient, mais j'essayerai de rendre les choses aussi claires que possibles. Nous devrions peut-être remonter au XIXe siècle, longtemps avant la fondation de l'État d'Israël… » Franklin se retrouvait emporté par un rythme facile, un joueur de cricket pris par le jeu. Il sentait que son audience commençait à se détendre. Les circonstances étaient inhabituelles, mais il racontait une histoire. Les auditeurs s'ouvraient aux paroles du conférencier comme tous les publics, depuis toujours, le font. Ils veulent savoir comment les choses se sont passées, ils désirent qu'on leur explique le monde. Hughes brossa un XIXe siècle idyllique, rempli de nomades, de troupeaux de chèvres et marqué par cette hospitalité traditionnelle qui vous permet de rester dans la tente d'un inconnu pendant trois jours, avant qu'on vous demande le but de votre visite. Il parla des premiers colons sionistes, du concept occidental de propriété terrienne ; de la déclaration Balfour, du départ des Juifs d'Europe ; de la Seconde Guerre mondiale, de la culpabilité européenne dans l'holocauste qui pourtant ne fut payée que par les Arabes. Les Juifs avaient appris de leurs persécuteurs que la seule manière de survivre était d'être comme les nazis. Militarisme, expansionnisme, racisme. Leur attaque préventive des forces aériennes égyptiennes, au commencement de la guerre des Six Jours, était moralement l'exact équivalent de Pearl Harbor (Franklin volontairement ne regarda ni les Japonais ni les Américains à ce moment-là et durant un certain temps). Les camps de réfugiés, le vol des terres. Le soutien artificiel de l'économie israélienne grâce à l'injection de dollars. Les atrocités commises contre les malheureux expropriés. Les groupes juifs de pression en Amérique. Les Arabes ne demandaient des puissances occidentales au Moyen-Orient que la même justice que celle qui avait déjà été accordée aux Juifs. La violence regrettable mais nécessaire, une leçon que les Juifs avaient enseignée aux Arabes exactement comme elle avait été enseignée aux Juifs par les nazis.

Franklin avait utilisé les deux tiers du temps qui lui était imparti. S'il sentait une hostilité larvée çà et là dans le public, il avait aussi curieusement la sensation qu'une profonde torpeur s'était abattue sur ces gens, comme s'ils avaient déjà entendu cette histoire et n'y croyaient pas plus que la première fois. « Et nous voilà revenus ici et maintenant. » Cette phrase attira aussitôt toute leur attention. En dépit des circonstances, Franklin éprouva un instant de plaisir. Il était comme un hypnotiseur qui claque des doigts. « Il faut nous rendre compte qu'au Moyen-Orient il n'y a plus aucune possibilité d'être civil. Les sionistes l'ont compris, les gouvernements occidentaux, pas encore. Nous ne sommes plus, hélas, des civils. Les sionistes sont responsables de cet état de fait. Vous — nous — sommes retenus en otage par le Tonnerre noir qui espère ainsi libérer trois de ses membres. Vous vous souvenez probablement » (Franklin en doutait, étant donné que de tels incidents se reproduisent si fréquemment qu'ils deviennent interchangeables) « qu'il y a deux ans un appareil appartenant à une compagnie aérienne civile, appareil qui transportait trois des membres du Tonnerre noir, se vit contraint par des avions américains d'atterrir en Sicile, que les autorités italiennes, contrevenant aux lois internationales, complétèrent cet acte de piraterie en arrêtant les trois combattants de la liberté, que l'Angleterre défendit l'intervention américaine aux Nations unies et que ces trois hommes sont maintenant emprisonnés en France et en Allemagne. Le Tonnerre noir ne tendra pas l'autre joue et ce légitime… détournement » — Franklin articula le mot avec soin, en jetant un coup d'œil au chef, comme s'il voulait lui montrer qu'il dédaignait les euphémismes — « n'est rien d'autre qu'une réponse à cet acte de piraterie. Malheureusement, les gouvernements occidentaux ne portent pas le même intérêt à leurs citoyens que le Tonnerre noir le fait pour ses combattants de la liberté. Malheureusement, ils ont refusé jusqu'ici de relâcher les prisonniers. Avec regret, le Tonnerre noir se voit contraint de mettre à exécution la menace qu'il a fait connaître clairement dès le départ aux gouvernements occidentaux… »

À ce moment, un grand Américain frêle, en chemise bleue, se leva et se mit à courir dans l'allée en direction des Arabes. Les armes n'avaient pas été enclenchées pour ne tirer qu'un seul coup à la fois. Le bruit fut fracassant et immédiatement un flot de sang se mit à couler. Un Italien assis dans la ligne de feu reçut une balle dans la tête et s'affala sur les genoux de sa femme. Quelques personnes se levèrent brusquement puis se rassirent aussi vite. Le chef de l'expédition du Tonnerre noir regarda sa montre et fit signe à Hughes de poursuivre. Franklin but une grande gorgée d'eau croupie. Il aurait aimé que ce fût quelque chose de plus fort. « À cause de l'entêtement des gouvernements occidentaux, poursuivit-il, en essayant de prendre un ton de porte-parole officiel qui n'avait rien à voir avec Franklin Hughes, et leur mépris incompréhensible des vies humaines, il est nécessaire que certains sacrifices soient faits. Vous aurez compris, grâce à ce que j'ai dit avant, l'aspect inévitable du déroulement historique. Le Tonnerre noir a la ferme conviction que les gouvernements occidentaux viendront très rapidement s'asseoir à la table de négociations. Dans un dernier effort pour qu'il en soit ainsi, il sera nécessaire d'exécuter deux d'entre vous… d'entre nous… toutes les heures, jusqu'à ce que les choses s'éclaircissent. Le Tonnerre noir regrette de devoir s'engager dans cette voie, mais les gouvernements occidentaux ne lui laissent pas d'autre choix. L'ordre d'exécution a été établi suivant la culpabilité des pays occidentaux dans la situation régnant actuellement dans le Moyen-Orient. » Franklin n'avait plus la force de regarder son public. Il baissa la voix, qui pourtant ne pouvait manquer d'être entendue, et poursuivit : « Les sionistes américains d'abord. Puis les autres Américains. Puis les Anglais. Puis les Français, les Italiens et les Canadiens.

— Mais, nom de Dieu, qu'a jamais fait le Canada au Moyen-Orient ? Qu'a-t-il fait, nom de Dieu ? » cria un homme qui portait encore un chapeau en éponge sur lequel était brodée une feuille d'érable. Sa femme l'empêcha de se lever. Franklin, qui sentait la chaleur du sol métallique de sa cage devenir absolument insupportable, rassembla ses notes avec un geste automatique, descendit de la petite estrade sans regarder personne, remonta l'allée, tachant ses semelles de crêpe du sang de l'Américain mort, ignora les trois Arabes — qui pouvaient bien l'abattre s'ils le voulaient — et retourna sans escorte ni opposition à sa cabine. Il en ferma la porte à clé et s'étendit sur sa couchette.

Dix minutes plus tard retentissait le bruit des coups de feu. De cinq heures à onze heures, à l'heure juste, dans une parodie de carillon d'hôtel de ville, claquaient les coups de feu. Ils étaient suivis par un grand bruit d'eau au moment où les corps étaient jetés, deux par deux, au-dessus du bastingage. Peu après onze heures, vingt-deux membres des forces spéciales américaines, qui suivaient le *Santa Euphemia* depuis quinze heures, parvinrent à monter à bord.

Dans la bataille, six passagers de plus, dont Mr. Talbot le citoyen américain honoraire de Kidderminster, furent tués. Des huit visiteurs qui avaient aidé à charger le bateau à Rhodes, cinq furent abattus, deux après s'être rendus.

Ni le chef ni le second ne survécurent. Il n'y avait donc aucun témoin pour confirmer le récit de Franklin Hughes concernant la convention qu'il avait passée avec les Arabes. Tricia Maitland, qui était devenue irlandaise pour quelques heures sans le savoir, avait remis durant la conférence sa bague au doigt qui la portait en premier lieu. Elle n'adressa plus jamais, par la suite, la parole à Franklin Hughes.

Les guerres de religion

Source : *les Archives municipales de Besançon (section CG boîte 377a). L'affaire suivante, jamais publiée jusqu'ici est d'un intérêt tout particulier pour les historiens légistes, étant donné que le procureur pour les insectes était le fameux juriste Bartholomé Chassenée (aussi Chassanée et Chasseneux), par la suite premier président du Parlement de Provence. Né en 1480, Chassenée se fit un nom devant la cour ecclésiastique d'Autun en défendant des rats accusés d'avoir détruit de manière criminelle une récolte d'orge. Les documents ci-dessous, de la requête des habitants au jugement final rendu par la cour, ne représentent pas la totalité de l'action judiciaire — par exemple les dépositions des témoins, témoins qui pouvaient être aussi bien des paysans de l'endroit que des experts réputés analysant les structures comportementales des accusés — ne nous sont pas parvenus, mais les plaidoiries contiennent de nombreux passages qui renvoient bien souvent, et de manière spécifique, aux témoins. Il n'y a donc aucun manque essentiel dans la forme générale et dans l'argumentation de cette affaire. Comme il était normal à l'époque, les plaidoiries et les conclusions du procureur épiscopal sont faites en français, tandis que la sentence de la cour est solennellement prononcée en latin.*

(Note du traducteur : *Le manuscrit est d'un seul tenant et de la même main. Nous n'avons donc pas ici affaire aux plaidoiries originales, car celles-ci étaient transcrites par les clercs de chaque avocat, mais au travail d'un tiers, peut-être d'un homme de loi, qui peut avoir omis certaines parties des plaidoiries. La comparaison avec le contenu des boîtes 371-379 suggère que l'affaire, étant donné qu'elle est rapportée sous cette forme, était peut-être un des éléments d'un ensemble de procédures exemplaires et caractéristiques utilisées dans la formation des juristes. Cette supposition est renforcée par le fait que seul Chassenée, parmi les participants, est cité par son nom, comme si on incitait les étudiants à examiner de près la virtuosité, chargée d'enseignement, d'un avocat renommé, sans qu'ils aient besoin de se préoccuper des résultats de l'affaire. L'écriture est celle utilisée dans la première moitié du XVIe siècle, de sorte que, si le document n'est, comme c'est possible, qu'une copie de la version du procès écrite par quelqu'un d'autre, il n'en reste pas moins qu'il lui est contemporain. Bien entendu, l'orthographe a été modernisée.*)

Requête des habitants

Nous, les habitants de Mamirolle, dans le diocèse de Besançon, craignant le Seigneur Tout-Puissant et serviteurs dévoués de Son épouse l'Église, et payant de plus très régulièrement et avec zèle la dîme, adressons par la présente du 12 août 1520 la plus pressante et insistante requête à la cour afin qu'elle nous décharge et nous soulage de l'intrusion criminelle de ces malfaiteurs qui nous harcèlent déjà depuis de nombreuses saisons, qui ont attiré sur nous la colère de Dieu, qui ont donné à nos habitations une réputation honteuse et qui nous menacent, bien que nous craignions Dieu et que nous soyons soumis à nos devoirs envers l'Église comme nous le sommes, d'une mort épouvantable et immédiate qui s'abattra sur nos têtes comme la foudre et le tonnerre, calamité qui arrivera sûrement, à moins que la cour dans sa solennelle sagesse, expulse rapidement, pour la plus grande justice, ces malfaiteurs qui ont investi notre village, leur enjoignant de déguerpir — étant donné que leur présence est intolérable et odieuse — sous peine d'être excommuniés par la Sainte Église et privés du Royaume de Dieu.

La plaidoirie des habitants

Messieurs, ces pauvres et humbles requérants, malheureux et affligés, viennent devant nous, comme un jour les habitants des îles de Minorque et de Majorque vinrent devant le puissant César Auguste, le suppliant de faire preuve de pouvoir et de justice, afin de débarrasser leur île de ces lapins qui, en détruisant leurs récoltes, les privaient de leur gagne-pain. Si César Auguste fut capable d'aider ses fidèles sujets, combien encore plus facilement cette cour peut enlever des requérants le

fardeau qui pèse sur leurs épaules aussi lourdement que la charge du grand Enée lorsqu'il porta
son père Anchise pour l'éloigner de l'incendie de
Troie. Le vieil Anchise avait été rendu aveugle par
la foudre et ces requérants sont maintenant dans
un état de cécité, ils sont plongés dans l'obscurité,
loin de la lumière bénie de Notre-Seigneur, à
cause de la conduite criminelle de ceux qui se
trouvent être les accusés dans cette affaire et qui
cependant ne se sont même pas donné la peine de
se présenter devant la cour pour répondre aux
charges produites contre eux, méprisant ainsi ce
tribunal et blasphémant contre Dieu, préférant
tout au contraire s'enterrer dans une obscurité
pécheresse plutôt que d'affronter les lumières de
la vérité.

Vous avez maintenant, messieurs, les dépositions
de ces témoins humbles et loyaux et d'une honnêteté inattaquable simples requérants trop respectueux de cette cour pour laisser sortir de leurs
bouches autre chose que les flots de la véritable fon-
taine de la vérité. Ils ont témoigné des événements
survenus le 22 du mois d'avril de cette année de
Notre-Seigneur, qui est le jour du pèlerinage annuel
de Hugo, évêque de Besançon, à cette humble église
Saint-Michel de leur village. Ils vous ont décrit avec
des détails qui doivent brûler dans votre mémoire
comme le fourneau ardent duquel sortirent sains et
saufs Shadrach, Meshach et Abednego, comment,
ainsi que tous les ans, ils ont embelli et décoré leur
église pour la rendre digne des yeux de l'évêque,
comment ils ont pris soin de placer des fleurs sur

l'autel et de faire en sorte que la porte soit une barrière suffisante contre l'invasion des animaux, mais
aussi comment, bien qu'ils puissent interdire la
porte aux cochons et aux vaches, ils se sont sentis
incapables de l'interdire à ces bestioles diaboliques
qui passent en rampant par les trous les plus petits,
en imitation de David qui trouva la faille dans l'ar-
mure de Goliath. Ils vous ont expliqué comment ils
descendirent à l'aide de cordes le trône de l'évêque,
accroché aux poutres, qui reste attaché là d'une
année à l'autre en attendant le jour du pèlerinage,
de peur qu'un enfant ou un étranger puisse s'y
asseoir par hasard, et par conséquent le profaner.
Cette coutume humble, dévouée à la tradition,
mérite totalement les louanges de Dieu et de cette
cour. Ils vous ont dit aussi comment le trône, après
avoir été descendu, fut placé devant l'autel, comme
il l'est tous les ans, aussi loin que puisse s'en souvenir
le plus âgé d'entre eux, le Mathusalem du lieu, et
comment les villageois, particulièrement prudents,
ont mis en faction une garde durant la nuit précé-
dant l'arrivée de l'évêque, si attentifs à ce que le
trône ne soit pas profané, et comment le lendemain
Hugo, évêque de Besançon, arriva effectivement
pour faire son annuel pèlerinage, comme Gracchus
revenant parmi son peuple bien-aimé, à l'humble
église Saint-Michel, heureux de constater la dévotion et la foi authentique des fidèles. Et, comment
ayant, d'abord, comme c'était la coutume, donné
une bénédiction générale aux villageois de Mamirolle, des marches de l'église, il entra en procession
dans la nef, suivi à une distance respectueuse de ses

ouailles, et comment il se prosterna, même vêtu de ses vêtements d'apparat, devant l'autel, comme Jésus-Christ s'était prosterné lui-même devant Son Père Tout-Puissant, puis comment l'évêque se leva, monta les quelques marches qui conduisaient à l'autel, se retourna vers les fidèles et s'assit sur son trône. Oh ! Jour maudit ! Oh ! Que soient maudits les intrus ! Et comment l'évêque tomba, se cognant la tête sur les marches de l'autel, et se vit précipité contre sa volonté dans un état d'imbécillité. Et comment, lorsque le cortège fut parti, emmenant le malheureux prélat dans un état d'imbécillité, les requérants, terrifiés, examinèrent le trône de leur évêque et découvrirent que l'un des pieds avait été réduit en poudre, comme les murs de Jéricho, par une colonie immonde et perverse de vers de bois, et comment ces bestioles avaient entrepris secrètement et dans l'ombre leur travail diabolique, avaient si bien dévoré le pied du trône que l'évêque était tombé à la manière de Dédale, du ciel de lumière dans les ténèbres de l'imbécillité. Et comment, remplis de crainte devant la colère de Dieu, les requérants étaient montés sur le toit de l'église Saint-Michel pour examiner la charpente dans laquelle le trône était resté durant les trois cent soixante-quatre jours de l'année, et comment ils avaient trouvé que les vers de bois avaient aussi infesté la charpente, ainsi qu'elle s'effrita lorsqu'ils la touchèrent, que des morceaux tombèrent de la manière la plus sacrilège sur les marches de l'autel, et comment les poutres du toit apparurent les unes après !es autres infestées par ces insectes diaboliques, ce qui fit craindre pour leur vie aux requérants, étant donné qu'ils étaient à la fois pauvres et dévots et que leur pauvreté ne leur permettait pas de construire une nouvelle église, tandis que leurs dévotions leur enjoignaient d'adorer leur Père éternel avec autant de ferveur qu'ils l'avaient toujours fait, dans un lieu sacré, loin des champs et des bois.

Prenez en considération, par conséquent, messieurs, la requête de ces humbles villageois, aussi malheureux que l'herbe qu'on écrase sous le pied. Ils ont l'habitude de toutes sortes de catastrophes, que ce soient les sauterelles qui obscurcissent le ciel, comme la main de Dieu passant devant le soleil, que ce soient les dégâts provoqués par les rats, qui ne laissent que désolation, comme l'ours aux environs de Calydon, ainsi que le raconte Homère dans le premier livre de *L'Iliade,* que ce soient les charançons qui dévorent le grain dans les réserves pour l'hiver. Combien plus odieuse et malfaisante est par conséquent cette calamité qui s'attaque aux grains que les villageois ont engrangés au ciel, grâce à leur piété, à leur humilité et au paiement de leur dîme. Car ces malfaiteurs, qui ne montrent même aujourd'hui aucun respect pour votre cour, ont offensé Dieu en attaquant Sa maison, ils ont offensé Son épouse l'Église en plongeant Hugo, évêque de Besançon, dans les ténèbres de l'imbécillité, ils ont offensé ces requérants en menaçant de faire tomber la structure et les matériaux de leur église sur la tête d'enfants innocents et de bébés, au moment même où le village est en prières. Il est donc juste, raisonnable et nécessaire que la cour ordonne et enjoigne à ces animaux de quitter leur habitation, de s'éloigner de la maison de Dieu, et qu'elle prononce contre eux l'anathème nécessaire et les excommunications prescrites par Notre Sainte Mère l'Église, pour laquelle vos requérants prieront à jamais.

La plaidoirie des insectes

Étant donné, messieurs, qu'il vous a plu de me désigner en tant qu'avocat des bestioles dans cette affaire, je m'efforcerai de montrer à la cour que les charges sont nulles et non avenues et que ce procès doit se terminer par une sentence de non-lieu. Tout d'abord, je dois avouer mon étonnement : mes clients, qui n'ont commis aucun crime, ont été traités comme s'ils étaient les pires criminels jamais jugés par cette cour et même bien que muets de notoriété publique, ils ont été sommés de comparaître pour expliquer leur conduite, comme s'ils avaient l'habitude d'employer la langue des hommes lorsqu'ils se livrent à leurs occupations journalières. Je tenterai, en toute humilité, de leur prêter ma voix pour pallier les déficiences de la leur.

Puisque vous m'avez permis de parler pour le compte de ces malheureux animaux, je ferai remarquer tout d'abord que les accusés n'appartiennent pas à la juridiction de cette cour et que la validité de l'ordre de comparaître qui leur a été adressé ne peut être reconnue car ce dernier sous-entend que les destinataires sont doués de raison et de volonté, et sont donc capables de ce fait de commettre un crime et de répondre dudit crime devant le tribunal. Ce qui n'est nullement le cas, vu que mes clients sont des bêtes brutes, agissant sous la seule poussée de l'instinct, ce qui est confirmé par le premier livre du *Pandects,* au paragraphe *Si quadrupes,* où il est écrit *Nec enim potest animal injuriam fecisse, quod sensu caret.*

En second lieu, de plus et conjointement, je demande à la cour de voir que, si cette affaire des bestioles était de sa juridiction, il serait déraisonnable et illégal pour ce tribunal de débattre de cette affaire, car c'est un principe bien connu, et de longues dates, que les accusés ne peuvent être jugés *in absentia.* On a affirmé que les vers de bois avaient reçu une assignation dans les formes leur demandant de se présenter devant la cour ce même jour, et qu'ils s'y étaient insolemment refusés, perdant ainsi par conséquent leurs droits légitimes et donnant permission au tribunal de les juger *in abstentia.* Contre cette assertion, j'élève deux objections. Tout d'abord il m'apparaît que, si l'assignation a effectivement été expédiée selon la loi, avons-nous la moindre preuve qu'elle ait été reçue par les bestioles ? Car il est de règle qu'une assignation doit non seulement être expédiée, mais qu'elle doit également être délivrée et l'avocat des habitants n'a à aucun moment indiqué de quelle manière les vers de bois avaient pu prendre connaissance de l'assignation. Deuxièmement, et de plus, il y a un principe encore plus fermement établi dans les annales de la loi, qu'un accusé peut être excusé de ne pas comparaître, de ne pas se présenter devant le tribunal, si l'on peut démontrer que la longueur, que les difficultés, que les dangers du voyage rendent impossible, à cause des risques encourus, sa présence devant la cour. Si on assigne un rat, on ne s'attend pas à ce qu'il rejoigne le tribunal en passant dans une ville pleine de chats. Et, dans cette affaire, non seulement la distance qui sépare la cour de la demeure des bestioles représente un monstrueux voyage d'une lieue, mais encore c'est aussi une expédition qu'ils se verraient obligés d'accomplir sous la menace mortelle des prédateurs qui généralement s'en prennent à leur humble vie. Ils peuvent, par conséquent, sûrement et légalement, avec tout le respect qu'ils doivent à ce tribunal, refuser d'obéir à l'assignation.

En troisième lieu, la sommation est incorrectement formulée étant donné qu'elle s'adresse aux vers de bois qui ont, en ce moment même, leur demeure dans l'Église Saint-Michel du village de Mamirolle. Est-ce que cela signifie toutes les bestioles qui se trouvent dans l'église ? Mais il y en a beaucoup qui vivent paisiblement et qui ne représentent aucune menace pour les habitants. Est-ce que tout un village doit être appelé devant le tribunal parce qu'une bande de voleurs y habite ? Cela ne serait pas une juste loi. De plus, il y a un principe bien établi que les accusés doivent être identifiés devant la cour. Nous avons, à l'examen, deux actes criminels distincts, les dommages causés au pied du trône de l'évêque et ceux concernant le toit de l'église ; il est clair que quiconque ayant la moindre connaissance de la nature des animaux accusés reconnaîtra que ceux qui actuellement ont pris leurs quartiers dans le pied du trône ne peuvent avoir quoi que ce soit à voir avec le toit, et que ceux qui se sont installés dans le toit ne peuvent rien avoir à faire avec le pied. Il s'ensuit que deux groupes distincts sont accusés de deux crimes curieusement amalgamés dans l'assignation, ce qui rend celle-ci nulle pour manque de spécificités.

En quatrième lieu, et sans préjuger de ce qui a été dit, je soutiens que non seulement ce qu'on nous suggère, c'est-à-dire de juger les bestioles de cette manière, est contraire aux lois de l'homme et de l'Église, mais aussi aux lois de Dieu, car d'où viennent ces minuscules créatures contre lesquelles le pouvoir solennel de cette cour risque de s'abattre ? Qui les a créées ? Personne d'autre que le Tout-Puissant qui nous a également créés, les plus grands et les plus humbles. Et n'avons-nous pas lu dans le premier chapitre du livre sacré de la Genèse que Dieu fit les bêtes de la terre selon leur espèce, le bétail selon son espèce, et toutes les choses qui rampent sur la terre selon leur espèce — et Il vit que c'était bon ? Et de plus, Dieu n'a-t-Il pas donné aux bêtes de la terre et à toutes les choses qui rampent toutes les graines à la surface de la terre, tous les arbres à la surface de la terre et tous les fruits de chaque arbre comme nourriture ? Et encore plus, ne leur a-t-Il pas donné l'ordre d'être féconds, de se multiplier et de peupler la terre ? Le Créateur n'aurait pas demandé aux bêtes de la terre et à toutes les choses rampantes de se multiplier s'il ne leur avait pas, dans Son infinie sagesse, fourni les moyens de se nourrir, ce qu'Il fit, bien sûr, en leur donnant expressément les graines, les fruits et les arbres comme aliments. Qu'ont donc fait ces humbles bestioles depuis le premier jour de la Création, sinon d'exercer ces droits inaliénables qui leur ont été conférés, droits qu'aucun homme n'a le pouvoir d'abroger ou de réduire ? Que les vers de bois prennent demeure là où cela risque de se révéler gênant pour l'homme n'est pas une raison suffisante pour chercher à se rebeller contre les lois de la nature établies au moment de la Création, une telle rébellion se révélerait être un acte direct de désobéissance et d'insolence vis-à-vis du Créateur. Le Seigneur a insufflé la vie aux vers de bois et leur a donné les arbres de la terre comme aliments. Comme il serait présomptueux, comme il serait dangereux pour nous, de chercher à contrecarrer la volonté de Dieu. Non, bien plutôt je propose à la cour que nous tournions directement notre attention non pas aux crimes supposés des plus humbles créatures de Dieu, mais à ceux de l'homme lui-même. Dieu ne fait rien par hasard et, s'il a permis aux bestioles de s'installer dans l'église Saint-Michel, cette permission peut fort bien être considérée comme un avertissement et une punition contre la méchanceté de l'homme. Que les vers de bois aient pu infester l'église plutôt que n'importe quel autre bâtiment m'oblige à faire remarquer de plus l'aspect particulièrement sérieux de l'avertissement et de la punition. Les requérants qui se sont adressés à la cour sont-ils absolument certains de leur obéissance à Dieu, certains de leur humilité et de leur vertu chrétienne, au point qu'ils puissent se permettre d'accuser les plus humbles animaux avant de s'accuser eux-mêmes ? Prenons garde au péché d'orgueil, c'est ce que je dirais à ces requérants. Arrachez la poutre de votre œil avant de chercher à enlever la paille de l'œil de votre prochain.

Cinquièmement, et pour finir, l'avocat des habitants demande que la cour lance contre les bestioles cet éclair foudroyant connu sous le nom d'excommunication. Il est de mon devoir de vous faire remarquer, et sans préjudice de mes droits sur ce qui a été dit avant, qu'une telle punition serait contraire à la loi et inappropriée. L'excommunication étant en effet l'acte d'enlever au pécheur sa communion avec Dieu, le refus de lui permettre de manger le pain et de boire le vin qui sont le corps et le sang du Christ, en faisant ainsi du pécheur un rejeté de la Sainte Église, de ses lumières et de sa chaleur. Comment par conséquent pourrait-il être licite d'excommunier une bête des champs ou une petite chose rampante sur la terre, qui n'a jamais été dans le sein de l'Église ? Il n'est pas possible de considérer comme une punition adéquate et convenable de priver un accusé de quelque chose qu'il n'a jamais possédé en premier lieu. Cela ne serait pas une bonne justice. De plus, l'excommunication est un châtiment qui inspire une grande terreur, le rejet du pécheur dans les ténèbres épouvantables, la séparation éternelle du pécheur de la lumière et de la bonté de Dieu. Comment serait-il possible que ce châtiment fût une punition appropriée pour une bestiole qui ne possède pas une âme immortelle ? Comment serait-il possible de condamner un accusé à d'éternels tourments, alors qu'il n'a pas la vie éternelle ? Ces animaux ne peuvent être expulsés de l'Église puisqu'ils n'appartiennent pas à l'Église et, comme le dit l'apôtre Paul : « Nous jugeons ceux qui sont à l'intérieur et non ceux qui sont à l'extérieur. »

Je demande par conséquent que cette affaire soit classée et les poursuites abandonnées et que, sans préjudice à ce qui précède, les accusés soient acquittés et délivrés de plus amples poursuites.

Bartholomé Chassenée, juriste.

Réponse des habitants

Messieurs, j'ai de nouveau l'honneur de me présenter devant la solennité de la cour pour demander justice comme le fit cette pauvre mère bafouée qui apparut devant Salomon afin de réclamer son enfant. Comme Ulysse contre Ajax, je combattrai l'avocat des bestioles qui a avancé devant vous un nombre d'arguments aussi maquillés que Jézabel.

En premier lieu, il soutient que cette cour n'a pas le pouvoir juridique nécessaire pour juger les crimes des bestioles, crimes qui ont pris place à Mamirolle, et, pour parvenir à ses fins, déclare que nous ne sommes guère mieux aux yeux de Dieu qu'un ver de bois, qu'il n'y a ni haut ni bas et que par conséquent nous n'avons pas le droit de nous asseoir pour les juger comme le ferait Jupiter dont le temple, situé sur la Roche tarpéienne, permettait de se débarrasser si facilement des traîtres. Je réfuterai cette argumentation de la même manière que Notre-Seigneur a chassé les marchands du temple. Est-ce que l'homme n'est pas supérieur à l'animal? N'est-ce pas clair dans le livre de la Genèse que les animaux, qui furent créés avant l'homme, le furent afin de se soumettre à ses besoins? Est-ce que le Seigneur ne donna pas à Adam la propriété des poissons de la mer, celle des oiseaux du ciel et de toutes les choses vivantes qui remuent sur la terre? Est-ce qu'Adam n'a pas nommé tous les bestiaux, tous les oiseaux des airs et toutes les bêtes des champs? Est-ce que la domination de l'homme sur les animaux n'a pas été proclamée par les psalmistes et réaffirmée ensuite par l'apôtre Paul? Et comment serait-il possible que l'homme ait autorité sur les animaux sans que ceux-ci ne comprennent pas le droit qu'il a de les punir pour leurs mauvaises actions? De plus, ce droit de juger les animaux, droit que l'avocat des bestioles rejette si vigoureusement, a été spécifiquement octroyé à l'homme par Dieu lui-même, comme il apparaît dans le livre sacré de l'Exode. Est-ce que le Seigneur n'a pas donné à Moïse la loi sacrée d'un œil pour un œil et d'une dent pour une dent? Et n'a-t-il pas poursuivi en disant que, si un bœuf encorne un homme ou une femme et que la victime meure, le bœuf doit être lapidé et sa chair ne doit pas être mangée. Est-ce que le livre saint de l'Exode n'expose pas clairement la loi? Et ne poursuit-il pas encore plus loin, en disant que, si le bœuf d'un homme blesse celui d'un autre et que celui-ci meure, alors il deviendra nécessaire de vendre le bœuf vivant, de partager l'argent et que le bœuf mort lui aussi soit partagé ? Le Seigneur n'a-t-il pas imposé, donné à l'homme le droit de juger les animaux ?

Deuxièmement, que les vers de bois devraient être dispensés du procès, parce qu'ils ne se sont pas présentés devant la cour. On les a pourtant correctement assignés, selon toutes les règles en vigueur. On les a assignés comme les Juifs l'ont été de payer leur dû à César Auguste. Et est-ce que les Israélites n'ont pas obéi ? Qui parmi les personnes présentes ici voudrait empêcher les bestioles de se présenter devant la cour ? Mes humbles requérants auraient pu sans doute agir dans cette direction et à cette fin chercher à brûler dans les flammes le pied du trône qui plongea Hugo, évêque de Besançon, dans un état d'imbécillité après que sa tête eut heurté les marches de l'autel, mais en bon chrétien ils s'en dispensèrent, préférant de loin soumettre la question à votre jugement solennel. Quels ennemis donc auraient pu rencontrer les bestioles ? Leur distingué avocat a parlé de rats mangés par les chats. Je ne savais pas, messieurs, que des chats avaient été surpris en train de manger des vers de bois alors que ceux-ci se rendaient au palais de justice, sans doute quelqu'un aura l'amabilité de me corriger si je me trompe. Non, il n'y a qu'une explication au refus des accusés de se présenter devant vous, il s'agit d'une désobéissance aveugle et obtuse, un silence odieux, une culpabilité qui flamboie comme le buisson ardent qui apparut à Moïse, un buisson qui brûle mais qui ne se consume pas, tandis que leur culpabilité continue de nous aveugler aussi longtemps qu'ils refuseront obstinément de se présenter devant vous.

En troisième lieu, on soutient que Dieu créa le ver de bois, ainsi qu'il créa l'homme et qu'il lui donna les graines, les fruits, les arbres comme aliments, et que, par conséquent, tout ce qu'il peut avoir envie de manger a la bénédiction de Dieu. Ce qui est en vérité le point essentiel, capital, de l'avocat des bestioles, argument que je vais de ce fait réfuter de cette façon. Le livre sacré de la Genèse nous dit que Dieu, dans son infinie bonté et générosité, donna aux bêtes des champs, aux choses rampantes, toutes les graines, les fruits et les arbres comme aliments. Il donna les arbres à ces créatures qui avaient reçu l'instinct de dévorer les arbres, même si cela peut être une gêne, un inconvénient pour l'homme. Mais Il ne leur donna pas le bois coupé. Où dans le livre sacré de la Genèse trouve-t-on que les choses rampantes, sur la terre, ont le droit de se loger dans le bois coupé ? Était-ce l'intention du Seigneur, lorsqu'Il permit à une créature de s'enfoncer dans un chêne, d'autoriser celle-ci à envahir la maison du Seigneur ? Où trouve-t-on dans les Saintes Écritures que le Seigneur donna aux animaux le droit de dévorer Ses temples ? Et est-ce que le Seigneur demanda à Ses serviteurs de bien vouloir tendre l'autre joue lorsque Ses temples sont dévorés et que Ses évêques sont plongés dans un état d'imbécillité ? Le cochon qui mangea la

sainte hostie consacrée fut pendu pour blasphème,
et la bestiole qui transforme la maison du Seigneur
en Sa propre habitation commet un aussi grand
blasphème.

De plus, et sans préjudice de ce qui précède, on a
avancé que le Seigneur créa le ver de bois, ainsi
qu'il créa l'homme, et que par conséquent tout ce
qu'il a pu créer a Sa bénédiction, quels que soient
la malfaisance, le goût de nuire, de ladite bestiole.
Mais est-ce que le Tout-Puissant dans Sa sagesse et
Sa magnificence incomparable a créé le charançon
afin qu'il détruise nos moissons et le ver de bois afin
qu'il mette par terre la maison du Seigneur ? Les
plus sages docteurs de notre Église ont pendant
des siècles examiné chaque verset des Écritures
saintes, exactement comme les soldats d'Hérode
ont cherché les enfants innocents, et ils n'ont
trouvé aucun chapitre, aucune ligne, aucune
phrase où serait mentionné le ver de bois. En conséquence, la question que je soulève devant la cour
et que je considère comme essentielle dans cette
affaire est la suivante : est-ce que le ver de bois a
jamais été sur l'Arche de Noé ? Les livres saints,
lorsqu'ils parlent du puissant vaisseau de Noé, ne
parlent jamais de l'embarquement ou du débarquement du ver de bois. En vérité, comment aurait-il
pu être possible qu'il en fût ainsi, étant donné que
l'Arche était construite en bois ? Comment le Seigneur aurait-il pu, dans Son éternelle sagesse, permettre que monte à bord une créature dont les
habitudes quotidiennes risquaient de provoquer
un naufrage, entraînant la mort désastreuse de

l'homme et de toutes les bêtes de la Création ? Comment une telle chose aurait-elle été possible ? Par conséquent, il en découle que le ver de bois n'était pas sur l'Arche et qu'il est une créature artificielle, imparfaite, qui n'existait même pas lors du terrible fléau de la grande calamité que fut le Déluge. Peu importe d'où vient cette espèce, que ce soit l'effet d'un hasard malheureux ou celui d'une main malveillante, nous ne le savons pas, mais nous connaissons sa méchanceté ô combien haïssable. Cette ignoble créature a donné son corps au diable et, de ce fait, s'est mise en dehors de la protection et de la bienveillance du Seigneur. Quelle plus grande preuve de la perfidie de sa profanation que la ruse odieuse avec laquelle elle plongea Hugo, évêque de Besançon, dans un état d'imbécillité ? Ne reconnaissons-nous pas dans cet acte l'œuvre du Malin, à cette manière d'agir en secret, dans l'obscurité, pendant de longues années, puis de triompher ignoblement de son épouvantable projet ? Cependant, l'avocat des bestioles soutient que le ver de bois a la bénédiction du Seigneur dans tout ce qu'il fait et dans tout ce qu'il mange. Il soutient par conséquent que le fait d'avoir dévoré le pied du trône de l'évêque a la bénédiction du Seigneur. Il soutient de plus que le Seigneur, de Sa propre main, frappa l'évêque de Sa Sainte Église, exactement comme Il a frappé Balthazar, comme Il a frappé Amalech, comme Il a frappé les Madianites, comme Il a frappé les Cananéens, comme Il a frappé Simon l'Amorrhéen. N'avons-nous pas ici affaire à un horrible blasphème que la cour doit extirper, ainsi qu'Hercule a nettoyé les écuries d'Augias ?

En quatrième lieu, on soutient que la cour n'a ni le pouvoir ni le droit de prononcer l'excommunication. Mais ce serait alors dénier l'autorité même que Dieu a conférée à Sa chère épouse l'Église, qu'Il a faite souveraine du monde entier, ayant mis toutes les choses du monde à ses pieds, comme l'affirme le psalmiste, tous les moutons, tous les bœufs, toutes les bêtes des champs, tous les oiseaux dans l'air, tous les poissons de la mer, et quoi que ce soit qui traverse les chemins de la mer. Guidée par le Saint Esprit, l'Église ne peut rien faire de mauvais. En vérité, n'avons-nous pas lu dans nos textes sacrés l'histoire des serpents et des reptiles venimeux dont le poison a été arraché ? N'avons-nous pas lu dans le livre sacré de l'Ecclésiaste que certainement le serpent mordra sans plaisir ? Par conséquent, c'est en accord sacré avec les enseignements de Dieu que l'Église a, depuis des siècles, utilisé son juste pouvoir pour jeter anathème et excommunication contre ces animaux nuisibles dont l'odieuse présence est une offense aux yeux du Seigneur. Est-ce que la malédiction de David sur la montagne de Guilboa n'a pas fait cesser la pluie et la rosée dans cet endroit ? Est-ce que Jésus-Christ, le fils de Dieu, n'a pas commandé que tous les arbres qui n'apporteraient pas, à partir de ce jour, de bons fruits, devraient être abattus et jetés dans le feu ? Donc, si une chose irrationnelle doit être détruite parce qu'elle ne produit pas de fruit, combien est-il permis d'autant plus de la

maudire, étant donné que la plus grande des
peines comprend la moindre : *cum si liceat; quid est
plus, debet licere quid est minus.* Le serpent n'a-t-il pas
été maudit dans le jardin d'Eden, condamné à
ramper sur son ventre pour le reste de sa vie ? Et
quand la ville d'Aix fut infestée par les serpents
qui s'installèrent dans les thermes chauds, et
tuèrent un grand nombre d'habitants en les mordant, est-ce que le saint évêque de Grenoble n'a
pas excommunié les serpents, à la suite de quoi
ceux-ci s'en allèrent ? Et ainsi agit l'évêque de
Lausanne pour en finir avec les anguilles qui infes-
taient le lac Léman. Et le même évêque expulsa
des eaux du même lac ces sangsues qui, se nourris-
sant de saumon, empêchaient que celui-ci ne soit
consommé par les dévots les jours de jeûne ? Et est-
ce que Egbert, l'évêque de Trier, ne jeta pas l'anathème sur les hirondelles, dont les cris avaient
interrompu la prière des dévots ? Et est-ce que saint
Bernard, de la même manière et pour la même
raison, n'excommunia pas des essaims de mouches
qu'on retrouva le lendemain, comme l'armée de
Sennacherib, en monceaux de cadavres ? Et est-ce
que la crosse de saint Magnus, l'apôtre d'Algau,
n'expulsa pas et n'extermina pas toutes les sortes
de rats, de souris et de hannetons ? Par conséquent, n'est-il pas bien établi et juste que cette
cour puisse jeter la foudre de l'excommunication
sur ces assassins et profanateurs du saint temple de
Dieu ? L'avocat des bestioles avance que, puisqu'un
ver de bois n'a pas d'âme immortelle, il ne peut
être excommunié. Mais n'avons-nous pas montré,

premièrement que le ver de bois n'est pas un être naturel, étant donné qu'il n'a pas été sur l'Arche de Noé, et deuxièmement que les actes pour lesquels on lui a intimé l'ordre de se présenter devant la cour apportent la preuve éclatante que cette bestiole a été possédée par un esprit malin, qu'on peut désigner sans hésitation sous le nom de Lucifer. Aussi combien est-il nécessaire que cette excommunication, que je demande avec insistance, soit proclamée par la cour.

Réponse des insectes

Messieurs, on nous a présenté beaucoup d'arguments jusqu'ici, certains ont été emportés par le vent, comme la balle du grain, certains sont restés sur le sol devant nous, comme du bon blé. Je vais donc, par ce qui suit, mettre encore davantage votre patience à l'épreuve, afin de répondre aux affirmations de l'avocat des habitants, dont les arguments vont s'effondrer comme les murs de Jéricho frappés par la trompette de la vérité.

En premier lieu, l'avocat des habitants mentionne la durée au cours de laquelle les bestioles ont transformé en habitation le pied du trône de l'évêque, gardant secret leur sombre projet, ce qui serait la preuve que leur travail fut inspiré par le diable. C'est pour cette raison que j'ai fait venir devant vous le bon frère Frolibert qui a bonne connaissance de la manière dont les choses rampent sur la terre, car en vérité vous savez qu'il est l'apiculteur de l'abbaye de Saint-Georges. Et n'affirme-t-il pas que les hommes sages croient que les bestioles ne vivent guère plus que quelques courts étés ? Cependant, nous savons tous qu'une invasion de vers de bois peut durer plusieurs générations humaines avant que celle-ci n'amène la rupture du bois, comme ce fut le cas pour le siège de Hugo, évêque de Besançon, qui en fut réduit à un état d'imbécillité. Il nous faut donc bien conclure que les vers de bois assignés devant cette cour sont tout simplement les descendants d'un nombre important de générations de vers de bois qui ont fait leur habitation dans l'église Saint-Michel. Si des intentions malfaisantes doivent être imputées aux bestioles, il ne faut bien sûr les imputer qu'à la première génération, et non à leurs innocents descendants, qui, sans aucune faute, se retrouvèrent vivre où ils le font. Par conséquent, en m'appuyant encore sur cet argument, je renouvelle ma demande à la cour de rendre une ordonnance de non-lieu. De plus, aucune preuve n'a été fournie par l'avocat des habitants concernant la date et le moment où les vers de bois auraient pénétré dans l'église. L'avocat des habitants a tenté de soutenir que les bestioles n'ont pas été autorisées par les Saintes Écritures à habiter le bois coupé. À cela, nous répondrons premièrement qu'il n'y a dans les Écritures aucune trace d'interdiction pour les bestioles de se comporter ainsi, deuxièmement que, si Dieu avait eu l'intention qu'il ne mange pas le bois coupé, Il ne leur en aurait pas donné l'instinct et le goût, et troisièmement que, en l'absence de preuves du contraire l'accusé est considéré innocent jusqu'à ce que sa culpabilité soit prouvée, l'hypothèse de la priorité de la possession en ce qui concerne le bois doit être accordée aux bestioles, c'est-à-dire qu'elles étaient peut-être dans le bois quand celui-ci a été coupé par le bûcheron qui le vendit au menuisier qui construisit le trône. Bien loin d'accuser les vers de bois d'avoir dégradé ce que l'homme avait construit, c'est l'homme qui, avec entêtement, a détruit l'habitation des vers de bois pour l'utiliser à la réalisation de son projet. En nous appuyant sur cet argument, nous demandons encore que le tribunal rende un arrêt de non-lieu.

En second lieu, on soutient que le ver de bois n'était pas sur l'Arche de Noé et que par conséquent il devait être possédé du démon. À quoi nous répondons premièrement que les Écritures saintes ne font pas la liste de toutes les espèces de la Création de Dieu, et que l'hypothèse légale doit être que chaque créature était sur l'Arche, à moins qu'il soit spécifiquement affirmé le contraire. Et secondement que si, comme l'affirme l'avocat des habitants, le ver de bois n'était pas sur l'Arche, il est encore plus clair que l'homme n'a pas reçu pouvoir sur cette créature. Dieu envoya l'effroyable Déluge pour purger la terre et, lorsque les eaux se retirèrent et que le monde naquit de nouveau, il donna à l'homme pouvoir sur les animaux, mais où est-il écrit qu'il lui donna également pouvoir sur les animaux qui n'avaient pas voyagé dans l'Arche ?

En troisième lieu, c'est une monstrueuse diffamation de dire que notre plaidoirie proclame que

Hugo, évêque de Besançon, aurait été selon nos dires jeté dans l'obscurité de l'imbécillité par la main de Dieu. Nous n'avons jamais avancé une telle allégation car ce serait se livrer ainsi au blasphème. Mais en vérité, n'est-ce pas souvent le cas que les voies de Dieu sont souvent mystérieusement cachées à nos regards ? Quand l'évêque de Grenoble tomba de son cheval et fut tué, nous ne rejetâmes la responsabilité ni sur le Seigneur, ni sur le cheval, ni sur les vers de bois. Quand l'évêque de Constance passa par-dessus bord dans le lac, nous nous refusâmes à conclure que Dieu l'avait précipité dans les eaux ou que les vers de bois avaient endommagé la quille de son embarcation. Quand le pilier dans le cloître de Saint-Théodoric s'abattit aux pieds de l'évêque de Lyon, l'obligeant depuis à marcher avec une canne, nous n'avons pas accusé le Seigneur, ni le pilier, ni les vers de bois. Les voies du Seigneur nous sont effectivement fréquemment cachées, mais n'est-ce pas également le cas que le Seigneur a imposé un grand nombre de plaies aux pécheurs ? N'a-t-il pas envoyé les grenouilles à Pharaon ? N'a-t-il pas envoyé la vermine et des essaims de mouches sur la terre d'Égypte ? N'a-t-il pas, contre ce Pharaon, envoyé aussi la plaie des furoncles, du tonnerre et de la grêle, et la terrible calamité des sauterelles ? N'a-t-il pas envoyé la grêle contre les cinq rois ? N'a-t-il pas frappé aussi son fidèle serviteur Job en le couvrant de clous ? Et c'est pour cette raison que j'ai fait venir devant vous le père Godric pour lui demander les livres de comptes de la dîme payée par les habitants de Mamirolle. Et n'y a-t-il pas ici de nombreuses excuses mettant en avant le mauvais temps, les mauvaises récoltes, les maladies qui ont frappé le village, la bande de soldats qui est passée par là et qui a tué plusieurs des jeunes hommes les plus vigoureux de la localité ? Mais, quoi qu'il en soit, il est évident et manifeste que la dîme n'a pas été payée comme le demande l'Église, qu'il y a eu une négligence volontaire, proche de la désobéissance aux ordres de Notre-Seigneur et de Son épouse sur terre, l'Église. Et n'est-ce pas par conséquent la raison pour laquelle, juste comme Il a envoyé la plaie des sauterelles pour punir Pharaon et d'horribles essaims de mouches sur la terre d'Égypte, Il a envoyé aussi le ver de bois dans l'église pour châtier les habitants de leur désobéissance ? Comment cela aurait-il pu se faire sans la permission du Seigneur ? Comment pourrait-on penser que le Tout-Puissant est quelqu'un de si faible et de timoré qu'Il n'est pas capable de protéger Son temple contre ces minuscules bestioles ? Sûrement, c'est un blasphème de douter du pouvoir de Dieu de cette manière. Par conséquent, nous devons conclure que cette calamité fut ordonnée ou en tout cas permise par Dieu et qu'Il envoya les vers de bois pour punir la désobéissance des pécheurs, et que ceux-ci devaient trembler devant Sa colère, se châtier eux-mêmes pour leurs péchés et payer la dîme, comme cela leur a été commandé. En vérité, c'est une raison de prier, de jeûner, de se châtier et d'espérer la grâce de Dieu, plutôt que de jeter l'anathème et prononcer l'excommunion contre les agents, les auxiliaires des intentions et des buts de Notre-Seigneur.

En quatrième lieu, par conséquent, après avoir admis, comme nous le faisons, que les vers de bois sont les créatures de Dieu, et qu'en tant que telles ils ont droit, ainsi que l'homme, à leur subsistance, et admettant aussi que la justice doit être tempérée par la miséricorde, nous proposons, sans préjudice de ce qui a été dit, que la cour demande aux habitants de Mamirolle, qui se sont montrés si réticents à payer la dîme, de désigner et de mettre de côté pour lesdites bestioles une nourriture de remplacement où celles-ci pourront s'alimenter paisiblement, sans provoquer de nouveaux dégâts à l'église Saint-Michel, et que les bestioles soient contraintes par la cour, qui a un tel pouvoir, de se rendre sur cette nouvelle subsistance. Car qu'attendent donc mes humbles clients et que demandent-ils en dehors d'obtenir la permission de vivre paisiblement et dans l'obscurité, sans que soient portées contre eux de calomnieuses accusations ? Messieurs, je demande en terminant que cette affaire obtienne un non-lieu et que sans préjudice de leurs droits les bestioles soient déclarées innocentes, et, sans préjudice encore, qu'on leur demande de se rendre sur leur nouveau lieu de pâturage. Je m'en remets, pour leur compte, au jugement de la cour.

Bartholomé Chassenée, juriste.

Conclusions du procureur épiscopal

Les arguments présentés par l'avocat de la défense ont été exprimés avec force et sincérité, on doit donc leur accorder une grande et sérieuse attention, car ce n'est pas légèrement et au hasard que la cour doit lancer l'éclair de l'excommunion, car si celle-ci était proclamée au hasard et à la légère, il se pourrait, à cause de son énergie et de sa force si particulière, qu'en manquant de frapper l'objet qu'elle a visé, elle ne revienne contre celui qui l'a lancée. Les arguments présentés par l'avocat des plaignants ont aussi été présentés avec beaucoup de compétence et de savoir, et c'est en réalité une mer profonde dans laquelle il est impossible de toucher le fond.

Sur la question soulevée par l'avocat des bestioles, concernant le nombre des générations de vers de bois, afin de savoir si la génération qui a été assignée devant nous est bien celle qui a commis le crime, nous dirons ceci. Premièrement, il est proclamé dans les Écritures saintes, au livre de l'Exode, que le Seigneur rejettera les péchés des pères sur les enfants jusqu'à la troisième et quatrième génération, par conséquent, dans cette affaire, la cour a le pouvoir, avec grande piété, de faire passer en jugement plusieurs générations de vers de bois, car elles ont toutes offensé le Seigneur, ce qui serait en vérité un acte impressionnant de justice. Et deuxièmement que, si nous acceptons les arguments de l'avocat des habitants, que les bestioles sont possédées du diable, ne serait-il pas très naturel — dans

ce cas odieusement peu naturel — que cette possession permette aux vers de bois de dépasser le temps
de vie qui leur est normalement alloué, de sorte
qu'il est possible qu'on n'ait affaire ici qu'à une
seule génération de choses rampantes, et que c'est
celle-là même qui a provoqué tous les dégâts au
trône de l'évêque et au toit de l'église. Dans chacun
des cas, nous avons été extrêmement sensibles aux
arguments de l'avocat des habitants, selon lesquels
les vers de bois auraient fort bien pu ne pas être à
bord de l'Arche de Noé — car quel marin prudent accepterait de faire monter dans son vaisseau
les fomentateurs de tant de naufrages — et qu'en
conséquence ces bestioles ne doivent pas être clas-
sées avec les véritables créations de Dieu. Quel est
leur statut dans la majestueuse hiérarchie ? Sont-ils
naturels en partie, sont-ils une corruption vivante
ou encore une création du Malin ? Cette question
doit être laissée à ces grands docteurs de l'Église
qui débattent de telles matières.

Nous ne pouvons pas, non plus, connaître les
multitudes de raisons qui ont poussé Dieu à laisser
la plaie des vers de bois infester son humble Église.
Peut-être des mendiants ont-ils été repoussés à sa
porte. Peut-être la dîme n'a-t-elle pas été payée
régulièrement. Peut-être y a-t-il eu quelques actes
impurs à l'intérieur de l'église, si bien que la
demeure du Seigneur s'est trouvée transformée
en lieu de rendez-vous, sur quoi Dieu envoya les
insectes. Nous ne devons jamais oublier le devoir
de charité et l'obligation de donner l'aumône.
Eusébius n'a-t-il pas comparé l'enfer à une place

glacée, où les gémissements et les grincements de dents sont causés par un froid mortel et nullement par le feu éternel, et la charité n'est-elle pas un moyen par lequel nous nous plaçons nous-mêmes sous la miséricorde du Seigneur ? Par conséquent en recommandant la sentence d'excommunion pour ces bestioles, qui ont d'une manière si basse et si vicieuse ravagé le temple du Seigneur, nous demandons aussi que toutes les pénitences et les prières habituelles afférentes à de tels cas soient exigées des habitants.

Sentence du juge de l'Église

Au nom et à la place de Dieu, le Tout-Puissant, Père, Fils et Saint-Esprit et de Marie, la très Sainte Mère de Notre Seigneur Jésus-Christ, par l'autorité des saints apôtres Pierre et Paul, aussi bien que par la volonté de ceux qui nous ont chargés de cette affaire, nous étant fortifié grâce à la Sainte Croix et ayant devant nos yeux la crainte de Dieu, nous admonestons les sus-mentionnés vers de bois et leur ordonnons, sous peine de malédiction, d'anathème et d'excommunion, de quitter dans les sept jours l'église Saint-Michel du village de Mamirolle, dans le diocèse de Besançon, et de se diriger sans délai et sans discussion à la nouvelle pâture offerte pour eux par les habitants, afin qu'ils y établissent leurs quartiers, et n'infestent plus jamais l'église Saint-Michel. Afin de rendre légale cette sentence et effectifs toute malédiction, anathème et excommunion qui pourraient être prononcés, les habitants de Mamirolle sont instruits par la présente de porter la plus grande attention au devoir de charité, de payer la dîme comme il est demandé par la Sainte Église, de renoncer à tout acte impur dans la maison du Seigneur et, une fois par an, au moment de l'anniversaire de ce jour malheureux entre tous, où Hugo, évêque de Besançon, fut plongé dans l'obscurité de l'imbécillité...

Le manuscrit des archives municipales de Besançon s'arrête ici, sans donner de détails sur la pénitence ou l'acte de commémoration annuel imposé par la cour. Il semble, étant donné la condition du parchemin, qu'au cours des quatre siècles et demi qui se sont écoulés depuis le procès, le manuscrit ait été attaqué, peut-être à plusieurs occasions, par une sorte de vermine qui a probablement dévoré les dernières lignes de la conclusion du juge d'Église.

La survivante

En quatorze cent quatre-vingt-douze
Christophe Colomb part en voyage.

Et la suite ? Elle ne pouvait s'en souvenir. Il y a bien des années maintenant, quand elle avait dix ans, les bras croisés, obéissants, ils avaient chanté ces paroles après leur maîtresse. Tous, excepté Eric Dooley qui, assis derrière elle, mâchouillait sa queue de cheval. Un jour, la maîtresse lui avait demandé de se lever et de réciter les deux vers suivants. Alors qu'elle n'était qu'à quelques centimètres de son siège, sa tête fut brusquement retenue en arrière et toute la classe se mit à rire : Eric était accroché à sa tresse par les dents. Sans doute était-ce pourquoi elle ne parvenait jamais à se souvenir des deux vers suivants.

Elle se souvenait des rennes fort bien, pourtant. Tout ça avait commencé avec les rennes qui traversaient les airs au moment de Noël. C'était une fille qui croyait ce qu'on lui disait, donc les rennes volaient.

Elle devait les avoir vus la première fois sur une carte de Noël. Six, huit, dix d'entre eux, attelés côte à côte. Elle avait toujours pensé que chaque paire était un mâle et une femelle, un couple heureux, comme les animaux montés dans l'Arche. Ce serait normal, n'est-ce pas, ce serait naturel ? Mais son père lui avait dit qu'il était clair, à voir leurs bois, que les rennes tirant le traîneau étaient tous des mâles. D'abord, elle n'avait été qu'un peu déçue, mais ensuite son ressentiment s'était aggravé : le père Noël voyageait avec un attelage uniquement masculin. Typique. Absolument typique, avait-elle pensé.

Pourtant ils volaient, c'était ça l'important. Elle ne croyait pas que le père Noël se glissât dans les cheminées pour mettre des cadeaux au pied de son lit, mais elle croyait que les rennes volaient. Les gens essayaient de la dissuader, on lui disait si tu crois une chose comme celle-là, tu peux croire n'importe quoi. Bon, elle avait quatorze ans maintenant, elle était têtue, portait les cheveux courts et avait toujours une réponse prête. Non, disait-elle, si tu crois que les rennes peuvent voler, tu te rends compte que tout, absolument tout est possible. Absolument tout.

À peu près à la même époque, elle alla au zoo. Ce fut leurs bois qui la fascinèrent. Ils étaient soyeux, comme s'ils étaient recouverts d'une étoffe coûteuse, achetée dans une boutique élégante. Ils ressemblaient aux branches d'une forêt où personne n'a mis les pieds depuis des siècles, des branches couvertes de mousse douce et luisante. Elle imaginait un arbre penché, éclairé par une lumière diffuse, tandis qu'éclataient sous ses pieds, en craquant, les noix tombées. Oui, oui. Et une petite maison en pain d'épices au bout du sentier, lui dit Sandra, sa meilleure amie. Non, pensa-t-elle, les bois deviennent des branches, les branches des bois. Tout est relié et les rennes peuvent voler.

Un jour à la télévision elle les vit se battre. Ils se donnaient de furieux coups, chargeaient la tête en avant, emmêlaient leurs bois. Ils se battaient avec une telle énergie qu'ils s'arrachaient la peau de leurs andouillers. Elle croyait qu'en dessous il n'y avait qu'un os tout sec, que leurs bois apparaîtraient comme des branches hivernales, sans écorce, mises à nu par des animaux affamés, mais ce n'était pas le cas, pas du tout. Ils saignaient. La peau une fois déchirée, en dessous il y avait un os mais aussi du sang. Les bois se découpaient rouge et blanc sur les verts tendres, sur les bruns du paysage, telle une bassine remplie d'os chez le boucher. C'était horrible, pensa-t-elle. Cependant, nous devons l'accepter. Toutes les choses sont reliées, même celles que nous n'aimons pas, tout particulièrement celles que nous n'aimons pas.

Après le premier accident important, elle regarda la télévision plus souvent. Ce n'était pas une véritable catastrophe, disait-on, non, pas vraiment, rien à voir avec l'explosion d'une bombe. De toute façon, ça se passait fort loin en Russie. De plus, ils n'ont pas là-bas des centrales nucléaires aussi modernes que celles que nous avons ici et, même s'ils les avaient, il est évident que leurs standards au niveau de la sécu-

rité sont nettement inférieurs aux nôtres. Donc, ça
ne pourrait pas arriver chez nous. Il n'y a donc vraiment aucune raison de s'inquiéter, n'est-il pas vrai ?
Ça peut même servir de leçon aux Russes, disait-on,
les faire réfléchir avant qu'ils ne lâchent le gros
machin.

Curieusement, les gens étaient fort excités par
l'accident. C'était quelque chose de bien plus
gigantesque que les derniers chiffres concernant le
chômage ou le prix des timbres. Il faut dire quand
même que la plupart des choses désagréables
arrivent toujours aux étrangers. Bon, il y avait un
nuage empoisonné et tout le monde le suivait à la
trace, comme on aurait pu suivre la dérive d'une
zone particulièrement intéressante de basse pression sur une carte météorologique. Durant un
certain temps, les gens cessèrent d'acheter du lait
et demandèrent à leur boucher d'où provenait sa
viande. Mais bientôt, on arrêta de se tracasser et
l'on oublia l'affaire.

Tout d'abord, on avait projeté d'enterrer les
rennes à deux mètres de profondeur. Ce n'était pas
un gros titre, juste une ligne ou deux sur la page,
réservée à l'étranger. Le nuage pollué était passé
au-dessus des lieux de pâturage des rennes et avait
été entraîné au sol par la pluie. Les lichens, eux,
étaient devenus radioactifs. Les rennes avaient
mangé les lichens et étaient devenus radioactifs à
leur tour. Qu'est-ce que je vous disais, pensa-t-elle,
tout est relié.

Les gens n'arrivaient pas à comprendre pourquoi
elle était bouleversée à ce point. On lui expliquait

qu'elle ne devait pas être aussi sentimentale, après
tout, ce n'était pas comme si l'on se nourrissait de
viande de renne. Si elle avait de la compassion en
réserve, ne devrait-elle pas la réserver aux êtres
humains ? Elle essaya de se justifier mais elle n'était
pas forte pour les explications, et personne ne
la comprit. Ceux qui croyaient saisir ses idées
disaient : Oui, on voit, tout cela est lié à ton enfance,
aux chimères sottement romantiques que tu avais à
l'époque, tu ne peux pas continuer à être ainsi
toute ta vie, tu dois devenir adulte à la fin, tu dois te
montrer réaliste, je t'en prie, ne pleure pas, et puis
non, peut-être que c'est une bonne idée, vas-y,
pleure un bon coup, ça te fera probablement du
bien à long terme. Mais non, ce n'est pas comme
ça, dit-elle, ce n'est pas comme ça du tout. Puis, les
auteurs de bandes dessinées commencèrent à faire
de plaisanteries sur les rennes qui émettaient tant
de lumière, à cause de leur radioactivité, que le
père Noël n'avait plus besoin de phares sur son
traîneau, et que si Rudolf, le renne au museau
rouge, était comme ça, c'était parce qu'il venait de
Tchernobyl. Elle, en tout cas, ne pensait pas que
c'était drôle.

Écoutez, disait-elle aux gens. L'unité de grandeur
qui sert à mesurer le niveau de radioactivité s'appelle un becquerel. Quand l'accident est survenu, le
gouvernement norvégien a décidé du niveau de
radioactivité au-dessous duquel la viande restait
comestible. Il a fixé ce niveau à six cents becquerels.
Mais les gens n'aimaient pas l'idée de manger de la
viande polluée, si bien que les bouchers norvégiens

ne firent pas de merveilleuses affaires. La viande en particulier que personne ne voulait acheter était le renne, ce qui n'avait rien de surprenant. Aussi, voilà ce que fit le gouvernement. Il dit que, puisque les gens, évidemment, n'allaient pas manger du renne très souvent étant donné qu'ils étaient terriblement effrayés, il n'y aurait pas plus de danger pour eux à manger de la viande nettement contaminée de temps en temps que de la viande peu contaminée très souvent. Donc, on éleva la limite du taux de contamination de la viande de renne qui passa à six mille becquerels. Holà ! Un jour c'est dangereux de manger de la viande avec six cents becquerels et le lendemain on peut manger celle qui en a dix fois plus. Et cela, bien sûr, ne s'appliquait qu'aux rennes. Au même moment, c'était encore dangereux, officiellement, de manger une côtelette de porc ou un collet de mouton avec six cent un becquerels.

Un programme à la télévision montra un couple de fermiers lapons apportant un renne mort pour le soumettre à l'inspection. C'était juste après que la limite eut été multipliée par dix. Le fonctionnaire du ministère de quoi que ce fût, de l'Agriculture ou de quelque chose comme ça, coupa des petits morceaux de renne et les soumit aux tests habituels. Le niveau de radioactivité s'élevait à quarante-deux mille becquerels. Quarante-deux mille.

D'abord, on avait projeté de les enterrer à deux mètres de profondeur. Mais, voyez-vous, il n'y a rien de tel qu'un bon désastre pour que les gens commencent à réfléchir, à inventer des astuces. Enterrer les rennes ? Mais non, ça donnerait à penser

qu'il y a un problème, que quelque chose effectivement ne va pas. Il doit y avoir certainement un
moyen plus utile de se débarrasser d'eux. On ne
peut pas donner cette viande à l'homme, alors
pourquoi ne pas la donner aux animaux ? Voilà une
bonne idée — mais quels animaux ? Évidemment,
pas ceux que mange l'être humain, il faut bien protéger le seigneur et maître. Aussi décida-t-on d'en
nourrir les visons. Quelle superbe idée ! Les visons
ne sont pas des animaux ayant une bonne réputation et de toute manière les gens qui peuvent
s'offrir des manteaux de fourrure ne se soucient
guère, probablement, qu'on leur ajoute une petite
dose de radioactivité par-dessus le marché. Comme
une goutte de parfum derrière l'oreille ou quelque
chose comme ça. Vraiment chic. Vraiment.

La plupart des gens avaient cessé de prêter attention à ce qu'elle leur racontait maintenant, mais
elle poursuivait néanmoins. Écoutez, disait-elle.
Maintenant, donc, au lieu d'enterrer les rennes, on
peint un grand trait bleu sur les carcasses qui vont
servir à nourrir les visons. Je pense qu'on aurait
dû les enterrer. Enterrer les choses vous donne un
juste sentiment de honte. Regardez ce que nous
avons fait aux rennes, se serait-on dit en creusant la
fosse. Ou, tout au moins, on aurait pu se le dire. On
aurait pu y réfléchir. Pourquoi nous en prenons-
nous toujours aux animaux ? Nous prétendons les
aimer, nous les gardons avec nous pour en faire nos
compagnons, nous devenons horriblement sentimentaux si nous pensons qu'ils réagissent de la
même manière que nous, néanmoins nous n'avons

pas arrêté de les punir depuis le début. Nous les tuons, nous les torturons et nous rejetons notre culpabilité sur eux.

Elle renonça à manger de la viande après l'accident. Chaque fois qu'elle voyait une tranche de bœuf sur son assiette, ou un bout de ragoût, elle pensait aux rennes Ces pauvres bêtes avec leurs cornes pelées et saignantes après leurs combats. Et, ensuite, la rangée de carcasses rayées de peinture bleue, défilant en cliquetant, suspendues à des crochets de bouchers.

C'était, expliqua-t-elle, lorsqu'elle arriva pour la première fois ici, tout au sud. Les gens disaient qu'elle était folle de s'enfuir ainsi, que ce n'était pas réaliste, que si elle éprouvait des sentiments si intenses à propos de ces choses elle devrait rester là-haut pour tenter de les combattre. Mais ces choses la déprimaient beaucoup trop. Les gens ne prêtaient pas suffisamment attention à ses arguments. De plus, il fallait toujours aller là où il était possible de penser que les rennes pouvaient voler : ça, du moins, c'était réaliste. Ils ne pouvaient plus voler là-bas dans le Nord, maintenant.

Je me demande ce qui est arrivé à Greg. Je me demande s'il est sain et sauf. Je me demande ce qu'il pense de moi maintenant qu'il sait que j'avais raison. J'espère qu'il ne me hait pas pour cela. Les hommes, souvent, haïssent ceux qui ont raison. Ou

peut-être fera-t-il semblant de croire que rien n'est
arrivé. De cette manière, il sera assuré d'avoir raison. Oui, ce n'était pas ce que tu pensais, c'était
juste une comète explosant dans le ciel ou un orage
de chaleur ou un canular à la télé. Petite conne.

Greg est un type tout à fait ordinaire. Non que
j'aie eu envie de quelque chose de différent lorsque
je l'ai rencontré. Il se rendait à son travail, revenait
à la maison, s'asseyait, buvait de la bière, sortait avec
ses copains, buvait encore un peu plus de bière.
Parfois il me donnait une rossée les jours de paie.
Nous nous entendions assez bien. Des disputes à
propos de Paul, évidemment. Greg disait qu'il fallait que je le fasse castrer, qu'il serait moins agressif,
qu'il arrêterait de griffer le mobilier. Je disais que
ça n'avait absolument rien à voir avec ça, que tous
les chats griffent le mobilier, et que peut-être nous
devrions lui acheter une planche à gratter. Greg
dit : Comment saurais-je que ça ne va pas l'encoura-
ger, comme si nous lui donnions la permission de
gratter absolument tout à volonté ? J'ai dit : Ne sois
pas idiot. Il a dit que — c'était prouvé scientifiquement —, si l'on castre un chat, il devient moins
agressif. J'ai dit que l'opposé me semblait plus probable, que si on les mutile ça les rend furieux et ils
deviennent violents. Greg a pris cette grande paire
de ciseaux et a dit : Eh bien, pourquoi n'essayons-
nous pas de voir ça tout de suite ? Je me suis mise à
hurler.

Je ne le laisserai pas castrer Paul, même si mon
chat doit esquinter un peu le mobilier. Plus tard,
je me suis souvenue d'autre chose. On castre les

rennes, savez-vous. C'est les Lapons qui font ça. Ils capturent un grand mâle et le castrent pour le domestiquer. Puis ils attachent une cloche autour de son cou et cette cloche étalon, comme ils l'appellent, conduit tout le troupeau, quel que soit l'endroit où les gardiens ont envie qu'il aille. Probablement que ça marche, mais je continue à penser que ce n'est pas bien. Ce n'est pas la faute du chat s'il est chat. Je n'ai pas parlé de tout ça à Greg, évidemment. Je veux dire à propos de ces cloches étalons. Parfois, quand il me donnait une raclée, je pensais qu'on devrait le castrer lui d'abord, que ça le rendrait moins agressif. Mais je n'ai jamais rien dit. Ça n'aurait pas arrangé les choses.

On avait l'habitude de se disputer à propos des animaux. Greg pensait que j'étais débile. Un jour je lui ai dit qu'on était en train de transformer toutes les baleines en savon. Il s'est mis à rire et a dit que c'était foutrement une bonne manière de les utiliser. J'ai éclaté en sanglots Probablement autant à l'idée qu'il puisse penser une telle chose que parce qu'il l'avait dite.

Nous ne nous sommes pas disputés à propos du Gros Machin. Il disait simplement que la politique était l'affaire des hommes et que je ne savais pas de quoi je parlais. Nos conversations concernant l'extinction de la planète n'allaient pas plus loin. Si je disais que j'étais inquiète de ce que les Américains pourraient faire si les Russes ne se dégonflaient pas, ou vice versa, ou à propos du Moyen-Orient ou de quoi que ce soit d'autre, il déclarait que c'était probablement lié à ma tension prémenstruelle. On ne peut pas parler avec quelqu'un comme ça, non ? Il ne voulait même pas discuter, il ne voulait même pas se disputer à ce sujet. Une fois, je lui ai dit que peut-être ça venait justement de la tension prémenstruelle et il m'a dit : Oui, c'est ce que je pense. J'ai dit : Non, écoute, peut-être que les femmes sont plus en accord avec le monde. Il m'a demandé ce que ça signifiait. Et j'ai dit, eh bien, toutes les choses sont reliées, n'est-ce pas, et les femmes sur cette planète font plus étroitement partie du cycle de la nature, de la naissance, de la renaissance, que les hommes qui sont seulement, après tout, quand on y songe, que des fertiliseurs. Donc, si les femmes sont en accord avec la planète, peut-être alors que, quand de terribles choses arrivent dans le Nord, des choses qui menacent l'existence même de la planète, alors peut-être que les femmes sont capables de ressentir ces choses exactement comme certaines personnes sentent l'arrivée des tremblements de terre. Peut-être est-ce cela qui justement déclenche la TPM. Il a dit : Petite conne, c'est justement pourquoi la politique est l'affaire des hommes, avant d'aller chercher une autre bière dans le réfrigérateur. Quelques jours plus tard, il m'a demandé : Que se passe-t-il donc avec la fin du monde ? Je l'ai simplement regardé. Autant que je sache, cette tension prémenstruelle signifiait que tu allais en définitive avoir tes règles. J'ai dit : Tu me mets tellement en boule que je souhaite presque la fin du monde juste pour te prouver que tu as tort. Il m'a dit qu'il en était désolé, mais qu'il n'y pouvait rien puisqu'il n'était après tout qu'un fertiliseur, comme je le lui avais fait remarquer. Néanmoins il comptait sur ces autres fertiliseurs là-bas, dans le Nord, pour arranger ça.

Arranger ça ? C'est ce que dit le plombier ou le couvreur, lorsqu'il vient reclouer quelques planches sur le toit. «J'imagine qu'on va pouvoir arranger ça», disent-ils en faisant un clin d'œil plein d'assurance. Eh bien, dans cette circonstance, ils n'ont rien arrangé du tout, n'est-ce pas ? Ils n'ont foutrement rien arrangé. Et, lors des derniers jours de la crise, Greg n'est pas rentré tous les soirs la maison. Il s'était finalement rendu compte de ce qui se passait et avait décidé de prendre un peu de plaisir avant que tout ne soit terminé. D'une certaine manière, je ne pouvais lui en vouloir, sauf pour la raison qu'il refusait de l'admettre. Il disait qu'il ne rentrait pas parce qu'il ne supportait plus de m'avoir sans arrêt sur le dos. Je lui ai dit que je le comprenais et que c'était parfait. Mais quand je le lui ai eu expliqué les choses, il s'est terriblement braqué. Il m'a dit que, s'il voulait prendre un peu d'air, ce n'était pas à cause de la situation internationale, mais parce que j'étais sans arrêt en train de l'asticoter. Ces gens, c'est curieux, ne voient pas les rapports, n'est-ce pas ? Quand des hommes en costume gris foncé et cravate rayée, là-bas dans le Nord, commencent à prendre ce qu'ils appellent des mesures stratégiques de sécurité, des hommes comme Greg, en sandales et en T-shirt, ici, dans le Sud, pensent à traîner tard le soir dans les bars en essayant de draguer des filles. Ils devraient comprendre ça, n'est-il pas vrai ? Ils devraient l'admettre.

Aussi, quand j'ai su ce qui était arrivé, je n'ai pas attendu que Greg revienne à la maison. Il était dehors, en train de descendre une autre bière, proclamant que ces types là-haut allaient arranger ça et qu'en attendant pourquoi ne viendrais-tu pas, ma belle, t'asseoir sur mes genoux ? J'ai simplement attrapé Paul pour le mettre dans son panier et je suis montée dans le bus avec toutes les boîtes de conserve que je pouvais porter et quelques bouteilles d'eau. Je n'ai pas laissé le moindre mot, parce qu'il n'y avait rien à dire. Je suis descendue au terminus de l'avenue Harry-Chan et me suis mise à marcher en direction de l'esplanade. Puis, devinez ce que j'ai vu en train de prendre un bain de soleil sur le toit d'une voiture ? Une chatte couleur écaille, à moitié endormie, gentille comme tout. Je l'ai caressée et elle s'est mise à ronronner. Je l'ai prise comme qui dirait dans mes bras, une ou deux personnes se sont arrêtées pour regarder, mais j'avais déjà tourné le coin de la rue Herbert avant qu'elles puissent dire quoi que ce soit.

Greg sera sûrement furieux à propos du bateau. De toute façon, il n'en possède qu'un quart. Et si ces quatre-là passent leurs derniers jours à siroter dans les bars et à draguer les filles à cause d'hommes en complet gris sombre qui, à mon avis, devraient avoir été castrés depuis des années, ils ne vont certes pas regretter éperdument leur bateau, n'est-ce pas ? J'ai fait le plein et, tandis que je larguais les amarres, j'ai vu que ma chatte couleur écaille, que j'avais posée n'importe où, était assise sur le couvercle du panier de Paul et me regardait. « Toi, on t'appellera Linda », ai-je dit.

C'est rue du Docteur-Gully qu'elle a laissé le monde derrière elle. Au bout de l'esplanade, à Darwin, derrière l'immeuble moderne de l'YMCA, un chemin en lacet descend jusqu'à un embarcadère abandonné. Le grand parking est presque toujours vide, sauf lorsque les touristes viennent regarder manger les poissons. Jamais personne d'autre ne vient aujourd'hui rue du Docteur-Gully. Tous les jours à marée haute, des centaines, des milliers de poisons arrivent pour chercher de la nourriture juste au bord de l'eau.

Elle se disait : C'est étonnant comme les poissons ont confiance. Ils doivent croire que ces énormes créatures à deux pattes leur donnent à manger à cause de leur bon cœur. Peut-être est-ce ainsi que ça a commencé, mais maintenant c'est vingt francs pour les adultes et dix francs pour les enfants. Elle se demande comment il se fait qu'aucun de ces touristes qui descendent dans les grands hôtels qui bordent l'esplanade ne trouve ça bizarre. Mais plus personne ne prend la peine de penser aux choses, de nos jours. Nous vivons dans un monde où l'on fait payer les enfants pour qu'ils voient manger des poissons. De nos jours, même les poissons sont exploités, pensa-t-elle. Exploités, puis empoisonnés. L'océan, là-bas, est rempli de poissons. Les poissons, eux aussi, vont mourir.

La rue du Docteur-Gully était déserte. Guère plus personne n'embarque d'ici maintenant ; il y a quelques années, tout le monde est allé s'installer dans les marinas. Pourtant, il y a encore deux ou trois bateaux échoués sur les galets ; ils paraissent abandonnés. L'un d'eux, peint en rose et gris, avec un mât plutôt délabré, a écrit sur un de ses côtés : « Pas à vendre ». Cela la fait toujours rire. Greg et ses amis gardent leur petit bateau derrière celui-là, loin de l'endroit où viennent se nourrir les poissons. Les galets, par ici, sont parsemés de trucs en métal abandonnés — moteurs, chaudières, soupapes, tuyaux, qui prennent tous, à cause de la rouille, une couleur brun orangé. Tandis qu'elle s'avance, elle fait s'envoler un essaim de papillons orange qui se sont mis à vivre parmi ces morceaux de métal au rebut, qui leur servent de camouflage. Qu'avons-nous fait aux papillons, se dit-elle, regardez où nous les faisons vivre. Elle jette un coup d'œil à la mer, derrière les buissons rabougris de palétuviers qui essaient de pousser au bord du rivage, à la ligne des petits pétroliers et au-delà aux bosses faites sur l'horizon par les îles. C'était de cet endroit qu'elle allait laisser le monde derrière elle.

Elle passe devant l'île de Melville, en empruntant le détroit de Dundas et la voilà dans la mer d'Arafura. Après ça, elle laisse le vent la pousser où il veut. En gros, il semble la pousser vers l'est, mais elle n'y prête pas une trop grande attention. On ne se préoccupe de la direction que l'on prend que si on a l'intention de revenir à son point de départ et elle sait que c'est impossible.

Elle ne s'était pas attendue, bien sûr, à apercevoir à l'horizon un nuage parfaitement dessiné, en forme de champignon. Elle savait que ce ne serait

pas comme dans les films. Parfois, il y avait un changement de lumière, parfois un grondement lointain. De telles choses auraient très bien pu ne rien
signifier du tout, mais quelque part c'était arrivé et
les vents qui parcouraient la planète feraient le
reste. La nuit, elle descendait la voile et gagnait la
petite cabine, laissant le pont à Paul et à Linda.
Tout d'abord, Paul avait voulu combattre la nouvelle venue à cause de ce machin sur la délimitation
du territoire, mais après un jour ou deux les chats
s'étaient habitués l'un à l'autre.

Elle pensait qu'elle avait dû prendre un peu
trop de soleil. Elle avait été dehors dans la chaleur
toute la journée, avec rien d'autre pour la protéger que la vieille casquette de base-ball de Greg. Il
avait une collection de casquettes stupides sur lesquelles étaient portés des slogans idiots. Celle-ci
était rouge, avec des lettres blanches, c'était une
publicité pour un restaurant qui se trouvait elle ne
savait plus où. On y lisait : TANT QUE TU N'AS PAS
MANGÉ CHEZ BJ TU NE SAIS PAS CE QUE CHIER
VEUT DIRE. Un copain de bistrot de Greg la lui
avait donnée pour son anniversaire et celui-ci ne
parvenait pas à se fatiguer de la plaisanterie. Il
s'asseyait là, sur le bateau, une boîte de bière à la
main, la casquette sur la tête et commençait à
glousser. Il riait de plus en plus jusqu'à ce que tout
le monde le regarde et finalement il s'exclamait :
« Tant que tu n'as pas mangé chez BJ tu ne sais pas
ce que chier veut dire. » Ça le faisait se tordre

chaque fois. Elle haïssait la casquette, mais c'était raisonnable de la porter. Elle avait oublié la pommade à l'oxyde de zinc et tous les autres trucs en tubes.

Elle savait ce qu'elle faisait. Elle savait que probablement rien ne sortirait de ce que Greg aurait appelé sa petite aventure. Quand elle avait un projet, de quelque ordre que ce fût — spécialement lorsque celui-ci ne la prenait pas en compte —, il en parlait toujours comme de sa petite aventure. Elle ne pensait pas qu'elle allait aborder quelque île vierge, où il suffit de jeter un haricot par-dessus son épaule pour qu'une rangée se mette à pousser avant d'agiter leurs cosses dans votre direction. Elle n'espérait pas rencontrer un récif de corail, une bande de sable tels qu'on en voit dans les brochures de vacances avec un palmier lui faisant signe. Elle n'imaginait pas qu'allait apparaître après quelques semaines un beau garçon dans un dinghy avec deux chiens à bord, puis une fille avec deux poulets, un mec avec deux cochons et ainsi de suite. Ses espoirs n'étaient pas d'un ordre si élevé. Elle pensait simplement qu'il fallait essayer, quel que soit le résultat. C'était son devoir, elle ne pouvait pas y échapper.

Je ne sais trop ce qui s'est passé la nuit dernière. Je sortais d'un rêve, ou peut-être que j'y étais encore lorsque j'ai entendu les chats. Je jure que c'est vrai. Ou plutôt le cri d'une chatte en chaleur. Non pas que Linda ait besoin d'appeler très fort pour séduire. Mais quand je fus complètement réveillée,

le seul bruit que j'entendis était celui des vagues sur
la coque. J'ai grimpé à l'échelle et j'ai ouvert la porte
brusquement. La lune les éclairait tous les deux.
Ils étaient assis sur leurs pattes arrière, côte à côte,
et me regardaient d'un air suffisant. Exactement
comme deux gosses qui ont failli se faire surprendre
par la mère de la fille en train de se peloter. Une
chatte en chaleur crie comme un bébé, n'est-ce pas ?
Cela doit signifier quelque chose.

J'ai arrêté de compter les jours. Ça n'avait guère
de sens, n'est-ce pas ? Nous n'allons plus, dorénavant, diviser tout en jours. Jours, week-ends,
vacances — c'est ainsi que les hommes en costume
gris divisent les choses. Il nous faudra revenir à un
système plus ancien, du lever au coucher du soleil,
pour commencer, et la lune trouvera aussi sa place
et les saisons, et le temps — ce temps épouvantable, inconnu jusqu'à maintenant dans lequel il
nous faudra bien vivre. Comment s'y prennent les
tribus dans la jungle pour mesurer les jours ? Il
n'est peut-être pas trop tard de leur demander de
nous apprendre. Ces sortes de gens connaissent le
secret pour vivre dans la nature. Ils ne castreraient
pas leurs chats. Ils peuvent les adorer, même les
manger, mais ils ne les castreraient pas.

Je mange juste suffisamment pour me tenir en
vie. Je ne vais pas me mettre à calculer combien de
temps je risque de rester en mer, puis de diviser mes
vivres en quarante-huit portions ou quelque chose
comme ça. Voilà la vieille manière de penser, la
manière qui nous a amenés où nous en sommes. Je
mange suffisamment pour pouvoir continuer, c'est

tout. Je pêche, évidemment. Je suis sûre que c'est sans danger. Quand j'attrape quelque chose, je ne peux m'empêcher de le donner à Paul et à Linda. Toujours les conserves pour moi, tandis que les chats engraissent.

*

Il faut faire un peu plus attention. Je dois être restée trop longtemps au soleil. Allongée sur le dos, avec les chats me léchant le visage. Me sens fiévreuse et brûlante. Trop de boîtes de conserve, peut-être. La prochaine fois que j'attrape un poisson, je ferais mieux de le manger moi-même, même si ça ne doit pas aider à me rendre populaire.

Je me demande ce que fabrique Greg. Fabrique-t-il d'ailleurs quelque chose ? Je l'ai presque vu là, avec une bière à la main, éclatant de rire en me montrant du doigt. « Tant que tu n'as pas mangé chez BJ tu ne sais pas ce que chier veut dire », dit-il. Il lit la phrase sur ma casquette en me regardant fixement. Il a une fille assise sur ses genoux. Ma vie avec Greg m'apparaît aussi lointaine maintenant, que ma vie dans le Nord.

« J'ai vu un poisson volant l'autre jour. Je suis sûre de l'avoir vu. Je n'aurais pas pu l'inventer, n'est-ce pas ? Ça m'a rendue heureuse. Les poissons peuvent voler, les rennes aussi. »

C'est sûr que j'ai un peu de fièvre. Réussi à attraper un poisson et même à le faire cuire. Un rude coup pour Paul et Linda. Des rêves, de mauvais rêves. Toujours poussée plus ou moins en direction de l'est, à ce que je crois.

Je suis sûre que je ne suis pas seule. Je veux dire que partout dans le monde il y a des gens comme moi. Il est impossible qu'il n'y ait que moi, juste moi, toute seule dans un bateau avec deux chats et tous les autres sur la terre ferme, en train de crier petite conne. Je veux bien parier qu'il y a des centaines, des milliers de bateaux avec des gens et des animaux qui sont en train de faire ce que je fais. Abandonnez le navire, c'était ce que l'on criait autrefois. Maintenant, il faut crier : Abandonnez la terre. Le danger est partout, mais plus grand à terre. Nous avons tous rampé pour sortir des eaux, n'est-ce pas ? Peut-être que c'était une erreur. Maintenant, nous allons y retourner.

J'imagine un tas d'autres gens en train de faire comme moi, et ça me redonne de l'espoir. Ce doit être un instinct de la race humaine, ne pensez-vous pas ? Quand elle est menacée, elle se disperse. Elle ne fuit pas simplement le danger, mais s'efforce d'augmenter ses chances de survie en tant qu'espèce. Si nous nous répandons partout sur le globe, cette saleté ne sera pas capable d'atteindre tout le monde. Même s'ils font exploser la totalité de leur arsenal, il y aura encore une chance.

Dans la nuit, j'entends les chats. Un bruit chargé d'espoir.

*

De mauvais rêves. Des cauchemars, je suppose. À quel moment un rêve devient-il cauchemar ? Ces rêves, d'ailleurs, me poursuivent même éveillée. C'est comme d'avoir la gueule de bois. Les mauvais rêves empêchent le reste de la vie de s'écouler normalement.

Elle crut voir un autre bateau à l'horizon et se dirigea vers lui. Elle n'avait pas de fusées à bord et il était trop loin pour qu'elle crie, aussi se dirigea-t-elle simplement vers lui. Il avançait parallèlement à l'horizon. Elle ne le perdit pas de vue pendant une demi-heure environ. Puis il disparut. Peut-être après tout n'était-ce pas un bateau, se dit-elle, mais, quoi que ce fût, cette disparition déclencha chez elle une vague de dépression.

Elle se souvint de la chose terrible qu'elle avait lue une fois dans un journal, à propos de la vie à bord des pétroliers géants. De nos jours, les bateaux deviennent de plus en plus gros et l'équipage de plus en plus petit. Tout est asservi à la technologie. On programme un ordinateur dans le golfe Persique, peu importe où, et le bateau navigue pratiquement sans autre intervention jusqu'à Londres ou Sydney. C'est bien plus agréable pour les propriétaires qui économisent un tas d'argent et aussi pour l'équipage, dont le seul problème qu'il lui faut résoudre est l'ennui. La plupart du temps, d'après ce qu'elle a pu comprendre, les marins restent à l'intérieur à boire des bières, comme Greg. À boire des bières et à regarder des cassettes vidéo.

Il y a une chose, dans cet article, qui est demeurée présente à sa mémoire. On y disait que, autrefois, il y avait toujours quelqu'un en vigie ou sur le pont pour prévenir des dangers. Mais, aujourd'hui, les gros bateaux n'ont plus de vigie, ou tout au moins le marin de service jette de temps en temps un coup d'œil à un écran sur lequel défilent des images. Autrefois, si l'on était perdu en mer sur un radeau, ou dans un dinghy, peu importe, et qu'un bateau apparût, on avait de fortes chances d'être sauvé. Il suffisait de faire de grands signes, de crier et de lancer les quelques fusées qu'on pouvait avoir, ou encore de hisser sa chemise au haut du mât, car il y avait toujours quelqu'un qui gardait un œil ouvert à votre intention. De nos jours, on peut dériver sur l'océan pendant des semaines et lorsque finalement apparaît un pétrolier géant, il passe sans s'arrêter juste à côté de vous. Le radar n'enregistrera pas l'image parce que vous êtes bien trop petit. C'est vraiment un coup de chance si quelqu'un, souffrant du mal de mer, se penche au-dessus de la rambarde juste à ce moment-là. Plein de naufragés, qui autrefois auraient été sauvés, ne furent tout simplement pas repêchés. Il y a même des cas où des gens furent renversés par les bateaux qu'ils croyaient naïvement venus à leur recherche. Elle essaya d'imaginer l'horreur de la situation, la terrible attente, et puis cette impression d'impuissance au moment où le bateau passe à côté de vous sans vous apercevoir, vos cris totalement étouffés par le bruit des moteurs. C'est ce qui ne va pas dans le monde, pensa-t-elle. Nous avons renoncé aux vigies. Nous ne pensons plus à sauver les autres gens. Nous naviguons en nous fiant totalement à nos machines. Tout le monde, en bas dans les cabines, prend une bière avec Greg.

Donc, il est possible que le bateau qu'elle avait vu à l'horizon ne l'ait pas repérée de toute façon. Non qu'elle ait eu envie d'être repêchée ou quoi que ce soit de ce genre, simplement elle aurait pu recevoir quelques nouvelles du monde, voilà tout.

Elle commença à avoir de plus en plus de cauchemars. Et ses mauvais rêves la hantaient plus longtemps durant le jour. Elle sentait qu'elle était couchée sur le dos, qu'elle avait une douleur dans le bras. Elle portait des gants blancs. Elle était dans une sorte de cage, autant qu'elle pût dire, dont les barreaux, de tous côtés, se dressaient verticalement. Des hommes venaient la voir, toujours des hommes. Elle pensait qu'elle devrait mettre par écrit ses cauchemars exactement comme elle le faisait pour les choses qui arrivaient vraiment. Elle disait à ces hommes dans ses cauchemars qu'elle allait écrire quelque chose sur eux. Ils souriaient et disaient qu'ils allaient lui donner un crayon et du papier. Elle refusa. Elle dit qu'elle se servirait du sien.

Les chats ne manquaient pas de poisson. Évidemment, ils ne prenaient pas beaucoup d'exercice et commençaient sérieusement à grossir. Mais il lui semblait que Linda grossissait davantage que Paul. Elle n'aimait pas croire que ça arrivait. Elle n'osait même pas y croire.

Un jour, elle vit la terre. Elle lança le moteur et mit le cap vers elle. Elle s'approcha suffisamment pour apercevoir des palétuviers et des palmiers, puis le carburant vint à manquer et les vents la poussèrent vers le large. Elle fut quelque peu surprise de constater qu'elle n'éprouvait aucune déception, aucune tristesse en voyant disparaître la terre. De toute façon, se dit-elle, ç'aurait été de la triche de découvrir une terre nouvelle avec l'aide d'un moteur Diesel. L'ancienne manière de faire les choses devait être retrouvée : le futur se lovait dans le passé. Elle laisserait les vents la guider et la protéger. Elle jeta les bidons vides de carburant à la mer.

Je suis folle. J'aurais dû m'arranger pour être enceinte avant de partir. Bien sûr. Comment n'ai-je pas vu que c'était la réponse ? Toutes ces plaisanteries de Greg à propos de son rôle de fertiliseur, sans que je sois capable de voir l'évidence ! C'était pour ça qu'il était là. C'est pour ça que je l'ai rencontré. Tout cet aspect des choses me paraît bizarre maintenant. Des trucs en caoutchouc, des tubes à presser, des pilules à avaler. Il n'y aura plus rien de tout cela dorénavant. Nous allons nous confier de nouveau totalement à la nature maintenant.

Je me demande où se trouve Greg, si Greg existe encore. Il est peut-être mort. Je me suis toujours posé des questions à propos de la survie des plus aptes. N'importe qui penserait, en nous regardant, que Greg était le plus apte à survivre : il est plus

gros, plus fort, plus pratique à ce qu'on dit, plus
ordonné, plus facile à vivre. Je suis plus inquiète,
je n'ai jamais fait de menuiserie, je ne sais très bien
me débrouiller toute seule. Mais je suis celle qui va
survivre. Ou tout au moins qui a une chance de
survivre. Survie des inquiets, est-ce que c'est ça que
ça signifie ? Les gens comme Greg vont être exter-
minés, tels les dinosaures. Seuls ceux qui sont
capables de voir ce qui se passe survivront, ce doit
être la règle. Je veux bien parier qu'il y a des animaux qui ont senti l'arrivée de la période glaciaire
et se sont mis en route pour un long et dangereux
voyage afin de trouver un climat plus chaud, plus
favorable. Et je veux bien parier aussi que les dinosaures les prenaient pour des névrosés, attribuaient
leur départ des tensions prémenstruelles, hein,
petite conne. Je me demande si les rennes se sont
rendu compte de ce qui leur arrivait. Pensez-vous
qu'ils ne l'ont jamais senti d'une certaine manière ?

Ils disent que je ne comprends rien. Ils disent que
je ne fais pas les bonnes connections. Écoutez-les,
écoutez-les avec leurs connections. Ceci est arrivé,
disent-ils, parce que cela est arrivé. Donc, il y a une
bataille ici, une guerre là, un roi a été déposé, des
hommes célèbres — toujours des hommes célèbres,
j'en ai plus que marre des hommes célèbres — font
que les choses arrivent. Peut-être suis-je restée trop
longtemps au soleil, mais je n'arrive pas à voir leurs
connections. Je regarde l'histoire du monde, dont
ils ne semblent pas se rendre compte qu'elle arrive

à sa fin, et je ne vois pas ce qu'ils voient. Tout ce que je vois, moi, ce sont les vieilles connections, celles dont on ne s'occupe plus, parce que c'est plus facile ainsi d'empoisonner les rennes, de peindre des bandes de couleur sur leurs dos et de les donner à manger aux visons. Qui a rendu cela possible ? Quel homme important va en revendiquer la responsabilité ?

C'est ridicule. Écoutez ce rêve. J'étais dans mon lit et je ne pouvais bouger. Les choses étaient un petit peu troubles. Je ne savais pas où j'étais. Il y avait un homme. Je ne me rappelle pas à quoi il ressemblait — c'était juste un homme. Il m'a dit : « Comment vous sentez-vous ? »

J'ai répondu : « Ça va bien.

— Réellement ?

— Bien sûr. Pourquoi est-ce que ça n'irait pas ? »

Il n'a pas répondu, il a simplement secoué la tête. Il semblait regarder mon corps de bas en haut, qui était caché par les draps, bien entendu. Puis il a dit : « Pas une petite envie ?

— Quelle envie ?

— Vous savez très bien de quoi je parle.

— Excusez-moi », ai-je répondu — c'est drôle comme on devient extrêmement guindé dans les rêves, là où dans la vie on ne le serait nullement. « Excusez-moi, mais je n'ai franchement aucune idée de ce à quoi vous faites allusion.

— Vous vous êtes jetée sur des hommes.

— Ah oui ? Qu'est-ce que je cherchais à leur prendre ? Leur portefeuille ?

— Non. Apparemment, vous en vouliez à leur sexe. »

Je me suis mise à rire. L'homme a froncé les sourcils ; je me souviens de son froncement, même si le reste du visage s'est effacé. « Cela, réellement, est bien trop limpide », ai-je dit, comme ces actrices froides des films muets. Et j'ai ri de plus belle. Puis est arrivé ce moment, vous savez cette espèce de trou dans les nuages qui vous signale, à l'intérieur du rêve, que vous n'êtes qu'en train de rêver. Il a froncé de nouveau les sourcils. J'ai dit : « Ne soyez donc pas si direct. » Il n'a pas aimé ça et il est parti.

Je me suis réveillée avec un sourire figé sur le visage. Je pensais à Greg et aux chats et je me demandais si, effectivement, j'aurais dû m'arranger pour être enceinte, et je pensais aussi à ce rêve érotique. L'esprit peut être terriblement direct, n'est-ce pas ? Qu'est-ce qui lui fait croire qu'il peut se débarrasser de quelque chose comme ça ?

Je suis obsédée par cette comptine, tandis que nous nous dirigeons dans je ne sais trop quelle direction :

> *En quatorze cent quatre-vingt-douze*
> *Christophe Colomb part en voyage.*

Et ensuite ? Ils font toujours en sorte que les choses apparaissent extrêmement simples. Des noms, des dates, des événements. Je hais les dates. Les dates sont des petites brutes. Les dates sont des messieurs Je sais tout.

Elle avait toujours l'espoir d'atteindre une île. Elle était endormie lorsque le vent la poussa dans la bonne direction. Tout ce qu'elle eut à faire fut de manœuvrer entre deux écueils rocheux et d'échouer le bateau sur les galets. Il n'y avait pas de ces superbes étendues de sable qui sont toujours prêtes à recevoir les empreintes de pas des touristes, ni de barrière de corail, pas même un palmier accueillant. Elle en fut soulagée et reconnaissante. C'était mieux que le sable soit remplacé par des cailloux, la jungle luxuriante par des buissons, la terre fertile par un tas de poussière. Trop de beauté, trop de verdure aurait pu lui faire oublier le reste de la planète.

Paul sauta à terre, mais Linda attendit qu'on la porte. Oui, pensa-t-elle, il était temps que nous accostions. Elle décida pour le moment de dormir à bord. En principe, on se met tout de suite à construire une cabane dès que l'on débarque, mais cela lui paraissait stupide. L'île pouvait se révéler hostile.

Elle croyait que le fait d'être sur cette île mettrait un terme à ses cauchemars.

Il faisait très chaud. N'importe qui penserait que cet endroit possède le chauffage central, se dit-elle. Il n'y avait pas de vent, jamais aucun changement dans les conditions atmosphériques. Elle regardait Paul et Linda. Ils étaient sa consolation.

Elle se demandait si ce n'était pas le fait de dormir sur le bateau qui lui donnait des cauchemars, d'être ainsi enfermée toute la nuit alors qu'elle avait la liberté de marcher durant la journée. Elle se disait que son esprit voulait peut-être protester, lui demander de le libérer. Aussi construisit-elle un petit abri au-dessus de la ligne de marée, et commença à dormir dedans.

Ça ne changea absolument rien.

Quelque chose de terrible arrivait à sa peau.

Les cauchemars devinrent pires. Elle décida que c'était normal, autant qu'on pût encore utiliser ce mot. Tout au moins il fallait s'y attendre, étant donné les conditions. Elle avait été contaminée. Jusqu'à quel point, elle n'en savait rien. Dans ses rêves, les hommes étaient toujours très polis, même gentils. À cause de cela elle savait qu'il ne fallait pas leur faire confiance. C'était des tentateurs. L'esprit avançait des arguments contre la réalité, contre lui-même, contre ce qu'il savait. Il y avait évidemment quelque chose de chimique derrière tout cela, comme des anticorps, ou n'importe quoi. L'esprit, en état de choc à cause de ce qui était arrivé, créait ses propres raisonnements pour refuser le réel. Elle aurait dû s'attendre à quelque chose comme ça.

Je vous donnerai un exemple. Je suis très rusée au cours de mes cauchemars. Lorsque les hommes viennent, je fais semblant de ne pas être surprise. J'agis comme s'il était tout à fait normal qu'ils soient là. Je les coince. La nuit dernière, nous avons eu la conversation qui suit. Faites-en ce que vous voulez.

« Pourquoi est-ce que je porte des gants blancs ? ai-je demandé.

— C'est donc ça pour vous ?

— Que croyez-vous que ce soit ?

— Nous vous avons mis un goutte-à-goutte dans le bras.

— Est-ce pour ça que je dois porter des gants blancs Nous ne sommes pas à l'opéra.

— Ce ne sont pas des gants, ce sont des bandages.

— Je croyais que vous aviez dit qu'on m'avait mis un goutte-à-goutte.

— Exact. Les bandages sont là pour tenir en place le goutte-à-goutte.

— Mais je ne peux bouger les doigts.

— C'est normal.

— Normal ? ai-je demandé. Qu'est-ce qui est normal de nos jours ? » Il ne trouva pas de réponse à cette question, aussi ai-je poursuivi : « Dans quel bras se trouve le goutte-à-goutte ?

— Le gauche. Vous pouvez le voir par vous-même.

— Alors pourquoi avez-vous également mis des bandages à mon bras droit ? »

Il dut réfléchir longtemps avant de répondre.

Finalement il dit : « Parce que vous essayiez d'arracher le goutte-à-goutte avec votre bras libre.

— Pourquoi aurais-je voulu faire ça ?

— J'aurais pensé que c'était plutôt à vous de nous le dire. »

Je fis non de la tête. Il s'en alla battu. Je ne m'étais pas mal défendue, n'est-ce pas ? La nuit suivante, ils étaient de nouveau là. Mon esprit, évidemment, pensait que je l'avais eu trop facilement, aussi il en fit apparaître un autre, qui m'appela par mon prénom dès le début.

« Comment allez-vous ce soir, Kath ?

— Je pensais que vous disiez tout le temps nous. Il doit en être ainsi si vous êtes celui que vous prétendez être.

— Pourquoi devrais-je dire nous, Kath ? Je sais comment je vais. C'est vous que j'interrogeais.

— Nous, dis-je d'un air sarcastique, nous, dans le zoo, nous allons bien, merci beaucoup.

— Que voulez-vous dire par le zoo ?

— Les barreaux, imbécile. » Je ne pensais pas réellement que c'était un zoo ; je voulais découvrir ce qu'il pensait que c'était. Se battre avec son propre esprit n'est pas toujours une chose facile.

« Les barreaux ? Oh ! Ce sont juste les montants de votre lit.

— Mon lit ? Excusez-moi. Donc ce n'est pas un berceau et je ne suis pas un bébé ?

— C'est un lit spécial. Regardez. » Il fit jouer un cliquet et rabattit une partie des barreaux qui disparurent à ma vue. Puis il les remonta et renclencha le cliquet.

« Oh ! Je vois, vous m'enfermez, est-ce bien ça ?

— Mais non, mais non, voyons, Kath. Nous voulons tout simplement que vous ne tombiez pas durant votre sommeil. Si vous aviez un cauchemar, par exemple. »

C'était une tactique habile. Si vous aviez un cauchemar... Mais il faudrait quand même autre chose que ça pour se jouer de moi. Je crois que je sais ce que fait mon esprit. C'est une sorte de zoo que j'imagine, parce que le zoo est le seul endroit où j'ai vu des rennes. Vivants, je veux dire. Aussi, je les associe à des barreaux. Mon esprit sait que pour moi tout a commencé avec les rennes ; c'est pourquoi il a inventé cet artifice. C'est très convaincant, un esprit.

« Je n'ai pas de cauchemars », ai-je dit d'un ton sec, comme s'il s'agissait de bouton ou d'un truc similaire. Il me semblait que c'était bien de lui dire qu'il n'existait pas.

« Eh bien, alors, au cas où vous seriez somnambule, ou quelque chose comme ça.

— Ai-je déjà agi en somnambule ?

— On ne peut surveiller tout le monde, Kath. Il y en a beaucoup d'autres dans le même bateau que vous.

— Je sais ! ai-je crié. Je le sais ! » Je criais parce que je me sentais en train de triompher. Il était malin, celui-là, mais il s'était trahi. Dans le même bateau. Naturellement, il voulait dire dans d'autres bateaux, mais il — ou plutôt mon esprit — avait fourché.

J'ai fort bien dormi cette nuit-là.

Elle eut une terrible pensée. Et si jamais les petits chats étaient anormaux ? Si jamais Linda donnait naissance à des monstres, à des êtres difformes ? Serait-ce possible si vite ? Quels étaient les vents qui nous ont amenés jusqu'ici ? Quels étaient les poisons qu'ils contenaient ?

Elle dormait apparemment beaucoup. La chaleur étale continuait. Elle se sentait la bouche sèche la plupart du temps, et boire l'eau du ruisseau n'y changeait rien. Peut-être que cette eau était polluée. Sa peau tombait. Elle leva les mains et s'aperçut que ses doigts ressemblaient aux bois des rennes en train de se battre. Elle se sentait toujours déprimée. Elle essaya de se remonter en se disant qu'au moins elle n'avait pas de petit ami sur l'île. Que dirait Greg s'il la voyait dans cet état ?

*

C'était l'esprit, décida-t-elle, qui était la cause de tout. L'esprit était devenu trop malin pour se bien porter. Il s'était emballé. C'est l'esprit qui avait inventé ces armes, n'est-ce pas ? On ne peut pas imaginer un animal inventant quelque chose destiné à le détruire, hein ?

Elle se raconta l'histoire suivante. Il y avait un ours dans la forêt, un ours intelligent, plein d'entrain, un ours… normal. Un jour, il se mit à creuser un grand trou. Quand il eut fini, il cassa une branche à un arbre, enleva les feuilles et les tiges, la rongea à un bout pour la rendre pointue et la planta au fond du trou la pointe tournée vers le haut. Puis l'ours couvrit le trou qu'il avait fait avec des branches, des broussailles, de sorte qu'il était impossible de distinguer cet endroit de n'importe quelle autre partie de la forêt, puis il s'en alla. Et, dites-moi, où pensez-vous que cet ours avait creusé sa fosse ? Juste au beau milieu de son passage favori, un endroit qu'il traversait régulièrement lorsqu'il allait chercher du miel dans les arbres, ou n'importe quoi que cherchent les ours. Aussi, le lendemain, alors qu'il galopait sur sa piste, il tomba dans le trou et s'empala sur le bâton. Et tandis qu'il mourait il se dit : Ça, par exemple, quelle surprise, c'est curieux de voir la manière dont les choses ont tourné. Peut-être était-ce au fond une erreur de mettre un piège où je l'ai mis. Peut-être était-ce même une erreur de creuser tout simplement ce trou.

On ne peut pas imaginer un ours en train de faire ça, n'est-ce pas ? Et pourtant c'est ce qui se passe avec nous, se dit-elle. L'esprit s'est tout simplement emballé. Il ne sait plus quand s'arrêter. Remarquez que l'esprit ne s'arrête jamais. C'est la même chose avec les cauchemars — même endormi, l'esprit s'emballe. Elle se demandait si les peuples primitifs avaient des cauchemars. Elle voulait bien parier qu'ils n'en avaient pas. Ou, tout au moins, pas de la sorte de ceux que nous avons.

Elle ne croyait pas en Dieu, mais maintenant elle en avait la tentation. Non pas parce qu'elle avait peur de mourir. Ce n'était pas cela. Non, elle avait la tentation de croire à quelqu'un qui observait ce qui se passait, qui regardait l'ours creuser sa propre fosse et tomber dedans. Ce ne serait pas une si bonne histoire que ça s'il n'y avait personne pour la raconter. Regardez donc ce qu'ils sont en train de fabriquer — ils vont se faire sauter. Bande de cons.

Celui avec qui je me suis disputée à propos des gants était là de nouveau. J'ai réussi à le prendre en défaut. « J'ai toujours mes gants, ai-je dit.

— Oui, répondit-il, essayant sans résultat de me ménager.

— Je n'ai pas de goutte-à-goutte dans le bras. » De toute évidence, il n'était pas préparé pour cette attaque.

« Ah non.

— Aussi, pourquoi est-ce que je porte des gants blancs ?

— Ah ! » Il s'arrêta un moment pour décider quel mensonge il allait me raconter. Il en trouva un qui n'était pas mal. « Vous vous arrachiez les cheveux.

— Absurde. Ils tombent. Ils tombent tous les jours.

— Non, navré de vous contredire, mais vous vous les arrachiez.

— Absurde. Il me suffit de porter la main à ma tête et ils tombent par poignées.

— Je crains que vous ne vous trompiez, dit-il, l'air suffisant.

— Partez, criai-je. Partez. Allez-vous-en.

— Bien sûr. »

Et il s'en alla. C'était un stratagème vraiment sournois qu'il avait trouvé là à propos de mes cheveux, un mensonge aussi proche que possible de la vérité. Parce que j'avais touché mes cheveux. Bon, ce n'est pas tellement surprenant, n'est-ce pas ?

En tout cas, c'est un bon signe qu'il soit parti lorsque je lui en ai donné l'ordre. Je sens que je commence à maîtriser les choses, à contrôler mes cauchemars. C'est juste une période par laquelle je suis passée. Je serai contente lorsqu'elle sera finie. La prochaine sera peut-être pire, évidemment, mais au moins, elle sera différente. J'aimerais savoir à quel point j'ai été contaminée. Suffisamment pour qu'on me mette un trait de peinture bleue sur le dos et qu'on me donne en pâture aux visons ?

L'esprit s'est emballé, n'arrêtait-elle pas de se répéter. Tout est en relation, les armes et les cauchemars. C'est pourquoi il faut mettre une fin à ce cycle. Commencer à rendre de nouveau les choses simples. Repartir de zéro. Les gens disent qu'on ne peut pas tourner les aiguilles de l'horloge en arrière, mais si, voyons. Le futur était dans le passé.

Elle aurait aimé pouvoir en finir avec les hommes et leurs tentations. Elle avait pensé qu'elle y parviendrait lorsqu'elle atteindrait l'île. Elle avait pensé ensuite qu'ils arrêteraient de venir lorsqu'elle aurait renoncé à dormir dans le bateau. Mais ils venaient toujours, de plus en plus insistants, de plus en plus rusés. Le soir, elle avait peur de s'endormir à cause des cauchemars. Pourtant, elle avait un grand besoin de repos de sorte que chaque matin elle se réveillait de plus en plus tard. La chaleur accablante continuait, une chaleur lourde, immuable ; on avait l'impression d'être entouré de radiateurs. Finirait-elle jamais ? Peut-être que les saisons avaient été supprimées par ce qui venait d'arriver, ou tout au moins des quatre peut-être n'en restait-il plus que deux — cet hiver très spécial qu'on nous avait annoncé et cet insupportable été maintenant. Peut-être le monde devra-t-il regagner le printemps et l'automne en se conduisant bien pendant un grand nombre de siècles.

Je ne sais pas lequel des hommes c'était. J'ai commencé à fermer les yeux. C'est plus dur que je pensais lorsqu'on les a déjà fermés, étant donné que l'on dort, de les fermer de nouveau pour chasser un cauchemar, ce n'est vraiment pas facile. Mais si j'apprends à faire ça, alors peut-être serai-je aussi capable de mettre mes mains sur mes oreilles. Ça m'aiderait sûrement.

« Comment vous sentez-vous ce matin ?

— Pourquoi dites-vous ce matin ? C'est toujours durant la nuit que vous arrivez. » Vous voyez que je ne les laisse pas s'en tirer à si bon compte.

« Si vous le dites.

— Qu'est-ce que ça veut dire, si je le dis ?

— C'est vous le chef. » C'est juste, c'est moi le chef.

On doit garder le contrôle de son esprit, autrement il se met à galoper et c'est ce qui a provoqué les périls où nous sommes aujourd'hui. Il faut garder le contrôle de son esprit.

Aussi j'ai répondu : « Partez.

— Vous n'arrêtez pas de répéter ça.

— Ecoutez, si c'est moi le chef, j'en ai le droit, n'est-ce pas ?

— Il vous faudra bien en parler un jour ou l'autre.

— Un jour ? Et nous y voilà de nouveau. » Je gardais les yeux fermés. « Et qu'est-ce que c'est que ce "en", de toute façon ? » Je pensais que je continuais à le traquer, mais peut-être était-ce une erreur tactique.

« "En" » ? Oh ! Absolument tout... Comment vous vous êtes mise dans cette situation et comment nous allons essayer de vous en sortir.

— Franchement, vous êtes quelqu'un de profondément ignorant, savez-vous ? »

Il ne tint pas compte de ma remarque. Je hais cette manière qu'ils ont de faire semblant de ne pas entendre les choses qu'ils n'arrivent pas à maîtriser. « Greg, dit-il, changeant de toute évidence de sujet. Vos sentiments de culpabilité, de rejet, des choses comme ça...

— Est-ce que Greg est en vie ? » Le cauchemar avait un aspect si réel que je pensais d'une certaine manière que cet homme pouvait connaître la réponse.

« Greg ? Oui, Greg va bien. Mais nous pensons que cela ne vous aiderait...

— Pourquoi devrais-je avoir un sentiment de culpabilité ? Je ne suis pas coupable par rapport au bateau. Greg voulait juste boire de la bière et draguer les filles. Il n'avait pas besoin d'un bateau pour ça.

— Je ne pense pas que le bateau soit au centre du débat.

— Le centre du débat ? Qu'est-ce que ça veut dire ? Je ne serais pas ici sans le bateau.

— Je veux dire que vous mettez trop de choses sur le compte du bateau. De cette manière, vous pouvez éviter de penser à ce qui est arrivé avant l'affaire du bateau. Ne pensez-vous pas que c'est peut-être ce que vous êtes en train de faire ?

— Comment le saurais-je ? En principe, c'est vous l'expert. »

C'était une attitude très sarcastique de ma part, je sais, mais je ne pouvais pas y résister. J'étais furieuse contre lui. Comme si j'ignorais ce qui était arrivé avant que je prenne le bateau. J'étais une des rares personnes qui l'avaient remarqué, après tout. Le reste du monde se conduisait comme Greg.

« Bien. Il me semble, voyez-vous, que nous faisons quelques progrès.

— Partez. »

*

Je savais qu'il reviendrait. D'une certaine manière, j'attendais presque son retour. Juste pour en finir un bon coup, je suppose. Et il a réussi à m'intriguer, je dois l'admettre. Je veux dire que je sais exactement ce qui se passe, et plus ou moins pourquoi, et plus ou moins comment. Mais je voulais voir jusqu'à quel point ses — bon, disons les miennes, bien sûr — explications seraient intelligentes.

« Ainsi, vous pensez être suffisamment prête pour parler de Greg ?

— Greg ? Qu'est-ce que cela a à voir avec Greg ?

— Eh bien, il nous semble que nous aimerions avoir votre confirmation sur ce point que votre... votre rupture avec Greg a beaucoup à faire avec... vos problèmes actuels.

— Franchement, vous êtes quelqu'un de profondément ignorant » — j'aimais beaucoup dire ça.

« Alors, aidez-moi à me débarrasser de mon ignorance, Kath. Expliquez-moi les choses. Quand avez-vous remarqué pour la première fois que les choses allaient mal avec Greg ?

— Greg, Greg. Il y a eu une foutue guerre nucléaire et tout ce dont vous voulez parler, c'est de Greg.

— Oui, la guerre, bien sûr. Mais je pensais qu'il serait préférable de prendre une chose à la fois.

— Et Greg est plus important que la guerre ? Vous avez franchement un curieux système de priorités. Peut-être que c'est Greg qui a provoqué cette guerre. Vous savez, il a une casquette de base-ball sur laquelle il est écrit : FAITES LA GUERRE, PAS L'AMOUR. Peut-être était-il assis en train de boire de la bière et a-t-il pressé sur le bouton juste pour faire quelque chose.

— C'est une approche des plus intéressantes. Je pense que nous pouvons arriver quelque part avec ça. » Je ne répondis pas. Il poursuivit : « Avons-nous raison de penser qu'avec Greg vous mettiez en quelque sorte tous vos œufs dans le même panier ? Vous pensiez qu'il était votre dernière chance ? Peut-être attendiez-vous beaucoup trop de lui ? »

J'en avais assez maintenant. « Mon nom est Kathleen Ferris, ai-je dit, autant pour moi que pour quiconque. J'ai trente-huit ans. J'ai quitté le Nord et suis venue dans le Sud parce que je devinais ce qui allait se passer. Mais la guerre m'a poursuivie. Elle a éclaté de toute façon. Je suis montée dans le bateau et j'ai laissé les vents me pousser. J'ai emmené deux chats, Paul et Linda. J'ai trouvé cette île. Je vis ici. Je ne sais pas ce qui va m'arriver, mais je sais que c'est le devoir de ceux d'entre nous qui se soucient de la planète, de continuer à vivre. » Quand je me suis arrêtée, j'ai éclaté en sanglots sans m'en rendre compte. Les larmes coulaient sur mes joues et dans mes oreilles. Je ne pouvais plus voir, je ne pouvais plus entendre. Je sentais que j'étais en train de nager, de me noyer.

Finalement, très doucement — ou était-ce simplement parce que mes oreilles étaient pleines d'eau ? —, l'homme dit : « Oui, nous pensons que vous pouvez voir les choses comme ça.

— J'ai été emmenée par des vents contraires. Ma peau tombe en lambeaux. Je suis sans arrêt assoiffée. Je ne sais pas jusqu'à quel point les choses sont sérieuses, mais je sais qu'il me faut continuer. Ne serait-ce que pour les chats. Il se peut qu'ils aient besoin de moi.

— Oui.

— Que voulez-vous dire par "oui" ?

— Eh bien, des symptômes psychosomatiques peuvent être très convaincants.

— N'arrivez-vous pas à vous fourrer ça dans la tête ? Il y a eu une bon Dieu de guerre nucléaire.

— Hum », fit l'homme. Il était volontairement provocant.

« Très bien, ai-je répondu. Je peux tout aussi bien écouter votre version. Je sens que vous voulez me la dire.

— Eh bien, nous pensons que ça remonte à votre rupture avec Greg. Et à votre relation avec lui, évidemment. L'aspect possessif, la violence. Mais la rupture… »

Bien que j'aie eu l'intention d'entrer dans son jeu, je ne pus m'empêcher de l'interrompre. « Ce n'était pas réellement une rupture. J'ai simplement pris le bateau quand la guerre a éclaté.

— Oui, bien sûr. Mais les choses entre vous… vous ne pouvez quand même pas dire qu'elles allaient fort bien ?

— Ce n'était pas pire qu'avec les autres bons-hommes. Greg, c'est juste un bonhomme. Il est normal pour un bonhomme.

— Précisément.

— Qu'est-ce que ça veut dire, "précisément" ?

— Eh bien, voyez-vous, nous avons fait venir le dossier que vous aviez là-bas, dans le Nord. Et il semble qu'une forme s'y dessine. Vous aimez mettre tous vos œufs dans le même panier. Avec le même type d'homme. Et c'est toujours un petit peu dangereux, n'est-ce pas ? » Comme je ne répondais pas, il poursuivit : « Nous appelons ça le syndrome de la victime obstinée. Le SVO. »

Je décidai d'ignorer ça aussi. Pour commencer, je ne savais pas de quoi il parlait. Il inventait une histoire ou une autre.

« Il y a un tas de refus dans votre vie, ne trouvez-vous pas ? Vous… refusez un tas de choses.

— Oh non, pas du tout », dis-je. C'était ridicule. Je faisais des avances à mon esprit afin de l'obliger à être clair. « Êtes-vous en train de me dire, êtes-vous vraiment en train de me dire qu'il n'y a pas eu de guerre ?

— C'est ça. Je veux dire, on s'inquiétait terriblement. Il semblait qu'il pouvait fort bien y en avoir une. Ils ont arrangé ça.

— Ils ont arrangé ça ! » criai-je sur un ton sarcastique, parce que c'était la preuve de tout. Mon esprit s'est souvenu de la phrase de Greg que j'avais trouvée si suffisante. J'avais pris plaisir à crier, je voulais crier quelque chose d'autre, c'est ce que je fis. « Tant que tu n'as pas mangé chez BJ, tu ne sais pas ce que chier veut dire ! » Je hurlais. Je triomphais, mais l'homme ne semblait pas comprendre et il posa sa main sur mon bras, comme si j'avais besoin d'être réconfortée.

« Oui, ils ont réussi à arranger ça. Elle n'a jamais éclaté.

— Je vois, répliquai-je, l'air victorieux. Donc, naturellement, je ne suis pas sur une île ?

— Oh non !

— Je l'imagine.

— Oui.

— Et donc, bien sûr, le bateau n'existe pas non plus ?

— Oh si ! Vous êtes partie sur un bateau.

— Mais il n'y avait pas de chats dessus ?

— Mais si, vous aviez deux chats avec vous lorsqu'on vous a trouvée. Ils étaient terriblement maigres. Ils étaient à la limite de la survie. »

C'était astucieux de sa part de ne pas me contredire entièrement. Astucieux, mais prévisible. Je décidai de changer de tactique. Je serai surprise, légèrement pitoyable. « Je ne comprends pas, dis-je en bougeant le bras pour prendre sa main. S'il n'y a pas de guerre, pourquoi étais-je dans un bateau ?

— Greg, dit-il, avec une sorte de confiance empreinte de méchanceté, comme si j'avais finalement admis quelque chose. Vous vous sauviez. Nous avons découvert que des malades atteints du syndrome de la victime obstinée éprouvent souvent un sentiment de culpabilité aiguë quand finalement ils s'enfuient. Et puis, il y avait de mauvaises nouvelles arrivant du Nord. C'était votre excuse. Vous extériorisiez les choses, vous faisiez une sorte de transfert sur le monde de vos troubles et de vos angoisses. Ce qui est normal, ajouta-t-il, l'air suffisant, bien que de toute évidence il n'en pensât pas un mot. Tout à fait normal.

— Je ne suis pas la seule victime obstinée dans les parages, répliquai-je. Tout ce foutu monde n'est qu'une victime obstinée.

— Naturellement, dit-il, acquiesçant sans vraiment écouter.

— On disait qu'il allait y avoir une guerre. On disait que la guerre était commencée.

— On n'arrête jamais de le dire, mais ils ont arrangé ça.

— Donc, vous persistez. Bon, ainsi, dans votre version — j'accentuai le mot — « où m'a-t-on trouvée ?

— À environ cent cinquante kilomètres à l'est de Darwin. Vous tourniez en rond.

— Je tournais en rond, répétai-je. C'est ce que fait le monde. » Tout d'abord il me dit que je projette mes angoisses sur le monde, puis il ajoute que je reproduis ce que chacun sait être perpétuellement l'attitude du monde. Franchement, ce raisonnement ne pouvait guère m'impressionner.

« Et comment expliquez-vous que mes cheveux tombent ?

— Je crains de devoir vous dire que vous vous les arrachez.

— Et ma peau qui part en lambeaux ?

— Vous avez eu des moments difficiles. De terribles tensions se sont exercées sur vous. Ce n'est pas quelque chose d'inhabituel, mais ça va aller mieux.

— Et comment expliquez-vous que je me souvienne parfaitement de ce qui est arrivé, depuis la nouvelle du début de la guerre dans le Nord, jusqu'aux jours que j'ai passés ici, sur l'île ?

— Eh bien, le terme technique est "affabulation". Vous inventez une histoire pour remplacer les faits que vous ne connaissez pas ou n'acceptez pas. Vous préservez un noyau de faits réels et vous

brodez autour une nouvelle histoire. Particulièrement en cas de double stress.

— C'est-à-dire ?

— De sévères stress dans la vie privée coïncident
soudain avec une crise politique dans le monde.
Nos admissions augmentent toujours lorsque les
choses vont mal dans le Nord.

— Vous allez me dire dans un instant qu'il y
avait des douzaines de gens fous tournant en rond
sur la mer.

— Quelques-uns. Quatre ou cinq, peut-être. La
plupart des nouveaux arrivants ne vont pas cependant jusqu'à prendre un bateau. » Il paraissait
impressionné par ma ténacité.

« Et combien… d'admissions avez-vous eues cette
fois ?

— Deux douzaines environ.

— Eh bien, j'admire votre affabulation », dis-je,
utilisant son propre terme technique afin de le
remettre à sa place. « Je pense réellement que c'est
très intelligent. » Il s'était trahi, évidemment. Vous
prenez un noyau de faits réels et vous brodez autour
une nouvelle histoire — exactement ce qu'il avait
réalisé.

« Je suis content que nous fassions quelques progrès, Kath.

— Allez-vous-en et arrangez ça, ai-je crié. À propos, y a-t-il des nouvelles des rennes ?

— Quel genre de nouvelles voulez-vous avoir ?

— De bonnes nouvelles ! hurlai-je. De bonnes
nouvelles !

— Je vais voir ce que je peux faire. »

Elle se sentait fatiguée lorsque le cauchemar prit fin, fatiguée, mais victorieuse. Elle avait extrait le pire de ce que le tentateur avait à offrir. Elle serait en sécurité, maintenant. Évidemment, il avait fait toute une série de bévues. Je suis content que nous fassions quelques progrès : il n'aurait jamais dû dire ça. Personne n'aime être considéré de haut par son propre cerveau. La gaffe qui le trahit réellement fut celle concernant les chats et leur maigreur. Ç'avait été la chose la plus remarquable durant tout le voyage, cette manière que les chats avaient eue de grossir et comme ils aimaient le poisson qu'elle attrapait.

Elle décida de ne plus parler aux hommes maintenant. Elle ne pouvait les empêcher de venir — elle était sûre qu'ils viendraient encore lui rendre visite pendant pas mal de nuits —, mais elle ne leur parlerait plus. Elle avait appris comment fermer les yeux durant ses cauchemars ; maintenant elle apprendrait à boucher ses oreilles, à serrer les lèvres. Elle ne serait pas tentée. Elle ne voulait pas l'être.

S'il lui fallait mourir, eh bien, elle mourrait. Ses cauchemars devaient être apportés par des vents néfastes ; à quel point ils l'étaient, elle ne le saurait que lorsqu'elle serait guérie ou qu'elle mourrait. Elle s'inquiétait pour les chats, mais croyait qu'ils seraient capables de se débrouiller seuls. Ils redeviendraient sauvages. Ils le devenaient déjà. Quand la nourriture du bateau commença à manquer, ils se mirent à chasser. Ou plutôt Paul commença à chasser : Linda était trop grosse pour chasser. Paul apportait de petits animaux pour elle, des campagnols, des souris. Des larmes montèrent aux yeux de Kath le jour où elle s'en aperçut.

C'était tout simplement parce que son esprit avait peur de sa propre mort, c'est ce que filialement elle conclut. Quand sa peau commença à tomber par lambeaux et qu'elle se mit à perdre ses cheveux, son esprit essaya de trouver une explication différente. Elle connaissait même le terme technique pour cela maintenant : affabulation. D'où avait-elle tiré ce mot ? Elle devait l'avoir lu dans un magazine quelque part. Affabulation. Vous préservez un noyau de faits réels et vous brodez autour une nouvelle histoire.

Elle se souvenait du dialogue qu'elle avait eu la nuit précédente. L'homme, dans le rêve, lui disait qu'elle refusait un tas de choses dans sa vie et elle avait répondu : oh non ! pas du tout. C'était drôle à y repenser, mais c'était aussi très sérieux. On ne doit pas se tromper soi-même. C'était ce que faisait Greg, c'est ce que font la plupart des gens. Nous devons regarder les choses comme elles sont ; on ne peut plus se fier à l'affabulation. C'est la seule possibilité que nous avons de survivre.

Le lendemain, sur une petite île couverte de broussailles, dans le détroit de Torres, Kath Ferris s'éveilla et découvrit que Linda avait mis bas. Cinq chatons couleur écaille se serraient les uns contre les autres, maladroits et aveugles, mais sans diffor-

mité. Elle éprouva un immense sentiment d'amour.
La chatte ne la laisserait pas toucher les chatons,
bien sûr, mais ça ne faisait rien, c'était normal. Elle
éprouvait un tel bonheur, un tel espoir !

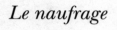

Le naufrage

I

Ça a commencé par un mauvais présage.

Ils avaient doublé le cap Finisterre et faisaient voile vers le sud, poussés par un vent assez violent, quand une troupe de marsouins entoura la frégate. À bord, on se rassembla à la poupe près du bastingage, s'émerveillant de la vélocité de ces animaux qui pouvaient tourner en rond autour d'un vaisseau qui avançait déjà allégrement à neuf ou dix nœuds. Tandis qu'on admirait le spectacle, un cri se fit entendre. Un mousse était tombé à la mer par un des hublots de bâbord avant. On tira un coup de feu d'avertissement et un petit radeau fut jeté à l'eau, tandis que le bateau mettait en panne. Malheureusement les manœuvres furent exécutées maladroitement et, lorsque le canot de sauvetage à trois bancs de nage fut prêt, il était trop tard. On ne put repérer ni le petit radeau ni, bien entendu, le jeune garçon. Il n'avait que quinze ans et ceux qui le connaissaient affirmaient que c'était un fort bon nageur. On supposait donc qu'il aurait très probablement réussi à atteindre le radeau. S'il en était ainsi, il périrait très certainement sur son embarcation, après avoir subi les plus cruelles souffrances.

L'expédition, qui se rendait au Sénégal, comprenait quatre vaisseaux : une frégate, une corvette, un
brick et une brigantine. La flottille avait quitté l'île
d'Aix le 17 juin 1816 avec trois cent soixante-cinq personnes à bord. Maintenant, elle faisait voile vers le sud
avec un homme en moins. On s'approvisionna à
Ténériffe pour embarquer du bon vin, des oranges,
des citrons, des figues de banians et des légumes de
toutes sortes. Certains membres de l'expédition
remarquèrent la dépravation des habitants du lieu :
les femmes de Santa Cruz se tenaient devant leur
porte et invitaient les Français à entrer. Elles pensaient que les moines de l'Inquisition sauraient calmer
la jalousie de leurs maris. En effet, ils désapprouvaient
l'amour conjugal qu'ils considéraient comme un
cadeau empoisonné de Satan. Quelques passagers,
avec bon sens, attribuèrent cette conduite au soleil du
Sud, dont la force, c'est bien connu, affaiblit toutes
entraves, aussi bien naturelles que morales.

À partir de Ténériffe, on mit le cap sud-sud-ouest.
Des vents assez violents, des erreurs de navigation
dispersèrent la flottille. Seule, la frégate atteignit les
tropiques et dépassa le cap Barbas. Elle longeait la
côte de fort près, parfois à moins d'une demi-portée de canon. La mer était parsemée d'écueils ; les
brigantines ne pouvaient naviguer dans ces eaux
à marée basse. Ils doublèrent le cap Blanc, ou du
moins c'est ce qu'ils croyaient, puis se retrouvèrent
sur des hauts-fonds. La sonde était jetée toutes les
demi-heures. Au point du jour, M. Maudet, enseigne
de vigie, fit des calculs sur une caisse de poulets et en
conclut que le bateau se trouvait aux abords du banc
d'Arguin. On ne tint aucun compte de son avis. Pour-

tant, même ceux qui ne connaissaient pas la mer pouvaient se rendre compte que les eaux avaient changé de couleur ; des algues apparaissaient sur les flancs du navire et l'on attrapait une grande quantité de poissons. Par mer calme et par temps clair, la frégate allait s'échouer. La sonde annonçait dix-huit brasses, puis peu après six brasses. Le navire vint au lof, puis, presque immédiatement, après le premier choc, il gîta dangereusement — une seconde, puis une troisième secousse et il s'arrêta. La sonde indiquait une profondeur de cinq mètres soixante.

Par malheur, il avait heurté le récif à marée haute, et la mer, qui devenait de plus en plus mauvaise, rendait vaines les tentatives de dégager la frégate. Celle-ci était assurément perdue. Puisque les canots de sauvetage se trouvant à bord n'étaient pas suffisants pour contenir tout le monde, on décida de construire un radeau et d'y mettre ceux qu'on ne pourrait loger dans les canots. Ce radeau serait remorqué jusqu'au rivage et tout le monde serait sain et sauf. Ce plan était parfaitement conçu, mais, comme deux des rescapés allaient le déclarer plus tard, il avait été dessiné sur un sable si fin que ce dernier s'était envolé au premier souffle de l'égoïsme.

Le radeau était prêt, bien construit ; les places dans les canots de sauvetage attribuées, les provisions préparées. À l'aube, alors qu'il y avait deux mètres soixante-dix d'eau dans la cale et que les pompes étaient en panne, l'ordre d'abandonner le navire fut donné. Malheureusement, la pagaïe rendit inutile ce plan si bien conçu. On refusa de se plier aux instructions concernant l'ordre des places, et les provisions, manipulées maladroitement, tombèrent à l'eau ou furent tout simplement oubliées. Cent cinquante personnes devaient prendre place sur le radeau : cent vingt soldats, y compris les officiers, vingt-neuf marins et passagers, une femme. Mais, alors qu'à peine cinquante hommes étaient montés à bord de l'engin — engin qui avait vingt mètres de long sur sept de large — celui-ci commença à s'enfoncer d'au moins soixante-dix centimètres dans l'eau. On jeta à la mer les tonneaux de farine qui avaient été embarqués ; le radeau revint à flot. Les personnes suivantes montèrent dedans et il s'enfonça de nouveau. Quand l'engin fut complètement chargé, il se trouvait à un mètre en dessous de la surface de l'eau. Ceux qui étaient à bord étaient entassés au point qu'ils ne pouvaient faire un seul pas. À l'avant et à l'arrière, les gens avaient de l'eau jusqu'à la taille. Les tonneaux de farine qu'on avait abandonnés, secoués dans les vagues, revenaient se jeter sur eux ; un sac de douze kilos de biscuits, que l'eau avait transformés en une sorte de pâte, n'arrêtait pas de les frapper.

Il avait été décidé qu'un des seconds prendrait le commandement du radeau, mais cet officier refusa de monter à bord. À sept heures du matin, le signal du départ fut donné et la petite flottille s'écarta de la frégate abandonnée. Dix-sept personnes avaient refusé de la quitter, certaines même s'étaient cachées. Elles restaient maintenant à bord pour faire face à leur destin.

Le radeau était remorqué par quatre bateaux de sauvetage à la file indienne, précédés d'un grand canot, chargé de jeter la sonde. Comme les bateaux se mettaient en position, les hommes du radeau se mirent à crier « Vive le roi ! » et un petit drapeau blanc fut hissé au canon d'un mousquet. Malheureusement, ce fut aussi à cet instant du plus grand espoir, des plus grandes espérances que commencèrent à souffler, en plus des vents de la mer, ceux de l'égoïsme. Un par un, que ce soit pour des motifs intéressés, par incompétence, par accident ou par nécessité, les cordages attachés au radeau furent largués.

Celui-ci était à peine à deux lieues de la frégate lorsqu'il fut abandonné. À bord il y avait du vin, un peu de cognac, de l'eau et quelques restes de biscuits mouillés. On n'avait ni boussole ni carte. Sans avirons et sans gouvernail, il était impossible de diriger le radeau et de stabiliser ceux qui se trouvaient dessus. Ils étaient jetés les uns contre les autres chaque fois que les vagues passaient sur eux. Au cours de la première nuit, une tempête se leva et secoua l'engin violemment ; les cris des malheureux passagers se mêlaient aux rugissements des flots. Quelques personnes attachèrent des cordes aux poutrelles de l'embarcation et s'y amarrèrent ; tout le monde était ballotté sans merci. À l'aube, le vent emportait des cris lamentables. On prononçait des vœux à l'intention du ciel, qu'il serait par la suite impossible de tenir ; chacun se préparait à une mort imminente. On ne peut se faire une idée de cette première nuit qui ne soit pas en dessous de la vérité.

Le lendemain, la mer était calme et l'espérance reprenait de plus vives couleurs. Néanmoins, deux mousses et un boulanger, convaincus qu'il n'y avait aucune chance d'échapper à la mort, dirent au revoir à leurs compagnons et se jetèrent volontairement à l'eau. Ce fut au cours de cette journée que les passagers du radeau commencèrent à voir leurs premiers

mirages. Certains croyaient voir la terre, d'autres
apercevaient des bateaux qui venaient les sauver. Ces
espoirs déçus éclataient contre les rochers et provo-
quaient un effroyable découragement.

La seconde nuit fut plus terrible encore que la
première. Les vagues étaient énormes et le radeau
constamment sur le point d'être retourné. Les officiers, maintenant regroupés près du petit mât, don-
nèrent l'ordre aux soldats d'aller d'un côté ou de
l'autre de l'engin, afin de contrebalancer la force des
vagues. Quelques hommes, persuadés d'être perdus,
ouvrirent un tonneau de vin et résolurent d'adoucir
leurs derniers moments en fuyant par l'ivresse les
angoisses de la raison. Ils y parvinrent assez bien jusqu'au moment où l'eau de mer réussit à pénétrer
par le trou qu'ils avaient percé dans le tonneau pour
en gâter le contenu. Rendus doublement fous,
ces hommes égarés décidèrent d'entraîner tout
le monde dans leur sillage de mort. Ils commencèrent à s'en prendre aux cordages qui mainte-
naient ensemble les poutrelles du radeau. On se
ligua contre les mutins. Il s'ensuivit une bataille rangée au milieu des vagues et de l'obscurité de la nuit.
Quand l'ordre fut rétabli, une heure de calme régna
sur l'engin de mort. Mais à minuit les soldats se sou-
levèrent de nouveau. Ils attaquèrent leurs supérieurs à coups de poignard et de sabre. Certains,
qui n'avaient pas d'arme mais l'esprit dérangé,
essayèrent de mettre en pièces leurs officiers à coups
de dents. De nombreuses morsures furent dénom-
brées. Les rebelles étaient matraqués, poignardés,
jetés à la mer ; deux tonneaux de vin furent également lancés par-dessus bord, ainsi que le dernier fût

contenant de l'eau. Lorsque les misérables furent maîtrisés, le radeau était couvert de cadavres.

Au cours de la première insurrection, un marin du nom de Dominique, qui s'était joint aux mutins, fut jeté à la mer. En entendant les cris pitoyables de son subalterne, l'ingénieur du génie maritime qui se sentait responsable de ses hommes, mêmes déloyaux, se jeta à l'eau. Saisissant le misérable par les cheveux, il réussit à le ramener à bord. Dominique avait eu le crâne fendu d'un coup de sabre. Malgré l'obscurité, la blessure fut pansée et le malheureux ramené à la vie. Mais à peine était-il rétabli que, comble d'ingratitude, il rejoignit les mutins et se souleva de nouveau en leur compagnie. Cette fois, abusant de sa chance, il rencontra moins de pitié et périt la nuit même.

Le délire menaçait maintenant les malheureux survivants. Certains sautèrent à la mer, d'autres sombrèrent dans une sorte de léthargie ; quelques malheureux égarés se jetaient sur leurs camarades, sabre au clair, et leur demandaient une aile de poulet. L'ingénieur du génie maritime qui avait sauvé Dominique de la noyade se voyait parcourant les jolies plaines d'Italie. Un des officiers lui dit : « Je me souviens que nous avons été abandonnés par les bateaux ; mais ne craignez rien ; je viens d'écrire au gouverneur et dans quelques heures nous serons tirés d'affaire. » L'ingénieur, logique dans son délire, lui répondit, imperturbable : « Avez-vous un pigeon pour pouvoir transmettre vos ordres plus rapidement ? »

Seul un tonneau de vin restait en réserve pour les soixante personnes encore à bord du radeau. On rassembla les insignes des soldats pour en faire des hameçons ; on tordit une baïonnette, dans le but de s'en servir pour capturer un requin. Quand le requin arriva, il s'empara de la baïonnette et, d'un coup de ses puissantes mâchoires, la redressa avant de disparaître.

Les naufragés durent se résoudre à certaines extrémités afin de prolonger leur misérable existence. Quelques survivants de la nuit de la mutinerie se jetèrent sur les cadavres et en coupèrent des morceaux de chair qu'ils avalaient à l'instant même. La plupart des officiers refusèrent de manger cette nourriture. L'un d'eux, pourtant, suggéra qu'on la fasse sécher d'abord, afin de la rendre plus agréable au goût. Certains essayèrent sans grand résultat de mâcher leur baudrier ou leur boîte à cartouches, et aussi les bords en cuir de leur couvre-chef. Un marin essaya de manger ses propres excréments, mais ne put y parvenir.

Le troisième jour, le temps était calme et beau. Ils purent se reposer un peu, mais des rêves atroces se mêlaient aux horreurs que leur infligeaient la faim et la soif. Le radeau, qui maintenant ne contenait plus qu'à peine la moitié de son effectif de départ, était remonté vers la surface : un avantage imprévu des mutineries de la nuit. Cependant, les malheureux avaient encore de l'eau jusqu'aux genoux et ne pouvaient prendre de repos qu'en restant debout, serrés les uns contre les autres, pour former une masse compacte. Au matin du quatrième jour, ils s'aperçurent qu'une douzaine de leurs camarades étaient morts au cours de la nuit ; les corps furent jetés à la mer, à l'exception d'un seul, qu'on conserva en pensant à la faim. À quatre heures de l'après-midi, un banc de poissons volants passa au-dessus du radeau. Un grand nombre d'entre eux se trouvèrent pris au piège à l'avant et à l'arrière de l'embarcation. Ce soir-là, les naufragés mangèrent du poisson, mais leur faim était si grande et les portions si petites que bon nombre d'entre eux y mêlèrent de la chair humaine. Celle-ci accommodée de la sorte leur parut moins répugnante. Même les officiers acceptèrent d'en prendre lorsqu'on la leur présenta sous cette forme.

Dès ce jour tout le monde accepta de se nourrir de chair humaine. La nuit suivante devait d'ailleurs en apporter une nouvelle provision. Un certain nombre d'Espagnols, d'Italiens et de Noirs, qui étaient restés neutres durant la première mutinerie, ourdirent une conspiration dont le but aurait été de jeter leurs supérieurs par-dessus bord et de gagner le rivage, qu'ils croyaient proche, en s'emparant des choses précieuses et des objets personnels qui avaient été mis à l'abri dans un sac accroché au mât. Une fois de plus il s'ensuivit un terrible combat et le sang coula à flots sur le radeau de mort. Lorsque cette troisième mutinerie fut finalement réprimée, il ne restait plus à bord que trente personnes, aussi le radeau était-il encore remonté vers la surface. Presque tous ces malheureux étaient blessés et leurs blessures, constamment recouvertes d'eau salée, leur faisaient pousser des cris atroces et perçants.

Le septième jour, deux soldats se cachèrent derrière le dernier tonneau de vin. Ils le percèrent et commencèrent à aspirer le breuvage à l'aide d'une

paille. Découverts, les deux coupables furent ins-
tantanément jetés à la mer, comme l'exigeait la loi
indispensable qui avait été promulguée.

Ce fut ce jour-là qu'il fallut prendre la plus terrible des décisions. En se comptant, les naufragés
apprirent qu'ils étaient vingt-sept à bord. Quinze
d'entre eux semblaient pouvoir encore vivre quelques jours, les autres, gravement blessés, en plein
délire pour la plupart, n'avaient pas la moindre
chance de survivre. Mais au cours des jours qui
allaient précéder leur mort, ils ne manqueraient pas
de faire diminuer les vivres, déjà en quantité limitée.
On calcula qu'ils pouvaient tous ensemble boire de
trente à quarante bouteilles de vin. Ne leur donner
qu'une demi-portion était en fait les tuer à petit feu.
Donc, après un débat au cours duquel présidait le
plus terrible désespoir, les quinze personnes encore
relativement en bonne santé décidèrent que leurs
camarades malades devaient, pour le bien commun
de ceux qui pouvaient peut-être survivre, être jetés à
la mer. Trois marins et un soldat, dont les cœurs
s'étaient endurcis au contact perpétuel des morts,
exécutèrent cette besogne répugnante mais nécessaire. Les personnes saines furent séparées des
malades, comme les purs des impurs.

Après ce cruel sacrifice, les quinze derniers survivants jetèrent toutes leurs armes à l'eau, ne gardant qu'un sabre au cas où une corde ou une
poutre aurait besoin d'être coupée ou taillée. Il y
avait encore des vivres pour six jours, mais déjà ils
attendaient la mort.

Survint alors un petit incident que chacun interpréta selon sa nature. Un papillon blanc, d'une espèce commune en France, apparut au-dessus de leurs têtes en battant des ailes et se posa sur la voile. Pour quelques-uns, que la faim rendaient fous, il apparut que même cette petite bête pouvait faire un agréable met. Pour d'autres, la facilité avec laquelle ce visiteur se déplaçait leur sembla un symbole de dérision : eux en effet étaient couchés là, épuisés, presque sans mouvement. Pour d'autres encore, ce simple papillon était un signe, un envoyé du ciel, aussi blanc que la colombe de Noé. Même les plus sceptiques, qui refusaient de reconnaître en ce papillon la main de la Providence, ne pouvaient s'empêcher de s'abandonner à quelques prudentes espérances. Ils n'ignoraient pas bien sûr que les papillons ne s'éloignent jamais beaucoup des terres.

Cependant, aucune terre n'apparaissait. Sous ce soleil accablant, une soif épouvantable les dévorait. Ils commencèrent alors à humidifier leurs lèvres avec leur propre urine. Ils la buvaient en utilisant de petits récipients en fer-blanc qu'ils posaient à la surface de l'eau, afin de rafraîchir plus rapidement leur étrange breuvage. Il arriva même que le récipient d'un des malheureux disparût. Il fut retrouvé plus tard, sans l'urine qu'il avait précédemment contenue. Un homme pourtant ne parvenait pas à avaler ses propres eaux, si assoiffé fût-il. Un chirurgien, qui se trouvait parmi les naufragés, remarqua que l'urine de certains hommes était plus agréable à avaler que d'autres. Il nota aussi que le résultat le plus immédiat de l'absorption d'urine était une tendance à en produire de nouveau.

Un officier découvrit un citron, qu'il voulut évidemment garder pour lui ; de vives et violentes instances le convainquirent des dangers de l'égoïsme. On trouva aussi trente gousses d'ail. Elles furent également l'objet de nouvelles disputes. Si toutes les armes, en dehors du sabre, n'avaient pas été jetées à la mer, le sang aurait pu couler une fois de plus. Deux fioles contenaient un liquide alcoolisé servant de dentifrice ; une ou deux gouttes de ce produit, donné d'ailleurs avec réticence par son propriétaire, produisaient sur la langue une délicieuse sensation qui, durant quelques secondes, éloignait la soif. Certains ustensiles d'étain, portés à la bouche, amenaient une sorte de fraîcheur. On fit circuler un flacon vide qui avait naguère contenu de l'essence de rose ; en respirant les vestiges du parfum on obtenait un doux répit.

Le dixième jour, plusieurs hommes, après avoir reçu leur ration de vin, projetèrent de s'enivrer, puis de se supprimer ; il fut extrêmement difficile de les convaincre de renoncer à leur projet. Des requins entouraient le radeau. Quelques soldats, l'esprit troublé, se baignaient sans hésiter sous le regard de ces monstres redoutables. Huit hommes, pensant que la terre ne pouvait être bien loin, se construisirent un deuxième radeau grâce auquel ils pensaient pouvoir enfin s'en sortir. Ils se fabriquèrent un engin étroit, avec un petit mât auquel ils accrochèrent le tissu d'un hamac pour confectionner la voile. Pourtant, après un essai, la fragilité de leur embarcation les convainquit de la témérité de leur entreprise. Ils y renoncèrent.

Le treizième jour de leur épreuve, le soleil se leva

dans un ciel sans nuages. Les quinze malheureux, après avoir adressé leur prière au Tout-Puissant, venaient de partager les rations de vin lorsqu'un capitaine d'infanterie, regardant l'horizon, aperçut un bateau et annonça la nouvelle par un cri. Tout le monde rendit grâces à Dieu. On s'abandonna à des transports de joie. Les naufragés redressèrent les cerceaux des tonneaux et y attachèrent des chiffons. L'un d'entre eux monta en haut du mât et agita ces petits drapeaux. Tout le monde avait les yeux fixés sur le navire à l'horizon. On évaluait sa progression. Certains estimaient qu'il se rapprochait à chaque instant ; d'autres, au contraire, soutenaient qu'il se dirigeait dans la mauvaise direction. Durant une demi-heure, ils restèrent suspendus entre espoir et crainte. Puis le navire disparut.

Leur joie se transforma en un horrible accablement. Ils enviaient maintenant la destinée de ceux qui étaient morts avant eux. Puis, afin de soulager un peu leur désespoir grâce au sommeil, ils tendirent un morceau d'étoffe pour se protéger du soleil et se couchèrent dessous. Ils se proposaient d'écrire un récit de leurs mésaventures ; de le signer en commun et de le clouer au sommet du mât, espérant que ce texte pourrait, par quelque moyen, atteindre leurs familles et le gouvernement.

Ils avaient ensemble passé deux heures à ruminer les plus épouvantables et cruelles pensées, quand le chef canonnier, voulant se rendre à l'avant du radeau, quitta la tente et aperçut l'Argus à environ une demi-lieue, faisant force de voile et fonçant sur eux. L'homme pouvait à peine respirer. Ses mains se

tendirent vers la mer. « Sauvés ! cria-t-il. Voyez la brigantine là à côté de nous ! Tout le monde bien sûr se
réjouit. Même les blessés tentèrent de ramper jusqu'à
l'arrière du radeau afin de mieux voir l'approche de
leurs sauveteurs. On s'embrassait, on se congratulait.
Leur joie redoubla lorsqu'ils découvrirent qu'ils
devaient leur délivrance à des Français. Chacun agitait son mouchoir et remerciait la Providence.

L'Argus cargua ses voiles et s'approcha sur tri-
bord, à une demi-portée d'un coup de pistolet. Les
quinze rescapés, dont les plus solides n'auraient pas
vécu au-delà des quarante-huit heures suivantes,
furent transportés à bord de la brigantine. Le commandant et ses officiers, par leurs soins attentifs et
répétés, ranimèrent chez les survivants la flamme
de la vie. Les deux d'entre eux qui par la suite écrivirent le récit de leurs épreuves terminèrent en
affirmant que la manière dont ils avaient été sauvés
était réellement miraculeuse, que la main de Dieu
était de toute évidence présente.

Le voyage de la frégate avait commencé avec un
mauvais présage ; il se terminait par un écho. Quand
le radeau de mort, remorqué par les embarcations
qui l'accompagnaient, avait pris la mer, dix-sept personnes étaient restées à bord du bateau échoué.
Celles-ci, abandonnées de leur propre volonté, inspectèrent immédiatement le navire pour trouver ce
que leurs camarades n'avaient pas emporté et que la
mer n'avait pas encore abîmé. Ils découvrirent des
biscuits, du vin, du cognac, du bacon ; c'était suffisant
pour survivre un certain temps. Tout d'abord chacun
resta calme : leurs camarades avaient promis de venir

les rechercher. Mais au bout de quarante-deux jours, ne voyant nul secours à l'horizon, douze parmi les dix-sept hommes décidèrent de gagner la terre. À cette fin, ils construisirent un deuxième radeau avec les parties restantes de la charpente de la frégate. Ils attachèrent les poutres avec de grosses cordes avant de s'embarquer dessus. Comme leurs prédécesseurs, ils n'avaient ni avirons ni appareils de navigation, et guère autre chose qu'une voile des plus rudimentaires. Ils emportèrent une petite quantité de provisions et ce qui leur restait d'espoir. Bien des jours plus tard, des Maures qui vivaient sur la côte saharienne, des sujets du roi Zaïde, découvrirent les restes de leur embarcation. Les Africains se rendirent à Andar pour apporter la nouvelle. On crut généralement que les hommes de ce deuxième radeau avaient sans doute été la proie de ces monstres marins qu'on trouve en si grand nombre près des côtes d'Afrique.

Et puis, finalement, comme par dérision, parvint l'écho d'un écho. Cinq hommes étaient restés sur la frégate. Plusieurs jours après le départ du second radeau, un marin qui avait refusé de monter à bord tenta aussi d'atteindre le rivage. Se voyant dans l'impossibilité de construire un troisième radeau, il se mit en mer sur une caisse de poulets. Peut-être était-ce celle-là même sur laquelle M. Maudet avait calculé la trajectoire fatale de la frégate le matin où elle avait heurté le récif. Mais la caisse de poulets prit l'eau et coula. Le marin périt à moins d'une demi-encâblure de la *Méduse*.

II

Comment transforme-t-on une catastrophe en œuvre d'art ?

De nos jours le processus se fait automatiquement. Une centrale nucléaire explose ? En moins d'un an, nous aurons une pièce sur ce sujet dans un théâtre de Londres. Un président est assassiné ? Vous trouverez le livre, ou le film, et aussi l'adaptation du livre en film, ou l'adaptation du film en livre. La guerre ? On y envoie des romanciers. Une suite de meurtres épouvantables ? Écoutons le pesant remue-ménage des poètes. Nous devons la comprendre, cela va de soi, cette catastrophe ; la comprendre et l'imaginer, aussi avons-nous besoin des beaux-arts. Nous avons aussi envie de la justifier, de l'excuser, sans avoir l'air cependant d'y toucher. Pourquoi est-ce arrivé ? Que veut dire cette folle réaction de la nature, cet instant de déraison de l'homme ? Eh bien, en tout cas, ça sert à produire une œuvre d'art. Peut-être qu'au fond c'est la vraie raison des catastrophes.

Il s'est rasé la tête avant de commencer à peindre. Tout le monde sait cela. Il s'est rasé la tête, afin de ne pas avoir la tentation de voir des gens. Il s'est enfermé dans son atelier et n'en est sorti que lors-qu'il eut fini son chef-d'œuvre. Est-ce vraiment ce qui s'est passé ?

L'expédition s'est mise en route le 17 juin 1816.

La *Méduse* a heurté le récif dans l'après-midi du 2 juillet 1816.

Les survivants ont été arrachés à la mer le 17 juillet 1816.

Savigny et Corréard ont publié le récit de leur voyage en novembre 1817.

La toile a été achetée le 24 février 1818.

Elle a été transportée dans un atelier plus grand et tendue le 28 juin 1818.

Le tableau fut achevé en juillet 1819.

Le 28 août 1819, trois jours avant l'ouverture du Salon, Louis XVIII regarda la peinture et s'adressa à l'artiste en des termes que le Moniteur universel qualifia d'« une de ces remarques bien choisies qui tout en portant un jugement sur l'œuvre encou-ragent l'artiste ». Le roi dit : « Monsieur Géricault, vous venez de faire un naufrage qui n'est pas un désastre pour vous. »

On commença par la fidélité à la vie. L'artiste lut le récit de Savigny et Corréard ; il les rencontra, les interrogea. Il constitua un dossier sur l'affaire. Il alla voir le charpentier de la Méduse, qui avait sur-vécu, et lui demanda de construire un modèle réduit du radeau original. Il plaça dessus des sta-tuettes de cire pour représenter les survivants. Tout autour de lui, dans son atelier, il disposa ses propres peintures de têtes coupées, de membres disséqués. Il voulait que l'atmosphère fût remplie par la présence de la mort. Des portraits ressemblants de Savigny, de Corréard et du charpentier furent peints dans le tableau final. (Que ressentirent-ils lorsqu'ils posaient pour qu'on reproduise leurs souffrances?)

L'artiste était parfaitement calme devant son chevalet, rapporte Antoine Alphonse Montfort, un élève d'Horace Vernet. Il faisait peu de mouvements du corps ou des bras, seule une légère rougeur du visage indiquait sa concentration. Il travaillait directement sur la toile blanche, avec simplement une vague esquisse pour le guider. Il peignait tant qu'il y avait de la lumière, sans le moindre repentir. Cela s'explique par des nécessités techniques : l'huile lourde qu'il employait, séchant rapidement, exigeait que chaque partie, une fois commencée, soit finie dans la journée. Il s'était, comme nous le savons, fait raser la tête et la perte de ses boucles acajou était à vrai dire l'équivalent de la pancarte : Ne me dérangez pas, s'il vous plaît. Pourtant, il n'était pas seul : il y avait des modèles, des élèves, des amis qui continuaient à venir chez lui, dans cette maison qu'il partageait avec son jeune assistant, Louis-Alexis Jamar. Parmi les modèles qui posèrent pour lui se trouvait le jeune Delacroix. Il servit de modèle pour l'homme mort, couché, le visage tourné contre le sol, le bras gauche en extension.

Commençons, voulez-vous, par énumérer ce qu'il n'a pas peint. Il n'a pas peint :

1. La *Méduse* s'échouant sur le récif.

2. Le moment où les cordes de remorquage sont détachées et le radeau abandonné.

3. Les mutineries au cours de la nuit.

4. Les scènes de cannibalisme qui furent malheureusement nécessaires.

5. Le massacre destiné à assurer la survie.

6. La venue du papillon.

7. Les survivants enfoncés dans l'eau jusqu'à la taille, jusqu'aux mollets, jusqu'aux chevilles.

8. Le moment exact du sauvetage.

En d'autres termes, son premier souci n'était pas d'avoir des motivations 1) politiques ; 2) symboliques ; 3) théâtrales ; 4) scandaleuses ; 5) sensationnelles ; 6) sentimentales ; 7) documentaires ; ou 8) claires.

Notes

1. La *Méduse* fut un naufrage, un événement journalistique et une peinture ; mais c'était aussi une cause. Les bonapartistes en profitèrent pour attaquer les monarchistes. La conduite du commandant de la frégate mettait en évidence *a*) les incompétences et la corruption de la marine royale ; *b*) la dureté de la classe dirigeante envers les inférieurs. Un parallèle avec le navire de l'État s'échouant aurait été évident bien que dépourvu de tact.

2. Savigny et Corréard, les survivants et les coauteurs du premier récit du naufrage, envoyèrent une

pétition au gouvernement, cherchant à obtenir des compensations pour les victimes et le châtiment des officiers coupables. Repoussés par la justice officielle, ils cherchèrent, avec leur livre, un jugement plus général, celui de l'opinion publique. Corréard, par la suite, devint éditeur, pamphlétaire. Sa boutique s'appelait L'Épave de la Méduse ; elle devint un lieu de rencontre où s'exprimaient les mécontentements politiques. On peut imaginer un tableau représentant le moment où les cordes de remorques sont détachées : une hache scintillant au soleil va s'abattre ; un officier tourne le dos au radeau, se préparant à couper tranquillement le nœud... Quel excellent pamphlet peint !

3. La mutinerie fut en revanche la scène que Géricault faillit réellement peindre. Plusieurs dessins préliminaires nous sont parvenus. La nuit, la tempête, la mer agitée, la voile déchirée, les sabres dressés, les noyés, le combat corps à corps, les corps nus. Qu'est-ce qui ne va pas dans tout ça ? Essentiellement que ça ressemble à un de ces combats qu'on trouve dans les saloons des westerns de série B, où tout le monde se voit pris dans la mêlée, envoyant des coups de poing, écrasant des chaises, cassant des bouteilles sur les têtes des ennemis, se balançant au lustre, les pieds chaussés de lourdes bottes. Trop de choses se passent. On peut dire bien plus en en montrant moins.

Les dessins de la mutinerie, qui existent encore, ne peuvent que ressembler aux versions traditionnelles du jugement dernier, avec la séparation des innocents et des coupables, la chute en enfer des mutins. Un tel rapprochement aurait été trompeur. Sur le radeau, ce n'était pas la vertu qui triomphait, mais la force ; et il y avait fort peu de pitié à attendre. La signification sous-jacente de cette version aurait fait croire que Dieu était du côté des officiers. Peut-être est-ce ce qu'Il était à cette époque. Noé appartenait-il à la catégorie des officiers ?

4. Il y a fort peu de scènes de cannibalisme dans l'art occidental. Pruderie ? Ça paraît assez peu probable : l'art occidental n'est guère prude lorsqu'il s'agit d'yeux crevés, de têtes tranchées fourrées dans un sac, de mastectomie sacrée, de circoncision, de crucifixion. De plus, le cannibalisme était une pratique païenne qu'on pouvait utilement condamner dans un tableau, tandis que sournoisement il enflammerait le spectateur. Mais certains sujets semblent avoir été peints moins souvent que d'autres. Prenons par exemple Noé l'officier. Il paraît y avoir curieusement fort peu de peintures représentant son Arche. Il y a certes le tableau bizarre et jovial d'un primitif américain, un autre de couleurs terreuses, de Giacomo Bassano au Prado, mais pas grand-chose de mieux ne vient à l'esprit. Adam et Eve, l'expulsion du paradis terrestre, l'Annonciation, le jugement dernier, on peut trouver des tableaux de tous ces sujets peints par des artistes de premier plan. Mais Noé et son Arche ? Un moment clé de l'histoire humaine, une tempête en mer, des animaux pittoresques, l'intervention divine dans les affaires du monde, n'y a-t-il pas là des éléments valables pour une peinture ? À quoi peut-on attribuer ce manque de matériel iconogra-

phique ? Peut-être au fond à l'absence d'une seule peinture représentant l'Arche avec suffisamment de force pour donner au sujet popularité et élan. Ou alors y a-t-il quelque chose de gênant dans l'histoire elle-même ? Peut-être que les artistes pensent tous plus ou moins que le Déluge ne montrait pas Dieu sous son meilleur jour ?

Géricault fit pourtant un dessin d'une scène de cannibalisme sur le radeau. Cette scène d'anthropophagie, située au premier plan, montre un survivant, musclé, rongeant le coude d'un cadavre musclé lui aussi. C'est presque comique. Le ton juste allait être un sérieux problème pour ce genre de représentation.

5. Une peinture représente l'instant. Que penser d'une scène dans laquelle trois marins et un soldat jettent des gens à la mer ? Que les victimes étaient déjà mortes ? Ou peut-être qu'elles avaient été assassinées afin d'être dépouillées de leurs bijoux ? Les auteurs de bandes dessinées, ayant souvent des difficultés à expliquer l'atmosphère de leurs plaisanteries, nous montrent des vendeurs de journaux se tenant près de kiosques sur lesquels quelques titres bien utiles apparaissent. En peinture, ces sortes d'informations devraient être données dans le titre : UNE SCÈNE AFFREUSE À BORD DU RADEAU DE LA MÉDUSE AU COURS DE LAQUELLE DES SURVIVANTS DÉSESPÉRÉS, TORTURÉS PAR LEUR CONSCIENCE, SE RENDENT COMPTE QUE LES VIVRES SONT INSUFFISANTS ET QU'ILS DOIVENT EN CONSÉQUENCE PRENDRE LA TRAGIQUE MAIS NÉCESSAIRE DÉCISION DE SACRIFIER LES BLES-

SÉS, AFIN QU'EUX-MÊMES PUISSENT AVOIR UNE
PLUS GRANDE CHANCE DE SURVIE. Cela devrait
pouvoir aller.

À propos, le titre « Le Radeau de la *Méduse* »
n'est pas, « Le Radeau de la *Méduse.* » Dans le cata-
logue du Salon, le tableau apparaît sous le titre
« Scène de naufrage ». Une prudente manœuvre
politique ? Peut-être. Mais c'est également une ins-
truction pour le spectateur : ceci est un tableau et
non une idée.

6. Il n'est pas difficile d'imaginer l'arrivée du
papillon comme auraient pu la peindre d'autres
peintres. Mais cette scène nous apparaît comme
assez vulgaire, à cause de son côté sentimental. Ne
trouvez-vous pas ? Et même si le problème de la
justesse de ton pouvait être surmonté, il y aurait
encore deux difficultés majeures. Tout d'abord, ça
n'apparaîtrait pas comme un événement réel,
même s'il l'était ; ce qui est vrai n'est pas nécessairement vraisemblable. Deuxièmement, un papillon
blanc de six ou huit centimètres d'envergure, au-
dessus d'un radeau de vingt mètres de long sur sept
mètres de large, aurait donné à résoudre de sérieux
problèmes d'échelle.

7. Si le radeau est sous l'eau, on ne peut pas le
peindre. Les personnages auraient tous jailli de la
mer, comme une rangée de Vénus Anadyomènes.
De plus, l'absence de radeau soulevait quelques problèmes formels : avec tous les rescapés debout — ils
ne pouvaient se coucher sans se noyer — la peinture
est condamnée à la verticalité. Pour éviter la raideur,
il aurait fallu faire preuve d'une étonnante ingénio-

sité. Il était donc préférable d'attendre quelques morts de plus, afin que le radeau remonte à la surface et autorise à jouer avec les plans horizontaux.

8. L'embarcation de l'*Argus* au moment où elle aborde le radeau, les survivants qui tendent les bras pour monter dedans, le contraste pitoyable entre la condition des rescapés et celle des sauveteurs fourniraient une scène pleine d'accablement, de joie et d'émotion, sans aucun doute. Géricault fit plusieurs dessins de ce moment du sauvetage. Ç'aurait pu être une image très forte, mais elle était un peu… simplette.

Voilà donc ce qu'il n'a pas peint.

Mais qu'a-t-il peint alors ? Eh bien, ne suffit-il pas de regarder ? Essayons d'avoir un œil neuf. Nous regardons la « scène de naufrage » sans rien connaître de l'histoire de la marine française. Nous voyons des naufragés sur un bateau, faisant de grands signes à un petit voilier proche de la ligne d'horizon (ce bateau, au loin, n'est guère plus gros, on ne peut s'empêcher de le remarquer, qu'un papillon). Notre hypothèse initiale nous fait penser qu'il s'agit du moment où les malheureux se rendent compte qu'ils vont être sauvés. Cette impression vient en partie de la préférence têtue que nous avons pour les fins heureuses, mais aussi du fait que nous nous posons, à un certain niveau de conscience, la question suivante : comment aurions-nous pu connaître ces gens sur le radeau s'ils n'avaient pas été sauvés ?

Quels sont les arguments qui soutiennent cette

hypothèse ? Le bateau est à l'horizon ; le soleil, bien qu'on ne le voie pas, y est aussi, éclairant le ciel d'une lumière jaune. Nous en déduisons qu'il s'agit du lever de soleil et que le bateau, arrivant avec l'aube, amène en même temps qu'un nouveau jour l'espoir et le sauvetage ; les nuages noirs, un peu plus hauts (vraiment très noirs), disparaîtront bientôt. Pourtant, qu'en serait-il s'il s'agissait du coucher du soleil ? L'aube et le crépuscule du soir peuvent être facilement confondus. Qu'en serait-il donc s'il s'agissait du coucher de soleil, avec le bateau sur le point de disparaître à l'horizon en même temps que l'astre, et si les naufragés se voyaient obligés d'affronter une nuit de désespoir aussi sombre que les nuages au-dessus de leurs têtes ? Intrigués, nous regardons la voile du radeau pour voir si les naufragés s'approchent ou s'éloignent de leurs sauveteurs et pour savoir si ces sinistres nuages vont bientôt être dispersés. Mais notre curiosité ne sera pas récompensée — le vent ne souffle pas de haut en bas du tableau, mais de droite à gauche. De plus le cadre arrête notre regard et nous empêche d'avoir une connaissance plus approfondie du temps qu'il fait à droite. Alors, toujours dans l'expectative, nous pensons à une troisième possibilité : il s'agit peut-être du lever du soleil, pourtant le bateau des sauveteurs ne se dirige pas vers les naufragés. Ce serait la plus éclatante gifle du destin : le soleil se lève, mais pas pour vous.

L'œil ignorant se rend, avec une grincheuse répugnance, à son compagnon plus savant. Com-

parons la « Scène de naufrage » avec le récit de
Savigny et Corréard. Il devient clair alors que
Géricault n'a pas peint les appels qui ont conduit au
sauvetage final : les choses se sont passées différemment avec la brigantine. Elle était brusquement à
côté du radeau et tout le monde se sentait rempli
d'allégresse. Non, nous avons affaire ici à la première apparition, quand l'*Argus* s'est montré à l'horizon et a soulevé, pendant une demi-heure, des
espoirs qui devaient être déçus. En comparant la
peinture avec le texte écrit, on remarque immédiatement que Géricault n'a pas représenté le survivant accroché au mât, brandissant des cerceaux de
tonneau redressés, au bout desquels étaient attachés des mouchoirs. Il a préféré montrer un
homme maintenu debout sur un tonneau et agitant
un grand morceau d'étoffe. Arrêtons-nous un instant pour apprécier ce changement, puis reconnais-
sons ses avantages : la réalité n'offrait au peintre
que l'image d'un singe escaladant un bâton ; l'art
lui a suggéré un sujet plus solide en même temps
qu'une verticale supplémentaire.

Mais ne nous laissons pas convaincre trop rapidement. Revenons au point de vue de l'œil ignorant et
grincheux. Oublions le temps qu'il fait. Que peut-
on cependant tirer des gens rassemblés sur le
radeau lui-même ? Pourquoi ne pas commencer
par les compter ? Il y a vingt personnes à bord. Deux
font de grands signes, une tend le doigt avec force,
deux lancent des supplications, tandis qu'une autre
apporte le soutien de ses muscles au personnage
hissé sur le tonneau : six personnes sont remplies

d'espoir concernant le sauvetage. Il y a ensuite cinq autres personnes (deux couchées sur le ventre, trois sur le dos). Elles paraissent ou mortes, ou mourantes. Il y a aussi un vieillard à la barbe grise qui tourne le dos à l'*Argus*, dans une attitude de désolation : six de nouveau. Entre ces deux groupes (nous mesurons l'atmosphère aussi bien que l'espace) se trouvent huit autres personnes : l'une suppliant et exhortant en même temps ; trois regardant, l'air absent, l'homme qui lance ses appels ; une autre le fixe, l'œil mort ; deux de profil, la tête tournée respectivement vers les vagues qui sont passées et celles qui arrivent ; plus, enfin, un personnage obscur, dans la partie la plus abîmée, la plus sombre de la toile. Celui-ci tient sa tête dans ses mains (pour s'arracher les cheveux ?). Six, six et huit : pas de majorité écrasante.

(Vingt ? s'interroge l'œil savant. Mais Savigny et Corréard ont dit qu'il n'y avait que quinze survivants. Donc, ces cinq personnages, qui pourraient n'être qu'inconscients, sont en réalité bel et bien morts ? Oui. Mais alors, qu'en est-il du massacre qui prit place lorsque les quinze derniers survivants, en relativement bonne santé, jetèrent leurs treize camarades blessés dans la mer ? Géricault en a ramené quelques-uns des profondeurs de l'océan pour qu'ils l'aident à composer son tableau. Et est-ce que les morts d'ailleurs devraient perdre leur droit de vote dans un référendum opposant espoir et désespoir ? En principe, oui ; mais non dans l'estimation de l'exact climat de la peinture). Ainsi l'équilibre est obtenu, six pour, six contre, huit qui ne savent pas. Nos deux yeux, l'ignorant et le savant, commencent à se révulser et à loucher. De plus, ils sont alors ramenés du centre d'intérêt de l'homme qui appelle sur son tonneau, vers le personnage désolé au premier plan à gauche, la seule personne qui nous regarde. Celle-ci soutient sur ses genoux un jeune homme qui est — nous avons fait les comptes — certainement mort. Le vieillard tourne le dos à tout ce qui est vivant sur le radeau. Son attitude est celle de la résignation, de la tristesse, du désespoir ; il est, en outre, rendu plus présent grâce à ses cheveux gris et à l'étoffe rouge qu'il porte en guise de couvre-nuque. Il pourrait venir en ligne droite d'un genre totalement différent — quelque vieillard de Poussin qui s'est égaré ici, peut-être. (Absurde, lance l'œil savant. Poussin ? Guérin et Gros, si vous voulez tout savoir. Et le « Fils » mort ? Un mélange de Guérin, de Girodet et de Prud'hon.) Et que fait le « Père » ? *a)* Il pleure sur le jeune homme mort (son fils ? son camarade ?), couché sur ses genoux ; *b)* Il comprend qu'ils ne seront jamais secourus ; *c)* Il se dit que, même s'ils étaient sauvés, ça ne changerait rien à rien, à cause du mort qu'il tient dans ses bras ? (À propos, dit l'œil savant, il y a quelques inconvénients à être par trop ignorant. Vous n'avez jamais, par exemple, pensé que le Père et le Fils sont en fait un essai pour le thème du cannibalisme, n'est-ce pas ? Ce groupe pourtant est apparu pour la première fois dans le seul dessin de Géricault se rapportant à une scène de cannibalisme. Tout amateur d'art de l'époque se serait assurément souvenu de la description du comte Ugolino par Dante, qui s'attriste dans sa tour de Pise, au milieu de ses enfants mourants qu'il a commencé à dévorer. Est-ce que cela est clair, maintenant ?)

Quoi qu'il en soit de ce que nous décidons concernant ce vieillard, sa présence devient une force aussi puissante sur la toile que celle de l'homme qui appelle. Ce contrepoids suggère la déduction suivante : la peinture représente effectivement le point central de cette première apparition de l'*Argus*. Le navire est en vue depuis un quart d'heure et le sera encore pendant quinze minutes. Certains espèrent encore qu'il vient vers eux ; d'autres sont indécis et attendent de voir la suite des événements ; et les derniers — y compris l'homme au visage si grave — savent que le bateau s'éloigne d'eux, qu'ils ne seront pas secourus. Ce personnage nous incite à voir dans la « Scène de naufrage » une image de l'espoir bafoué.

Ceux qui virent la peinture de Géricault accrochée aux murs du Salon de 1819 savaient, presque tous sans exception, qu'ils regardaient les survivants du radeau de la *Méduse*. Ils n'ignoraient pas que le bateau à l'horizon n'allait pas les secourir (tout au moins lors de cette première apparition) et que ce qui était arrivé lors de l'expédition au Sénégal était un scandale politique majeur. Mais la peinture, le tableau qui a survécu, est celle qui a été au-delà de sa propre histoire. Les religions passent, les icônes restent ; un récit est oublié, mais sa représentation possède encore un pouvoir fascinant (l'œil ignorant triomphe — oh ! comme c'est irritant pour l'œil

savant). Aujourd'hui, lorsque nous regardons la
« Scène de naufrage », il est difficile de s'indigner
contre Hugues Duroy de Chaumareys, le commandant de l'expédition, ou contre le ministre qui l'a
nommé, ou contre l'officier de marine qui a refusé
de diriger le radeau, ou contre les marins qui ont
détaché les cordes de remorquage, ou contre les soldats qui se sont mutinés. (À vrai dire, l'histoire
démocratise nos sentiments. Est-ce que les soldats
n'ont pas été rendus brutaux par leurs expériences
de la guerre ? Est-ce que le commandant n'a pas été
victime de son enfance choyée ? Pourrions-nous parier de nous conduire héroïquement dans de semblables circonstances ?) Le temps dissout la fable en
n'en laissant que sa forme, sa couleur, sa charge
émotive. Ignorants, appartenant au temps moderne,
nous réimaginons cette histoire. Donnons-nous
notre voix au ciel jaunissant chargé d'optimisme ou,
au contraire, au vieillard douloureux à la barbe
grise ? En arrivons-nous à croire aux deux versions ?
L'œil peut passer à vrai dire d'une atmosphère,
d'une interprétation à l'autre. Est-ce que cette possibilité était voulue ?

8 *a*) Il a failli peindre autre chose. Deux ébauches
à l'huile de 1818, qui par la composition sont plus
proches de l'image finale que toutes les autres
études préparatoires, montrent une différence
significative : le navire qu'on appelle est bien plus
près. On distingue sa silhouette, ses voiles, ses mâts.
Il est vu de profil, à l'extrémité droite de la toile, et
vient de commencer son voyage difficile le long de

la ligne d'horizon. De toute évidence, il n'a pas encore aperçu le radeau. L'impact de ces ébauches est plus direct, plus cinétique. On a l'impression que les signes frénétiques des naufragés sur le radeau peuvent avoir quelque effet dans les minutes qui vont suivre, que la peinture, au lieu d'être un instant figé du temps, se projette en fait dans le futur, et nous incite à poser cette question : est-ce que ce bateau va quitter le bord de la toile sans voir le radeau ? En revanche, la version finale du « Naufrage » est nettement plus passive, elle offre moins de questions précises. Les signaux semblent inutiles et le hasard sur lequel repose la destinée des survivants bien plus terrifiant. Quelle est la chance des naufragés ? Une goutte dans l'océan.

Il passa huit mois dans son atelier. À peu près à la même époque, il fit son autoportrait dans lequel il nous regarde avec cet œil ennuyé, légèrement soupçonneux, que les peintres prennent souvent lorsqu'ils se retrouvent devant leur miroir. Vaguement coupables, nous supposons que cette attitude de désapprobation nous est destinée, alors qu'en fait elle est avant tout dirigée vers celui qui pose devant sa glace. Sa barbe est coupée court et une casquette grecque, à pompons, dissimule les cheveux rasés (on nous a dit bien sûr qu'il les avait coupés lorsqu'il avait commencé sa peinture, mais les cheveux ça pousse d'une bonne longueur en huit mois : combien de fois a-t-il dû revenir à la charge ?). Il y a dans son visage quelque chose du pirate. Les traits sont suffisamment volontaires et féroces pour permettre

à leur propriétaire de s'attaquer à son énorme naufrage. La largeur de ses pinceaux, à propos, était sur-
prenante. S'appuyant sur la liberté des touches,
Montfort pensait que Géricault avait utilisé de très
grosses brosses ; en fait, elles étaient petites comparées à celles d'autres artistes. De petits pinceaux et
des huiles lourdes séchant rapidement.

Nous devons penser à lui au travail. C'est une
tentation assez normale de schématiser, de ramener huit mois de concentration à un tableau terminé et à une suite d'esquisses préliminaires. Mais
il faut y résister. Géricault est plutôt grand, solide et
mince, avec des jambes superbes qu'on a comparées à celle de l'éphèbe maîtrisant un cheval au
centre de sa *Course de chevaux barbes*. Debout devant
le « Naufrage », il travaille avec une intensité et une
concentration qui exigent un silence absolu : le
grincement d'une chaise est suffisant pour briser
le fil invisible qui relie l'œil et le bout du pinceau.
Il peint ses grands personnages, directement sur la
toile, avec simplement le contour des silhouettes
pour le diriger. À moitié, l'œuvre ressemblait à une
rangée de sculptures accrochées à un mur blanc.

Nous devons penser à lui dans l'isolement de
son atelier, au travail, en mouvement, se trompant.
Étant donné que nous connaissons le résultat final
de ces huit mois, la progression dans le bon sens
nous paraît irrésistible. Nous commençons avec le
chef-d'œuvre, pour remonter aux idées rejetées,
aux demi-échecs. Mais pour lui, au début, les idées
rejetées lui semblaient excitantes. Il ne vit qu'à la
fin ce que nous tenons pour acquis dès le début.

Pour nous, la conclusion était inévitable, pas pour lui. C'est pourquoi nous devons essayer de mettre en ligne de compte le hasard, les coups de chance, même l'esbroufe. Nous ne pouvons expliquer tout cela qu'avec des mots, et nous devons pourtant essayer d'oublier les mots. Une peinture peut être vue comme une suite de décisions étiquetées de 1 à 8 *a*), mais nous devons comprendre que tout cela ne sont que des annotations sur des sentiments. Nous devons nous souvenir aussi des nerfs et de l'émotion. Le peintre n'est pas porté facilement par le courant qui descend vers les eaux ensoleillées de notre image finale. Il essaie tout au contraire de tenir le cap, au large, au milieu de courants contraires.

Fidélité à la vie, au départ c'est certain. Cependant, une fois que le processus est enclenché, la fidélité à l'art est de plus grande allégeance. L'événement n'a jamais eu lieu comme il est dépeint, le nombre des naufragés est inexact ; le cannibalisme est réduit à une référence littéraire — le groupe du Père et du Fils a une très mince justification documentaire, celui formé autour du tonneau n'en a aucune. Voyez, le radeau a été nettoyé, comme s'il attendait la visite officielle d'un monarque à l'estomac délicat : les lambeaux de chair humaine ont été écartés avec un soin de ménagère, les cheveux de tous ces hommes sont aussi minutieusement peignés que les poils d'un pinceau neuf.

Comme Géricault approchait de l'achèvement de son œuvre, les questions de forme devenaient prédominantes. Il déplace le centre d'intérêt, recadre, ajuste. L'horizon est relevé, puis abaissé (si le personnage qui appelle est en dessous de la ligne d'horizon, le radeau tout entier paraît lugubrement encerclé par la mer; s'il rompt la ligne d'horizon, se lève tout aussitôt un signe d'espoir). Géricault supprime de grandes quantités d'eau et de ciel, nous poussant, que nous le voulions ou non, sur le radeau. Il augmente la distance entre les naufragés et le bateau sauveteur. Il modifie les attitudes de ses personnages. Combien de fois, dans une peinture comprenant autant de figures majeures, celles-ci ont-elles tourné le dos aux spectateurs ?

Et quel magnifique dos ces hommes n'ont-ils pas ! Nous nous sentons un peu gênés à ce sujet, pourtant, nous ne devrions pas l'être, car la question la plus naïve se révèle souvent la plus importante. Donc, allons-y, posons-la. Pourquoi les survivants paraissent-ils être en si bonne santé ? Nous admirons le fait que Géricault ait retrouvé le charpentier de la Méduse pour lui demander de construire un modèle réduit du radeau... Mais... mais alors, s'il se donna la peine d'avoir un radeau correspondant à la réalité, pourquoi ne fit-il pas la même chose avec les passagers ? On peut comprendre pourquoi il trafiqua le personnage qui appelle : il voulait obtenir une deuxième verticale ; et aussi pourquoi il ajouta quelques cadavres supplémentaires : il désirait renforcer la structure formelle. Mais pourquoi, tout le monde — même les cadavres — doivent-ils apparaître si musclés et en... si bonne santé ? Où sont les blessures, les cicatrices, l'égarement, la maladie ? Sont-ce là des hommes qui ont bu leur propre urine, mâchouillé le cuir de leurs couvre-chefs, consommé la chair de leurs camarades ? Cinq des quinze rescapés ne survivront que peu de temps après leur sauvetage. Aussi pourquoi ceux de la toile paraissent-ils sortir en ligne droite d'une séance de culturisme ?

Quand la télévision projette des films sur les camps de concentration, les yeux — ignorants ou savants — sont toujours attirés par les figurants en pyjama. Leurs têtes peuvent être rasées, leurs épaules courbées, le vernis à ongles enlevé, ils débordent néanmoins de vigueur. Tandis que nous les regardons faire la queue sur l'écran pour un bol de soupe, dans lequel un gardien du camp crache avec mépris, nous les imaginons dans les coulisses s'empiffrant aux camions-restaurants. Est-ce que cette « Scène de naufrage » annonce déjà cette anomalie ? Avec certains peintres, nous pourrions effectivement nous poser la question. Mais pas avec Géricault, le portraitiste des fous, des cadavres, des têtes coupées. Il arrêta un jour un ami dans la rue qui avait le teint jaune à la suite d'une jaunisse pour lui dire à quel point il le trouvait beau. Un tel artiste ne devait guère s'effrayer d'une chair à l'approche de la putréfaction.

Aussi pouvons-nous encore imaginer quelque chose d'autre qu'il n'a pas peint — une « Scène de naufrage pleine de personnages émaciés, de chairs flétries, de blessures suppurantes, de joues creuses comme à Belsen. Ces sortes de détails nous auraient émus, sans difficulté, nous auraient fait pitié. L'eau salée aurait jailli de nos yeux pour s'accorder à celle de la mer sur la toile. Ici pourtant les faits auraient été trop concentrés, la peinture aurait agi sur nous trop directement. Des naufragés amaigris se trouveraient sur le même registre sentimental que le papillon, le premier nous incitant à une désolation facile et le second à une facile consolation. Ce truc fonctionne sans difficulté.

Mais la réponse que cherchait Géricault est bien au-delà de la pitié ou de l'indignation. Même si ces émotions peuvent être prises en cours de route, comme des auto-stoppeurs. En dépit du sujet, cette « Scène de naufrage » est pleine de muscles, chargée de dynamisme. Les personnages sur le radeau sont pareils aux vagues : sous eux, mais aussi à travers eux, bouillonne l'énergie de l'océan. S'ils avaient été peints épuisés, à la manière réaliste, ils n'auraient été que des gouttes d'écume, au lieu d'être des courants formels. Car l'œil est remorqué — pas incité, pas persuadé, mais halé — jusqu'au sommet du personnage qui appelle, pour redescendre ensuite dans le creux où se trouve le vieillard désespéré, en passant auparavant par le cadavre couché du premier plan, qui, enfoncé dans l'eau, relie l'énergie humaine à celle de la mer. C'est parce que les personnages sont suffisamment robustes pour transmettre cette force que la toile libère en nous des émotions plus profondes, enfouies sous la surface, qu'elle peut nous faire traverser les courants sous-marins de l'espoir et du désespoir, de la joie, de la panique et de la résignation.

Qu'est-il arrivé ? Le bateau a lâché les amarres de l'histoire. Ce n'est pas une « Scène de naufrage », ce n'est plus bien sûr, « Le Radeau de la Méduse ».

Nous n'imaginons pas seulement les horribles souffrances supportées sur cet engin de mort, nous n'en
devenons pas seulement les malheureux passagers,
ceux-ci se sont aussi incarnés en nous. Le secret de
ce tableau repose dans la forme de l'énergie qu'il
dégage. Regardons-le une fois de plus. Grâce à ces
dos musclés, tendus en direction du point minuscule
que forme à l'horizon le bateau sauveteur, peut être
construite une puissante masse énergétique. Et toute
cette tension, à quelle fin ? Il n'y a pas de réponse
explicite au mouvement essentiel de cette peinture,
comme il n'y en a pas non plus à la plupart des
humains. C'est vrai bien sûr pour l'espoir, mais aussi
pour tous nos sentiments profonds : ambition, haine,
amour (tout particulièrement l'amour). Combien
rarement nos émotions rencontrent l'objet qu'elles
semblent mériter ? Regardez comme nous appelons
sans espoir, comme le ciel est sombre, comme les
vagues sont hautes. Nous sommes perdus en mer,
tous autant que nous sommes, oscillant entre espoir
et désespoir, appelant ce qui peut fort bien ne jamais
venir nous secourir. La catastrophe est devenue
œuvre d'art. Ça n'a rien à voir avec un processus
réducteur : c'est une libération, un élargissement,
une explication. La catastrophe devient œuvre d'art,
c'est après tout sa raison d'exister.

Qu'en est-il alors de cette catastrophe originelle,
le Déluge ? Eh bien, l'iconographie du commandant Noé a commencé à se développer, comme
nous pouvons l'imaginer. Pour la première douzaine de siècles chrétiens, ou même plus, l'Arche
(habituellement représentée comme une simple

boîte ou un sarcophage afin d'indiquer clairement que le salut de Noé est une préfiguration de la sortie du Christ du sépulcre) apparaît très souvent dans les manuscrits enluminés, les vitraux et les sculptures religieuses. Noé était quelqu'un d'extrêmement populaire : nous le trouvons sur les portes de bronze de San Zeno à Vérone, sur la façade ouest de la cathédrale de Nîmes et sur celle orientée à l'est de Lincoln ; il navigue sur une fresque dans le Campo Santo de Pise et sur une autre à Santa Maria Novella à Florence ; il jette l'ancre à Monréale, dans le Baptistère de Florence et à Saint-Marc de Venise.

Mais où se trouvent les grandes peintures, les tableaux célèbres que ces images auraient dû engendrer ? Que s'est-il passé — le Déluge se serait-il asséché ? Pas exactement, mais les eaux ont été détournées par Michel-Ange. À la chapelle Sixtine, l'Arche (qui ressemble maintenant davantage à un kiosque à musique qu'à un bateau) pour la première fois perd sa prééminence dans la composition : elle est rejetée sur la droite, à l'arrière-plan. Au premier plan, se trouvent les figures angoissées de ceux qui ont été condamnés à périr dans les flots, alors que les heureux élus, Noé et sa famille vont être sauvés. L'accent est mis ici sur ceux qui sont perdus, abandonnés, les pécheurs rejetés, les déchets de Dieu. (Devons-nous supposer que Michel-Ange, le rationaliste, fut pris de pitié devant la condamnation discriminatoire d'un Dieu impitoyable ? Ou alors, en homme pieux, remplit-il le contrat qu'il avait passé avec la papauté, selon

lequel il devait nous montrer ce qui nous attendait
si nous ne parvenions pas à améliorer notre conduite ? Peut-être son choix au fond était-il purement esthétique — l'artiste préférant les corps
contorsionnés des damnés à une nouvelle représentation respectueusement traditionnelle de l'Arche
en bois.) Quoi qu'il en soit, Michel-Ange réorienta,
revivifia le sujet. Baldassare Peruzzi s'engagea dans
son sillage, Raphaël fit de même ; peintres et illus-
trateurs s'intéressèrent de plus en plus aux rejetés
et de moins en moins aux élus. Cette innovation
devint tradition, l'Arche elle-même s'éloignera
donc de plus en plus, reculant vers l'horizon, exactement comme l'*Argus* le fit lorsque Géricault arriva
à la fin de son travail. Les vents continuent de souffler, les flots de s'agiter, mais l'Arche, finalement,
atteint l'horizon et disparaît. Dans « Le Déluge » de
Poussin, le bateau est absent, a disparu ; tout ce qui
nous est laissé, c'est le groupe tourmenté de ceux
qui ne savent pas nager, ceux que Michel-Ange et
Raphaël mirent pour la première fois en évidence.
Le vieux Noé, toutes voiles dehors, sort de l'histoire
de l'art.

Trois réactions à cette « Scène de naufrage » :
a) Les critiques du Salon se plaignirent que,
bien qu'ils fussent familiers des événements représentés par la peinture, il n'y avait aucune indication interne permettant de découvrir la nationalité
des victimes, les cieux sous lesquels se déroulait la
tragédie, ni la date à laquelle celle-ci était survenue. C'était, évidemment, toute la question.

b) Delacroix, en 1855, rappelle la réaction qu'il eut presque quarante ans plus tôt en voyant pour la première fois surgir le radeau de la *Méduse*: « L'impression que j'en reçus fut si vive qu'en sortant de chez lui (Géricault) je revins toujours courant et comme un fou jusque dans la rue de la Planche où je demeurais au fond du faubourg Saint-Germain. »

c) Géricault sur son lit de mort lança à quelqu'un qui faisait allusion à sa peinture : « Bah ! Une vignette ! »

Et nous y voilà — le moment de souffrance extrême sur le radeau, pris en charge, transformé, justifié par l'art, changé en une image puissante et vibrante, image vernie, encadrée, mise sous verre, accrochée dans un musée célèbre pour éclairer notre condition humaine, fixée, définitive, toujours là. Est-ce donc là ce que nous avons ? Eh bien, non. Les gens meurent et les radeaux pourrissent. Les œuvres d'art n'échappent pas à la loi commune. La construction chargée d'émotion de Géricault, cette oscillation entre espoir et désespoir, est encore soulignée par les pigments utilisés. En effet, le radeau contient des zones violemment éclairées, qui contrastent avec des surfaces obscures. Aussi, pour rendre les ombres aussi noires que possibles, Géricault utilisa une quantité importante de bitume afin d'obtenir ce noir sombre et chatoyant qu'il cherchait. Le bitume, cependant, est une couleur chimiquement instable, donc, depuis le jour où Louis XVIII regarda la toile, une lente et implacable détérioration de la surface peinte est en œuvre. « À peine né, la pourriture commence, dit Flaubert. » Ce chef-d'œuvre, une fois achevé, n'en reste pas là : il continue son mouvement vers le bas. Les experts de la peinture de Géricault les plus qualifiés affirment que la toile est « maintenant une véritable ruine ». Sans doute, s'ils se donnaient la peine d'examiner le cadre, ils y trouveraient des vers de bois.

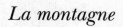

La montagne

Tic, tic, tic, tic. Tac. Tic, tic, tic, tic. Tac. On aurait dit une pendule avec un joli petit raté, le temps soudain se mettant à délirer. Ce serait de circonstance, songea le colonel. Mais ce n'était pas ça. Et il devenait indispensable de s'accrocher à ce qu'on savait, jusqu'au bout. Tout particulièrement à la fin. Il savait qu'il ne s'agissait pas du temps. Ce n'était pas le temps, pas même le bruit lointain d'une horloge.

Le colonel Fergusson, couché dans la chambre carrée et froide de sa maison carré et froide, à cinq kilomètres de Dublin, écoutait le tic-tac au-dessus de sa tête. Il était une heure du matin, par une nuit de novembre sans vent de 1837. Sa fille Amanda était assise à côté de son lit et lui offrait un profil rigide aux lèvres boudeuses. Elle lisait les pages d'un quelconque charabia religieux. Près de son coude, la chandelle brûlait avec une flamme régulière, contrairement à ce que lui avait dit des battements de son cœur ce médecin transpirant, au nom suivi de plusieurs lettres.

C'était une provocation, voilà ce que c'était,

pensait le colonel. Couché là, sur son lit de mort, il se préparait à l'oubli, et sa fille restait assise tout à côté, en train de lire la dernière brochure du pasteur Noé. Il montrerait son active opposition, jusqu'à la fin. Le colonel Fergusson avait depuis longtemps renoncé à comprendre quoi que ce soit. Comment était-il possible que son enfant préféré ait pu ne pas hériter de son instinct ni même des idées qu'il avait eues tant de peine à tirer au clair ? C'était agaçant. S'il ne l'avait pas adorée, il aurait traité sa fille de petite sotte crédule. Et pourtant, en dépit de tout, en dépit de cette réfutation vivante venant de sa propre chair, il croyait encore à la marche en avant du monde, à l'élévation de l'homme, à la mort des superstitions. Tout cela était en fin de compte fort déroutant.

Tic, tic, tic, tic. Tac. Le tic-tac continuait là-haut. Quatre, cinq tics, bien nets, un silence, puis un écho affaibli. Le colonel savait que ce bruit distrayait Amanda de sa lecture, bien qu'elle n'en laissât rien paraître. S'il pouvait prendre conscience de telles choses, c'était tout simplement parce qu'il avait vécu tant d'années dans son intimité. Il aurait parié que son nez n'était pas vraiment plongé dans le Révérend Abraham. Et c'était bien entendu sa faute à elle s'il la connaissait si bien, s'il en était ainsi. Il l'avait poussée à partir, afin qu'elle puisse se marier avec ce lieutenant dont il n'arrivait jamais à se souvenir du nom, qui l'avait demandée en mariage. Elle avait argumenté à propos de cela aussi. Elle avait dit qu'elle aimait son père bien plus que ce prétendant en uniforme. Le colonel avait répondu que ce n'était pas une bonne raison et qu'un jour elle aurait sa mort sur les bras. Elle s'était mise à pleurer et avait dit qu'il n'était pas bien de parler de cette manière. Et pourtant n'avait-il pas eu raison en fin de compte ? C'était bien parti pour qu'on en arrive là, n'est-ce pas ?

Amanda Fergusson reposait maintenant son livre sur ses genoux et regardait le plafond d'un air inquiet. Cet insecte était un messager. Tout le monde savait que son bruit annonçait la mort de quelqu'un dans une maison avant la fin d'une année. C'était la sagesse des nations. Elle regarda de côté pour voir si son père était encore éveillé. Le colonel Fergusson avait les yeux clos et respirait par le nez aussi puissamment et régulièrement qu'un soufflet. Mais Amanda le connaissait trop pour ne pas le soupçonner de faire semblant. Ça lui ressemblerait tout à fait. Il lui avait toujours joué des tours.

Comme cette fois où il l'avait, par une journée éventée de février 1821, emmenée à Dublin. Amanda avait dix-sept ans et elle emportait partout avec elle un carnet de croquis, comme elle le faisait maintenant pour ses brochures religieuses. Elle avait été récemment fort excitée par la nouvelle de l'exposition à Bullock's Egyptian Hall à Piccadilly, à Londres, du grand tableau de M. Jerricault, de huit mètres de long sur six mètres de haut, représentant, sur leur radeau, les survivants de la frégate française la *Méduse*. Entrée un shilling, brochure six pence. Cinquante mille visiteurs payèrent pour voir ce nouveau chef-d'œuvre de l'art étranger, montré en même temps que la magnifique collection, exposée

en permanence, de vingt-cinq mille fossiles de
Mr. Bullock, et de son Pantherion d'animaux sauvages empaillés. Ces jours-ci la toile était arrivée à
Dublin où on pouvait la voir à la Rotunda. Entrée un
shilling, huit pence, brochure cinq pence.

Amanda avait été choisie parmi ses frères et sœurs
à cause de ses dons précoces en aquarelle — tout au
moins c'était l'excuse officielle qu'avait donnée le
colonel Ferguson pour satisfaire une fois de plus sa
naturelle préférence. Toutefois ils n'étaient pas allés,
comme promis, à la Rotunda, mais s'étaient rendus
à une attraction rivale, dont la publicité était apparue dans le *Saunder's News-Letter & Daily Advertiser.*
En vérité, celle-ci montrait que le grand tableau de
M. Jerricault ne triomphait pas à Dublin comme il
l'avait fait à Londres. Le colonel Fergusson emmena
sa fille au Pavillon, où ils assistèrent au Panorama
péristréphérique et maritime du naufrage de la frégate française la Méduse et du sauvetage du radeau
de mort, réalisé par Messrs Marshall : places assises
devant, un shilling, huit pence, places à l'arrière, dix
pence, les enfants paient demi-tarif pour les places
de devant. « L'atmosphère du Pavillon est toujours
maintenue agréable et confortable, grâce à des
poêles brevetés. »

Alors que la Rotunda montrait simplement une
surface colorée de huit mètres sur six, ici on vous
offrait six cent cinquante mètres carrés de toile
mobile. Un immense tableau, ou plutôt une série
de tableaux se déroulaient peu à peu : non pas simplement une scène, mais l'histoire entière du naufrage passa devant eux. Les épisodes succédaient

aux épisodes, tandis que des lumières colorées faisaient chatoyer la toile : un orchestre soulignait
l'aspect dramatique des événements. Le public ne
ménageait pas ses applaudissements et le colonel
Fergusson donna quelques coups de coude bien
appuyés à sa fille lors de scènes particulièrement
réussies. Dans le sixième tableau, ces malheureux
Français, sur le radeau, étaient représentés dans des
attitudes fort semblables à celles qui avaient été
d'abord dessinées par M. Jerricault. Mais combien
plus somptueusement ! Il y avait du mouvement,
des lumières colorées, une musique d'accompagne-
ment, dont le colonel donna le titre sans nécessité à
sa fille. Il s'agissait de « Vive Henrico ! »

« C'est l'avenir, remarqua le colonel avec enthousiasme en quittant le Pavillon. Les peintres vont
devoir affûter sérieusement leurs pinceaux. »

Amanda ne répondit pas, mais la semaine suivante elle retourna à Dublin avec une de ses sœurs
et, cette fois, se rendit à la Rotunda. Là, elle admira
beaucoup la toile de M. Jerricault. Celle-ci, bien
qu'immobile, contenait, à son avis, mouvements,
lumière et, d'une certaine manière, de la musique
aussi — en vérité elle en contenait même plus que
ne le faisait le vulgaire Panorama. À son retour, elle
le dit carrément à son père.

Le colonel Fergusson secoua la tête avec indulgence devant cette impertinence, cette obstination,
mais garda le silence. Le 5 mars, cependant, il informa avec désinvolture sa fille favorite d'une nouvelle parue dans le *Saunder's News-Letter* annonçant
que Mr. Bullock avait ramené — avait été obligé de

ramener selon l'interprétation du colonel — le prix
d'entrée de son spectacle immobile à dix pence
maximum. À la fin de ce mois, le colonel Fergusson
signala que la Rotunda, où était exposée la peinture
française, avait été obligée de fermer ses portes par
manque de visiteurs, alors que le Panorama péristréphérique de Messrs Marshall continuait à être présenté trois fois par jour à un public douillettement
installé près de poêles brevetés.

« C'est l'avenir », répéta en juin de cette même
année le colonel, après avoir assisté au spectacle de
clôture du Pavillon.

« La nouveauté à elle seule n'est pas une preuve
de valeur », répliqua sa fille avec un air par trop
suffisant pour quelqu'un de si jeune.

Tic, tic, tic, tic. Tac. Le faux sommeil du colonel
Fergusson devint plus agité. Bon Dieu, pensait-il,
c'est quand même difficile de mourir. On ne vous
laisse même pas vous en occuper comme vous
l'aimeriez. Il faut mourir comme le veulent les
autres. C'est extrêmement ennuyeux, quelle que
soit l'affection qu'on leur porte. Le colonel ouvrit
les yeux et se prépara à fustiger sa fille pour la
énième occasion au cours de leur vie ensemble.

« C'est l'amour, dit-il brusquement. Rien d'autre. »
Le regard d'Amanda descendit du plafond où il
était fixé. La jeune femme, les yeux baignés de
larmes, fixa l'autre côté de la pièce. « Ce n'est, bon
Dieu, que l'appel du xestobium rufovillosum, ma
fille. C'est aussi simple que cela. Si tu mets un de ces
petits trucs dans une boîte et que tu tapotes sur la
table avec un crayon, il se conduira exactement de

la même manière. Il pensera que tu es une de ses femelles et cognera sa tête contre la boîte pour essayer de te retrouver. À propos, pourquoi n'as-tu pas épousé ce lieutenant quand je te l'ai demandé ? Une foutue désobéissance. ». Il tendit le bras pour prendre la main de sa fille.

Mais celle-ci ne répondit pas. Ses yeux continuaient de déborder, tandis que le tic-tac au plafond se prolongeait. Le colonel Fergusson fut enterré dans les formes avant la fin de l'année. Les prédictions du docteur et celles de l'insecte, appelé communément horloge de la mort, coïncidèrent sur ce point.

La douleur d'Amanda causée par la perte de son père fut encore aggravée à la pensée du statut ontologique du colonel. Est-ce que le refus obstiné de son père de reconnaître le plan divin — ainsi que son utilisation inconsidérée du nom du Tout-Puissant, même sur son lit de mort — signifiait qu'il était maintenant retenu dans les ténèbres extérieures, dans quelque région glacée, non chauffée par des poêles brevetés ? Miss Fergusson savait que le Seigneur était juste, mais il était aussi miséricordieux. Ceux qui acceptaient ses commandements étaient, bien sûr, jugés de la façon la plus pointilleuse selon la loi, alors que les pauvres sauvages ignorants, plongés dans la nuit de la jungle — qui ne pouvaient bien entendu avoir trouvé la lumière — seraient traités avec bienveillance. C'est ainsi qu'une seconde chance leur serait accordée. Mais est-ce que la catégorie des sauvages ignorants comprenait les occupants de maisons froides et carrées aux environs de

Dublin ? Est-ce que la douleur qui flagelle les
incroyants toute leur vie, à la pensée de l'oubli, doit
être exacerbée par une autre souffrance, pour les
punir d'avoir nié l'existence du Seigneur ? Miss
Fergusson craignait qu'il puisse en être ainsi.

Comment son père avait-il pu manquer de
reconnaître Dieu, Son éternel dessein, Sa bonté
fondamentale ? La preuve de ce plan, de sa bienveillance, se manifeste d'une manière éclatante
dans la nature. Celle-ci fut créée par Dieu pour le
plaisir de l'homme. Ce qui ne signifie pas, comme
certains le pensent, que l'homme peut saccager,
avec insouciance, la nature pour trouver ce qu'il
cherche. Bien au contraire, la nature mérite le plus
grand respect, étant donné qu'elle est une création
divine. Mais Dieu a créé l'homme dans la nature et
Il l'a mis en elle comme une main dans un gant.
Bien souvent, Amanda pensait aux nombreux fruits
des champs, à quel point ils sont variés, et pourtant
comme ils sont adaptés aux besoins de l'homme.
Par exemple, il est plus facile de grimper aux arbres
portant des fruits comestibles — étant donné qu'ils
sont moins grands — qu'à ceux de la forêt. Les
fruits fragiles, lorsqu'ils sont mûrs, tels que l'abricot,
la figue ou la mûre, qui pourraient s'abîmer en tom-
bant, se trouvent par conséquent à ne toute petite
distance du sol, alors que les fruits nettement plus
durs, qui ne risquent pas d'éclater au moment de
leur chute, comme les cacaos, les noix ou les châ-
taignes, se trouvent à une hauteur considérable.
Certains fruits, les cerises et les prunes par exemple,
sont adaptés à la bouche ; d'autres, comme les

pommes et les poires, à la main ; d'autres encore,
comme le melon, sont plus gros, afin de pouvoir
être partagés en famille. Et d'autres, finalement,
comme la citrouille, atteignent une taille suffisante
pour qu'on puisse en offrir aux voisins. Beaucoup
de ces grands fruits d'ailleurs sont marqués de
sillons extérieurs dans le sens vertical, afin de
rendre leur partage bien plus facile.

Là où Amanda découvrait dans le monde la
volonté divine, un ordre bienveillant et une justice
rigoureuse, son père ne voyait que chaos, hasard,
méchanceté. Pourtant, ils regardaient tous les deux
le même monde. Au cours de leurs innombrables
controverses, Amanda lui demanda un jour de
considérer la condition de la famille Fergusson, qui
vivait ensemble unie par les liens d'affection puissants, et de lui dire s'il pensait que tout cela était la
conséquence du chaos, du hasard, de la méchanceté. Le colonel Fergusson, qui ne pouvait supporter l'idée d'apprendre à sa fille que la famille
humaine prend sa source dans la même énergie
qui fait qu'un insecte lance sa tête contre les parois
de sa boîte, répondit qu'à son avis les Fergusson
étaient un heureux accident. Sa fille répliqua alors
qu'il y avait bien trop d'heureux accidents dans ce
monde pour qu'ils soient réellement le fait du
hasard.

D'une certaine manière, se disait Amanda, ça
dépend comment on perçoit les choses. Son père
voyait dans un simulacre vulgaire, fait de lumières
colorées et de musique facile, un vrai portrait de la
grande tragédie maritime ; alors qu'à ses yeux à

elle, la réalité était bien mieux sentie dans une simple toile immobile, recouverte de pigments colorés. En réalité, pourtant, c'était une question de foi. Quelques semaines plus tard, après leur visite au Panorama péristréphérique, son père ramait lentement sur le lac sinueux de la propriété voisine de lord F. lorsque surgit à son esprit un curieux rapprochement. Il se mit à attaquer sa fille, à cause de sa croyance en la réalité de l'Arche de Noé. Quant à lui, il parlait sur un ton sarcastique de ce mythe du Déluge. Amanda ne fut nullement décontenancée par la charge. Elle riposta en demandant à son père s'il croyait à la réalité du Pantherion de bêtes sauvages empaillées de Mr. Bullock, situé dans sa galerie égyptienne à Piccadilly. Le colonel, pris au dépourvu, répondit que bien sûr il y croyait. Sur quoi sa fille afficha un étonnement amusé. En effet, elle croyait à la réalité de quelque chose prescrit par Dieu et décrit dans un livre d'Écritures saintes, lues et apprises par cœur pendant des milliers d'années, alors que lui croyait à la réalité de quelque chose écrit dans les pages du *Saunder's News-Letter & Daily Advertiser*, information que les gens très probablement auraient oubliée le lendemain matin. Lequel des deux, insista-t-elle avec dans les yeux un regard inutilement moqueur, était le plus crédule ?

Ce fut à l'automne de 1839, après de longues réflexions, qu'Amanda Fergusson demanda à Miss Logan de l'accompagner dans une expédition à Arghuri. Miss Logan était une femme vigoureuse avec apparemment un bon sens pratique. D'une dizaine d'années plus âgée que Miss Fergusson, elle avait eu un faible pour le colonel, sans que la surface des eaux de la discrétion ne soit troublée un seul instant. D'une manière sans doute plus pratique, elle avait aussi voyagé en Italie quelques années auparavant, alors qu'elle était employée par sir Charles B.

« Je regrette de ne pas connaître l'endroit, répondit Miss Logan, quand on lui en parla la première fois. Est-ce beaucoup plus loin que Naples ?

— C'est sur les contreforts du mont Ararat, dit Miss Fergusson. Ce nom d'Arghuri vient de deux mots arméniens qui signifient "il a planté la vigne". C'est là que Noé est revenu à ses activités de cultivateur après le Déluge. Une ancienne souche de vigne, plantée des propres mains du Patriarche, produit toujours du raisin. »

Miss Logan cacha son étonnement devant ce curieux petit discours, mais se sentit obligée de s'informer plus avant. « Et pourquoi irions-nous là-bas ?

— Afin d'intercéder pour l'âme de mon père. Il y a un monastère dans la montagne.

— C'est un long voyage.

— Je crois qu'il est parfaitement approprié.

— Je vois. » Miss Logan resta tout d'abord pensive, puis s'anima. « Et boirons-nous du vin là-bas ? » Elle se souvenait de ses voyages en Italie.

« C'est interdit, répliqua Miss Fergusson. La tradition l'interdit.

— La tradition ?

— Le Ciel, alors. Le Ciel l'interdit en souvenir

de la faute commise par le Patriarche à cause de la vigne. » Miss Logan, qui avait accepté obligeamment qu'on lui fasse la lecture de la Bible, mais qui n'avait guère l'envie d'en tourner elle-même les pages, exprima momentanément une certaine confusion. « L'ivresse, expliqua Miss Fergusson. L'ivresse de Noé.

— Bien sûr.

— Les moines d'Arghuri ont le droit de manger le raisin, mais non celui de le faire fermenter.

— Je vois.

— Il y a aussi un vieux saule, engendré par une des planches de l'Arche de Noé, qui se dresse à cet endroit.

— Je vois. »

Donc, c'était décidé. Elles partiraient au printemps pour éviter les risques de malaria qui menacent à d'autres saisons. Elles emporteraient chacun un bois de lit pliable, un matelas et un oreiller gonflable, elles prendraient un peu d'essence de gingembre d'Oxley, un peu d'opium, de la quinine, des poudres Sedlitz ; un encrier portatif, une boîte d'allumettes et de l'amadou ; des ombrelles contre le soleil et des ceintures en flanelle pour se préserver des crampes d'estomac durant la nuit. Après un certain nombre de discussions, elles décidèrent de n'emporter en voyage ni baignoire portative ni percolateur breveté. Mais elles trouvèrent indispensable de prendre avec elles des cannes à bout ferré, un grand couteau pliant, de solides fouets de chasse pour disperser les légions de chiens qu'elles se préparaient à rencontrer, et une petite lanterne de police, étant donné qu'on les avait prévenues que les lanternes turques en papier étaient de peu d'utilité dans les ouragans. Elles emportèrent des imperméables et de grands manteaux, supposant que le rêve de soleil perpétuel de lady Mary Wortley Montagu risquait fort de ne point se réaliser pour des voyageuses moins célèbres. Miss Logan trouvait que la poudre de fusil était le cadeau le plus indiqué pour les paysans turcs et du papier à lettres pour les personnes des classes supérieures. Une boussole ordinaire, qu'on lui avait conseillé d'emporter, offrirait l'occasion agréable de montrer au musulman la direction exacte vers laquelle se tourner au moment de sa prière. Mais Miss Fergusson n'était guère pressée d'aider les païens dans leur fausse adoration. Finalement, ces dames mirent dans leurs bagages deux petites bouteilles de verre qu'elles avaient l'intention de remplir avec le jus de raisins écrasés provenant de la vigne de Noé.

Elles voyagèrent sur le bateau à vapeur du gouvernement, de Falmouth à Marseille, s'en remettant ensuite aux moyens de transports français. Au début mai, elles étaient reçues par l'ambassadeur britannique à Constantinople. Comme Miss Fergusson expliquait le but et la destination de leur voyage, le diplomate la dévisagea : une femme aux cheveux noirs, au seuil de l'âge mûr, avec des yeux sombres, globuleux, des joues rougeâtres, plutôt pleines, qui poussaient les lèvres en avant pour leur donner une sorte de moue. Pourtant, elle n'était rien de moins plus voluptueuse. Son expression naturelle apparaissait un mélange de certitude et de pudibonderie, un mélange qui laissait l'ambassadeur totalement indifférent. Il saisissait en gros ce qu'elle disait sans cependant jamais lui accorder toute son attention.

« Ah ! dit-il à la fin, le bruit a couru il y a quelques années qu'un Russe avait réussi à monter au sommet de la montagne.

— Parrot, lança Miss Fergusson sans sourire. Ce n'était pas un Russe, à ce qu'il me semble. Mais le Dr Friedrich Parrot, professeur à l'université de Dorpat. »

L'ambassadeur fit un petit signe de tête en diagonale, comme s'il était, à son avis, légèrement impertinent de savoir plus de choses que lui sur les questions locales.

« Il m'apparaît approprié et juste, poursuivit Miss Fergusson, que le premier voyageur à escalader cette montagne, sur laquelle l'Arche est venue se poser, ait porté le nom d'un animal. Sans aucun doute, cela fait partie du grand dessein que le Seigneur a conçu pour nous tous.

— Sans doute, sans doute », répliqua l'ambassadeur en regardant dans la direction de Miss Logan pour essayer de lire dans ses yeux un indice sur la vraie personnalité de son employeur. « Sans doute. »

Elles restèrent une semaine dans la capitale ottomane. Ce ne fut pas suffisant pour que Miss Logan s'habitue aux regards audacieux qu'on lui lançait à la table d'hôte. Puis les deux dames se remirent entre les mains de la Favaid-i-Osmaniyeh, une compagnie de navigation turque dont les vapeurs assuraient le service jusqu'à Trébizonde. Le bateau était comble et paraissait à Miss Logan bien plus sale que tout ce qu'elle avait pu voir jusqu'à présent. Elle s'aventura sur le pont le premier matin et fut alors abordée, non pas par un, mais par trois galants potentiels qui avaient les uns et les autres les cheveux bouclés et dégageaient un puissant parfum de bergamote. Dès cet instant, Miss Logan, qui pourtant avait été engagée pour son expérience des voyages, s'enferma dans sa cabine. Miss Fergusson affirmait ne pas remarquer ce genre de choses et être, en revanche, extrêmement intéressée par la mêlée des passagers de troisième classe ; elle revenait à l'occasion avec une observation ou une petite question destinée à sortir Miss Logan de son état morbide. Pourquoi, aurait aimé savoir Miss Fergusson, les femmes turques sont-elles toutes rassemblées sur le côté gauche du gaillard d'arrière ? Y avait-il quelque intention, liée aux mœurs ou à la religion, cachée derrière cette disposition ? Miss Logan était incapable de fournir la moindre réponse. Maintenant que Naples était loin derrière elles, elle se sentait de moins en moins en sécurité. Au moindre relent de bergamote, elle frissonnait.

Lorsque Miss Logan s'était laissé persuader de faire le voyage de Turquie orientale, elle avait sous-estimé l'opiniâtreté de Miss Fergusson. Le muletier qui se préparait à fuir, l'aubergiste voleur, le douanier retors se trouvaient les uns et les autres mis en face de cette même volonté inébranlable. Miss Logan ne savait plus combien de fois on avait

bloqué leurs bagages. Combien de fois on leur avait
dit qu'un *buyurulda* (une autorisation spéciale) était
nécessaire en plus du *tezkare* qu'elles s'étaient déjà
procuré. Pourtant Miss Fergusson, avec l'aide d'un
drogman dont les velléités d'indépendance du début
ne firent pas long feu, harcelait, exigeait, obtenait.
Elle ne se fatiguait jamais de parler de tout selon la
mode du pays. Elle s'asseyait, par exemple avec un
propriétaire et répondait patiemment à des questions telles que celles-ci : Est-ce que l'Angleterre est
plus petite que Londres et laquelle des deux est une
possession française ? De combien la marine turque
est-elle plus importante que celle de l'Angleterre,
de la Russie et de la France réunies ?

Miss Logan avait par ailleurs imaginé que leur
voyage, malgré son but religieux explicite, pouvait
offrir l'agréable occasion d'un grand nombre de dessins. C'était cette activité qui avait tout d'abord créé
une relation entre l'employeur et sa compagne. Malheureusement les vestiges de l'Antiquité n'avaient
guère de charme pour Amanda Fergusson. Elle
n'avait aucune envie de visiter les temples païens
consacrés à Auguste, ou les colonnes en ruine, éri-
gées, supposait-on, en l'honneur de l'empereur
Julien l'Apostat. Cependant, elle manifestait un certain intérêt pour les paysages naturels. Tandis que,
parties de Trébizonde, elles chevauchaient vers
l'intérieur des terres, les fouets de chasse à portée de
main en prévision des bandes de chiens, elles aperçurent des chèvres angoras sur des collines plantées
de chênes nains, de vignes d'un jaune terne, de
pommiers luxuriants. Elles entendirent les saute-

relles qui émettaient des sons bien plus aigus et plus insistants que ceux de leurs cousines anglaises. Elles assistèrent à des couchers de soleil baignés des pourpres et des roses les plus rares. Il y avait aussi des champs de céréales, de pavots à opium, de cotonniers. Des jaillissements soudains de fleurs de rhododendrons, d'azalées jaunes ; des apparitions de perdrix aux pattes rouges, de huppes et de corneilles bleues. Dans les montagnes du Zirgana, de grands cerfs au pelage roux, à bonne distance, leur retournaient leurs regards.

À Erzurum, Miss Logan parvint à convaincre son employeur de visiter l'église chrétienne. Son insistance se révéla tout d'abord fort heureuse, car dans le cimetière Miss Fergusson découvrit des pierres tombales et des croix dont l'aspect celtique lui rappela celles de son Irlande natale. Un sourire d'approbation passa sur ses traits sévères. Mais cette bonne humeur inattendue fut de courte durée. En quittant l'église, les deux dames remarquèrent une jeune paysanne qui plaçait une offrande dans une crevasse située près de la porte principale. Il apparut qu'il s'agissait d'une dent humaine, et sans aucun doute celle de la jeune paysanne elle-même. La crevasse, après plus ample examen, se révéla être remplie d'incisives jaunissantes et de molaires cariées. Miss Fergusson s'exprima avec force sur le sujet des superstitions populaires dont la responsabilité incombait, bien sûr, au clergé. Ceux qui prêchaient la parole de Dieu, déclara-t-elle, seraient jugés selon la parole de Dieu et punis d'autant plus sévèrement s'ils ne s'y étaient pas conformés.

Elles passèrent en Russie et engagèrent au poste frontière un nouveau guide ; un grand Kurde barbu, qui disait connaître les besoins des étrangers. Miss Fergusson s'adressa à lui dans ce qui semblait à Miss Logan être un mélange de russe et de turc. Le moment où son bon italien leur avait été utile était depuis longtemps passé. Ayant commencé le voyage en tant que guide et interprète, elle se sentait tomber peu à peu dans le rôle de comparse, avec un statut qui n'était guère plus reluisant que celui du drogman renvoyé ou du Kurde nouvellement engagé.

Comme ils s'enfonçaient tous les trois dans le Caucase, ils firent peur à des pélicans, dont la maladresse au sol se transformait miraculeusement en vols magnifiques. L'irritation de Miss Fergusson après l'incident d'Erzurum commençait à se calmer. En passant l'éperon est du mont Alageuz, les deux dames regardèrent avec beaucoup d'intensité la large masse du mont Ararat qui se révélait lentement à elles. Le sommet caché était entouré d'un cercle de nuages blancs qui chatoyaient sous la lumière du soleil.

« C'est une auréole, s'exclama Miss Logan. Comme celle qu'ont les anges.

— Vous avez effectivement raison, acquiesça Miss Fergusson en hochant la tête. Des gens comme mon père ne seraient pas d'accord, bien entendu. Ils nous diraient que nos comparaisons ne sont possibles que grâce à l'air chaud. Rien de plus. » Elle adressa alors un petit sourire à Miss Logan. Celle-ci prit un air interrogateur qui l'invitait à poursuivre.

« Ils nous expliqueraient que ce halo est un phénomène parfaitement naturel. Durant la nuit et pendant quelques heures après le lever du jour, le
sommet reste parfaitement visible, mais comme la
plaine se réchauffe au soleil matinal, l'air allégé
monte et se transforme en vapeur à une hauteur
bien précise. À la fin de la journée, quand l'atmosphère se refroidit de nouveau, le halo disparaît.
Cela n'a rien d'étonnant pour… la science, dit-elle,
en accentuant avec un ton méprisant le dernier
mot.

— C'est une montagne magique, s'exclama Miss
Logan.

— C'est une montagne sacrée », corrigea son
employeur. Puis, après un petit soupir impatient,
elle ajouta : « Il semble qu'il y ait toujours deux
explications pour toute chose. C'est pourquoi nous
avons le libre arbitre afin de pouvoir choisir la
bonne. Mon père ne se rendait pas compte que ses
explications se fondaient autant que les miennes
sur la foi. La foi en rien. Pour lui, ce n'était que
vapeur d'eau et nuages s'élevant dans l'air. Mais qui
a créé la vapeur, qui a créé les nuages ? Qui a fait en
sorte que la montagne de Noé, parmi toutes les
autres, soit chaque jour bénie grâce à une auréole
de nuages ?

— Effectivement », dit Miss Logan, sans être
entièrement convaincue.

Ce jour-là, elles rencontrèrent un prêtre arménien qui leur apprit que la montagne vers laquelle
elles se dirigeaient n'avait jamais été escaladée et
que de plus elle ne le serait jamais. Quand Miss

Fergusson avança poliment le nom du Dr Parrot, le prêtre lui assura qu'elle se trompait. Peut-être confondait-elle Massis — c'est ainsi qu'il parlait du mont Ararat — avec le volcan situé au sud, celui que les Turcs appellent Sippan Dagh. L'Arche de Noé, avant de trouver son point d'ancrage final, avait heurté le sommet du Sippan Dagh et l'avait décapité, amenant au jour les feux intérieurs de la terre. Cette montagne, croyait-il, était accessible à l'homme, mais pas Massis. Sur ce sujet, même si c'était le seul, chrétiens et musulmans étaient d'accord. En outre, poursuivit le prêtre, n'était-ce pas prouvé par les Écritures saintes ? La montagne qu'ils avaient devant eux était le lieu de naissance du genre humain. Il renvoyait ces dames, en s'excusant lui-même avec un rire patelin de faire allusion à un sujet délicat, à l'autorité des mots de Notre-Seigneur à Nicodème : dans ces paroles, il est précisé qu'un homme ne peut entrer une seconde fois dans la matrice de sa mère et naître de nouveau.

Comme les dames se préparaient à partir, le prêtre sortit de sa poche une petite amulette noire, polie par le frottement des siècles. C'était, affirmait-il, un morceau de bitume qui, sans doute possible, avait appartenu à la quille de l'Arche de Noé, de sorte que cette relique avait le pouvoir immense d'éloigner le mal. Puisque ces dames avaient exprimé leur intérêt pour la montagne de Massis, alors peut-être…

Miss Fergusson répondit à cette proposition en faisant remarquer poliment que, si en vérité il était impossible d'escalader la montagne, il deve-

nait difficile de croire que cette amulette pouvait
être un morceau de bitume provenant du vaisseau
du Patriarche. L'Arménien, cependant, ne voyait
aucune incompatibilité entre ces deux affirmations. Peut-être un oiseau l'avait-il apporté, comme la colombe avait apporté la branche d'olivier,
ou peut-être était-ce un ange. Est-ce que la tradition ne rapporte pas que saint Jacques avait essayé
à trois reprises d'escalader Massis et qu'à la troisième fois un ange lui avait interdit de le faire en
lui donnant cependant une planche provenant de
l'Arche ? Et n'était-ce pas à l'endroit où il l'avait
reçue qu'il avait fondé le monastère de Saint-
Jacques ?

On se sépara sans conclure d'affaire. Miss Logan,
gênée par les mots de Notre-Seigneur à Nicodème,
préférait penser à la place au bitume. N'était-ce
pas ce matériau qu'utilisaient les artistes peintres
pour noircir les ombres de leurs tableaux ? Miss
Fergusson, de son côté, avait été fortement irritée :
d'abord par la tentative de donner une signification
stupide à un passage des Écritures et deuxièmement
par la conduite ouvertement mercantile du prêtre.
Elle n'était pas encore convaincue des mérites du
clergé d'Orient, qui non seulement favorisait les
croyances dans le pouvoir miraculeux des dents
humaines, mais faisait véritablement le trafic des
fausses reliques. C'était monstrueux. Ces gens
seraient punis pour ça. Sans aucun doute, ils le
seraient. Miss Logan regarda son employeur avec
inquiétude.

Le lendemain, ils traversèrent une plaine aride,

où ne poussaient que des roseaux et une herbe
rare. On apercevait heureusement de temps à autre
des colonies d'outardes et les tentes noires de
nomades kurdes. Elles s'arrêtèrent pour la nuit
dans un petit village, à une journée de voyage à pied
de la montagne. Après un repas composé de fromage gras et crémeux, de truite saumonée salée,
provenant du Gokchaï, les deux femmes restèrent
debout dans le noir, respirant des effluves à l'odeur
d'abricot et regardant la montagne de Noé. La
chaîne devant eux se composait de deux sommets
séparés : le grand Ararat, une masse épaisse, aux
contreforts puissants, ressemblant à un dôme soutenu par des arcs-boutants, et le petit Ararat, quelque
deux mille cinq cents mètres plus bas, un cône élégant, avec des pentes douces et régulières. Miss
Fergusson ne pensait pas faire preuve d'une trop
grande imagination en percevant le rapport de
forme et de taille des deux Ararat, une anticipation
de cette division primordiale existant dans la race
humaine entre les deux sexes. Elle ne fit pas part de
sa réflexion à Miss Logan qui s'était révélée désagréablement fermée aux idées transcendantales.

Comme pour confirmer son tour d'esprit basse-
ment terre à terre, Miss Logan, à ce moment-là, fit
savoir qu'elle s'était toujours interrogée avec curiosité depuis son enfance sur la manière dont l'Arche
avait réussi à se poser sur le sommet d'une montagne. Est-ce que le pic s'était dressé dans l'eau
pour percer la coque, de manière à embrocher le
navire et à le maintenir en place ? Car, si ce n'était
pas le cas, comment l'Arche aurait-elle pu éviter de

descendre une pente abrupte au moment où les eaux se retiraient ?

« D'autres bien avant vous se sont posé la même question, répliqua Miss Fergusson avec une absence d'indulgence caractéristique. Marco Polo soutenait que la montagne avait la forme d'un cube, ce qui aurait, bien évidemment, expliqué les choses. Mon père aurait probablement été d'accord avec lui si ce sujet avait retenu son attention. Mais nous voyons ici que ce n'est pas le cas. Ceux qui ont escaladé le pic du grand Ararat nous apprennent que juste en dessous du sommet il y a une vallée légèrement en pente. Elle est, spécifia-t-elle, comme si Miss Logan n'aurait pu autrement comprendre de quoi il s'agissait, approximativement de la moitié de la taille de Green Park à Londres. En tant que lieu de débarquement, cette plaine serait à la fois naturelle et sûre.

— Ainsi, l'Arche ne s'est pas posée sur le sommet lui-même ?

— Les Écritures ne le prétendent nullement.

Alors qu'elles approchaient d'Arghuri, situé à plus de deux mille mètres au-dessus du niveau de la mer, la température s'adoucit. À quatre kilomètres en dessous du village, elles rencontrèrent les premières plantations sacrées du Père Noé. La vigne venait de finir de fleurir et de minuscules raisins vert sombre se mêlaient par endroits au feuillage. Un paysan posa sa lourde binette et conduisit les voyageuses inattendues au doyen du village. Celui-ci reçut le cadeau de poudre des dames avec des remerciements polis, mais sans montrer de surprise. Miss Logan fut d'une certaine manière fâchée de ces sortes de civilités. L'ancien se conduisait comme s'il avait l'habitude que des Anglaises lui offrent de la poudre.

Miss Fergusson restait quant à elle polie et efficace. Il fut décidé qu'on les conduirait en fin d'après-midi au monastère de Saint-Jacques. Elles reviendraient ensuite passer la nuit au village, pour retourner le lendemain faire leurs dévotions à l'église.

Le monastère était situé près du ruisseau d'Arghuri, au bas de la grande gorge qui monte presque jusqu'au sommet de la montagne. Il était constitué d'une église en forme de croix, dont les pierres avaient été taillées dans de la lave. De petites habitations à l'aspect varié se pressaient contre ses flancs, comme la portée d'une truie. Alors que les voyageuses entraient dans la cour, elles aperçurent un prêtre d'âge moyen, qui les attendait debout ; la coupole de Saint-Jacques se dressait derrière lui. Il était habillé d'une simple soutane de serge bleue, avec le capuchon en pointe de l'ordre des Capucins ; il avait une longue barbe poivre et sel, et portait aux pieds des chaussettes perses en laines de couleur et des savates. Une de ses mains tenait un rosaire, tandis que l'autre était posée sur sa poitrine, en signe de bienvenue. Quelque chose poussait Miss Logan à s'agenouiller devant le pasteur de l'église de Noé, mais la présence hostile de Miss Fergusson, qui considérait comme « latines » un grand nombre d'attitudes religieuses, l'en détourna.

La cour ressemblait plutôt à celle d'une ferme

qu'à celle d'un monastère. Des sacs de grains étaient abandonnés négligemment contre un mur ; trois moutons avaient quitté le pré voisin pour venir paître ici et personne ne pensait à les chasser. Une odeur fétide montait du sol. En souriant, l'archimandrite les invita à venir dans sa cellule qui se révéla être une des petites constructions appuyées contre les murs extérieurs de l'église. Tandis qu'il dirigeait les deux femmes dans le dédale d'une douzaine de cours, l'archimandrite se permit de prendre le coude de Miss Fergusson afin de la guider. Ce geste courtois était de toute évidence absolument inutile.

La cellule du moine avait des murs épais en argile et un plafond en plâtre, supporté au centre par un solide poteau. Une icône assez grossière, représentant un saint non identifié, pendait au-dessus d'une paillasse. Les odeurs de la cour parvenaient jusqu'ici. Pour Miss Logan, cet endroit paraissait merveilleusement simple, pour Miss Fergusson, il était sordide. La conduite de l'archimandrite suscita également des interprétations différentes : Miss Logan y voyait une aimable candeur, tandis que Miss Fergusson ne percevait qu'obséquiosité et ruse. Il apparut à Miss Logan que son employeur avait peut-être épuisé son stock de politesses durant le long voyage qui les avait amenées au mont Ararat et qu'elle se trouvait maintenant plongée dans un froid détachement. Quand l'archimandrite leur proposa de passer la nuit au monastère, elle refusa sèchement ; lorsqu'il insista pour leur offrir l'hospitalité, elle devint brusque.

L'archimandrite continuait de sourire et son attitude paraissait encore à Miss Logan particulièrement bienveillante. À ce moment-là, un serviteur entra, portant un plateau rustique sur lequel étaient posées trois coupes en corne. De l'eau du ruisseau d'Arghuri, pensa Miss Logan, ou peut-être de ce lait aigre que leur avaient offert, à de nombreuses reprises durant leur voyage, d'obligeants bergers. Mais le serviteur revint un instant plus tard avec une outre de vin et, sur un signe, versa ce breuvage dans les coupes en corne. L'archimandrite leva la sienne en direction des femmes et but une grande rasade ; sur quoi, son serviteur lui remplit sa coupe.

Miss Fergusson trempa ses lèvres dans le vin avant de poser quelques questions à l'archimandrite, questions qui provoquèrent de sérieuses appréhensions chez Miss Logan. Son inquiétude était encore exacerbée par le temps que mettait le guide à les traduire.

« C'est du vin, n'est-ce pas ?

— Effectivement. » Le prêtre sourit, comme s'il encourageait les femmes à se laisser séduire par ce goût bien particulier à la région, qui visiblement était encore inconnu dans leur pays lointain.

« C'est fait avec du raisin ?

— Exactement, madame.

— Dites-moi, où poussent donc les raisins qui ont servi à faire ce vin ? »

L'archimandrite leva les mains et fit un grand cercle autour de lui pour indiquer les environs.

« Et ces vignes, qui ont produit ce raisin, qui les a donc plantées ?

— Notre grand ancêtre, notre aïeul, notre parent à tous, Noé. »

Miss Fergusson résuma le dialogue qui avait eu lieu jusqu'ici sans véritable nécessité, pensa sa compagne. « Vous nous servez donc le jus fermenté des vignes de Noé ?

— C'est un honneur pour moi, madame », dit l'archimandrite en souriant de nouveau. Il semblait s'attendre, sinon à de chauds remerciements, au moins à quelque expression d'étonnement. Tout au contraire, Miss Fergusson se leva, prit la coupe intacte de Miss Logan et la sienne, les rendit au serviteur et, sans un mot, quitta la cellule de l'archimandrite. Elle traversa si rapidement la cour que trois moutons la suivirent. Et elle se mit alors à redescendre la montagne. Miss Logan fit quelques vagues gestes d'excuse au prêtre, puis partit sur les traces de son employeur. Elles traversèrent sans échanger la moindre parole des vergers remplis d'abricotiers couverts de fruits ; elles passèrent sans s'arrêter à côté d'un berger qui leur tendait un bol de lait ; en silence elles retournèrent au village où Miss Fergusson, retrouvant finalement l'usage d'une politesse intéressée, demanda au doyen du village s'il pouvait leur fournir un logement sans retard. Le vieillard leur proposa sa propre maison, la plus grande d'Arghuri. Miss Fergusson le remercia et lui offrit un petit paquet de sucre qu'on accepta d'un air grave.

Ce soir-là, dans leur chambre, on disposa sur une table basse, guère plus grande qu'un pupitre à musique, des nourritures. Il y eut du *loch*, le pain non levé de la région, du mouton froid coupé en morceaux, des œufs durs écaillés, coupés en deux, et des arbouses. On ne leur servit pas de vin, soit parce que c'était la coutume de cette maison, soit parce que le vieillard avait eu vent de leur visite au monastère. À la place, elles burent une fois de plus du lait de chèvre.

« C'est un blasphème, dit finalement Miss Fergusson. Un vrai blasphème. Sur la montagne de Noé. Il vit comme un fermier. Il invite des femmes à rester avec lui. Il fait fermenter le raisin du Patriarche. C'est un blasphème.

Miss Logan se garda bien de répondre, encore plus de prendre la défense de l'aimable archimandrite. Elle se souvint cependant que la tournure qu'avait prise leur visite les avait privées de l'occasion de regarder le vieux saule qui s'était mis à pousser à partir d'une planche de l'Arche.

« Nous escaladerons la montagne, dit Miss Fergusson.

— Mais nous n'avons aucune idée de ce genre d'escalade.

— Nous escaladerons la montagne. Le péché doit être lavé avec de l'eau. Les péchés du monde ont été lavés grâce aux eaux du Déluge. C'est un double blasphème que commet ce moine. Nous remplirons nos bouteilles avec la neige fondue de la montagne sacrée. Le pur jus de la vigne de Noé, que nous étions venues chercher, est devenu impur. Nous ramènerons à la place de l'eau lustrale. C'est la seule manière de purifier ce voyage. »

Miss Logan hocha la tête, en signe d'acceptation apeuré plutôt qu'en signe d'accord.

Elles quittèrent le village d'Arghuri le matin du 20 juin, dans l'année de Notre-Seigneur 1840, uniquement accompagnées de leur guide kurde. L'ancien du village expliqua avec ménagement que les villageois croyaient que cette montagne était sacrée et que personne ne devait s'aventurer plus haut que le monastère de Saint-Jacques. Il partageait lui-même cette croyance. Il n'essaya pas de convaincre les voyageuses de renoncer à leur escalade, mais il insista pour prêter un pistolet à Miss Fergusson. Elle accrocha l'arme à sa ceinture, bien qu'elle n'ait pas l'intention, ne possédant pas les connaissances nécessaires, de s'en servir. Miss Logan portait un petit sac de citrons, ainsi qu'on le leur avait également conseillé.

Les dames chevauchaient avec leurs ombrelles blanches ouvertes pour se protéger du soleil matinal. Regardant le sommet, Miss Fergusson remarqua que le halo de nuages commençait à se former autour de la montagne. Un miracle journalier, se dit-elle. Pendant plusieurs heures, elles eurent l'impression de n'avancer que fort peu ; elles traversaient une région désolée de sable fin et d'argile jaunâtre, interrompue seulement çà et là par quelques épineux rabougris. Miss Logan aperçut plusieurs papillons et de nombreux lézards. Toutefois elle se sentait secrètement déçue en constatant que fort peu de créatures descendues de l'Arche venaient au-devant d'elles pour se faire admirer. Elle avait, elle l'admettait bien sûr, imaginé bêtement que les collines de la mon-

tagne ressembleraient à une sorte de jardin zoologique. Mais n'avait-on pas dit aux animaux d'aller et
de se multiplier ? Ils avaient sans doute obéi…

Elles s'enfoncèrent dans des ravins rocheux dont
aucun ne contenait le moindre filet d'eau. Apparemment, il s'agissait d'une montagne aride, aussi sèche
qu'une colline de craie dans le Sussex. Puis, un peu
plus haut, à leur grande surprise, apparurent soudain des pâturages verts, des buissons de roses, aux
teintes délicates. Elles contournèrent un gros rocher
et tombèrent sur un petit campement — trois ou
quatre abris grossiers, avec des murs de roseaux
tressés et des toits noirs faits de peaux de chèvre.
Miss Logan fut un peu inquiète à l'apparition
brusque de ce groupe de nomades, dont on apercevait le troupeau un peu plus bas, sur la colline, mais
Miss Fergusson dirigea son cheval droit sur eux. Un
homme à l'air féroce, aux cheveux emmêlés, ressemblants au toit de sa propre demeure, leur tendit un
bol rustique. Il contenait du lait aigre, mélangé avec
de l'eau. Miss Logan en but un peu avec quelque
nervosité. Elles hochèrent la tête en signe de remerciement, sourirent et continuèrent leur chemin.

— Trouvez-vous que ce soit là un geste naturel
d'hospitalité ? » demanda Amanda Fergusson brusquement.

Miss Logan considéra cette étrange question.
« Oui », répondit-elle, car elles avaient auparavant
eu l'occasion de rencontrer un grand nombre
d'exemples de ce genre de conduite.

— Mon père aurait dit que c'était purement et
simplement une réaction animale destinée à détour-

ner la colère des étrangers. Cette croyance était
pour lui un article de foi. Il aurait trouvé que ces
nomades ressemblaient à des coléoptères.

— À des coléoptères ?

— Mon père s'intéressait aux coléoptères. Il m'a
dit que, si l'on en mettait un dans une boîte et que
l'on tape sur le couvercle, l'insecte frapperait à son
tour, pensant qu'il avait à faire à un congénère
s'offrant en mariage.

— Je ne vois pas en quoi ces gens pourraient
être considérés comme des coléoptères », dit Miss
Logan, en prenant cependant bien soin d'indiquer par son ton que c'était un avis purement personnel, qui n'avait rien de désobligeant pour le
colonel Fergusson.

— Moi non plus. »

Miss Logan n'arrivait pas à bien comprendre
l'état d'esprit de son employeur. Ayant parcouru
cette énorme distance afin d'intercéder pour son
père, elle semblait maintenant constamment chercher querelle à son ombre. Dès les premières
pentes abruptes du grand Ararat, elles entravèrent
leurs chevaux et les attachèrent à des épineux.

À partir d'ici, elles continueraient à pied. Miss
Fergusson, son ombrelle déployée, son pistolet à la
ceinture, ouvrait le chemin avec la démarche assu-
rée de la vertu ; Miss Logan, son sac de citrons bal-
lotant contre elle, luttait afin de ne pas se laisser
distancer, tandis que le terrain devenait de plus
en plus escarpé ; le guide kurde, écrasé sous les
bagages, fermait la marche. Il leur faudrait passer

deux nuits dans la montagne si elles voulaient atteindre la limite des neiges.

Elles avaient grimpé dur tout l'après-midi et, un peu avant sept heures du soir, alors que le ciel prenait une douce teinte abricot, elles se reposèrent sur une avancée rocheuse. Tout d'abord, elles n'identifièrent pas le bruit ni ce qu'il signifiait. Elles étaient simplement conscientes d'un grondement sourd, une sorte de grognement émis par le granit, bien que son origine, qu'il vint d'en bas ou d'en haut, ne semblât pas évidente. Ensuite le sol sous leurs pieds commença à vibrer, puis arriva un bruit semblable à un coup de tonnerre, un coup de tonnerre interne, étouffé, terrifiant, comme pourrait être le cri d'un dieu primitif, souterrain, protestant contre son emprisonnement. Miss Logan jeta un coup d'œil craintif à son employeur. Amanda Fergusson dirigeait ses jumelles vers le monastère de Saint-Jacques. Elle avait sur le visage une expression de plaisir guindé, qui choqua sa compagne. Miss Logan était myope, ce fut par conséquent davantage grâce aux traits de Miss Fergusson qu'à ses observations personnelles qu'elle finit par comprendre ce qui se passait. Quand on lui offrit enfin les jumelles, elle put facilement confirmer que tous les toits, que tous les murs de l'église, du monastère et de la petite communauté, qu'elles avaient quittée ce matin même, avaient été mis par terre par la terrible secousse.

Miss Fergusson bondit sur ses pieds et reprit allégrement l'ascension.

« N'allons-nous pas aller aider les survivants ? demanda Miss Logan, l'air perplexe.

— Il n'y en aura pas », répliqua son employeur, ajoutant sur un ton plus sec : « C'est un châtiment qu'ils auraient dû prévoir.

— Un châtiment ?

— Pour avoir désobéi. Pour avoir fait fermenter les fruits de la vigne de Noé. Pour avoir construit une église et y venir blasphémer. » Miss Logan regarda Amanda Fergusson avec inquiétude, ne sachant trop comment exprimer le point de vue qu'à son humble et ignorant esprit ce châtiment apparaissait excessif. « Cette montagne est sacrée, dit froidement Miss Fergusson. C'est la montagne sur laquelle s'est posée l'Arche de Noé. Un petit péché est un grand péché dans un tel lieu. »

Miss Logan suffoquée garda le silence ; elle suivit simplement son employeur qui s'engageait dans une coulée de rochers. Au sommet, Miss Fergusson l'attendit puis se tourna vers elle. « Vous supposiez que Dieu ressemble au premier président de la cour à Londres. Vous espériez une longue explication. Le Dieu de cette montagne est le dieu qui n'a sauvé que Noé et sa famille, parmi toute la population du monde. Souvenez-vous-en. »

Miss Logan se sentit sérieusement perturbée par ces observations. Est-ce que Miss Fergusson comparait le tremblement de terre qui avait démoli le village d'Arghuri au Déluge lui-même ? Faisait-elle une comparaison entre le salut de deux femmes blanches et d'un Kurde à celui de la famille de Noé ? Alors qu'elles se préparaient pour leur expé-

dition, on leur avait dit que la boussole était inutile dans des montagnes comme celles-ci, car les
rochers contenaient beaucoup trop de fer. Il apparaissait qu'on pouvait aussi perdre la boussole
d'une tout autre manière.

Que faisait-elle d'ailleurs sur la montagne de
Noé, avec ce pèlerin devenue fanatique et un paysan barbu avec lequel il lui était impossible de
communiquer, tandis que les rochers, en dessous
d'eux, explosaient comme cette poudre qu'elles
avaient apportée pour s'attirer les bonnes grâces
des chefs de village ? Tout les incitait à redescendre
et, pourtant, elles continuaient l'ascension. Le
Kurde, qu'elle s'était attendue à voir fuir au premier tremblement du sol, restait avec elles. Peut-
être avait-il l'intention de leur trancher la gorge
pendant qu'elles dormaient.

Elles se reposèrent cette nuit-là, puis continuèrent à grimper dès le lever du soleil. Leurs
ombrelles blanches se découpaient avec une étonnante netteté sur la surface rugueuse de la montagne. Ici il n'y avait que des rochers nus et des
cailloux ; seuls les lichens pouvaient pousser ; et
tout était incroyablement sec. Elles auraient pu se
croire sur la lune.

Elles grimpèrent jusqu'à ce qu'elles atteignent
les premières coulées de neige prisonnières d'une
longue crevasse sombre, sur le flanc de la montagne. Elles se trouvaient à mille mètres du pic,
juste en bas du glacier qui encercle le grand
Ararat. C'était ici que l'air, montant de la plaine, se
changeait en vapeur et formait cette miraculeuse

auréole. Le ciel, au-dessus de leurs têtes, commençait à prendre une couleur verdâtre, dans laquelle ne subsistait qu'un soupçon de bleu. Miss Logan avait très froid.

Les deux bouteilles furent remplies de neige et confiées au guide. Plus tard, Miss Logan essaierait de retrouver l'image du visage curieusement serein et sa démarche allègre tandis qu'elles redescendaient la montagne : Miss Fergusson affichait un contentement frôlant la suffisance. Elles avaient à peine parcouru une centaine de mètres — le Kurde en tête et Miss Logan fermant la marche — et étaient en train de traverser un éboulis, descente qui se révélait plus fatigante que dangereuse, quand Miss Fergusson fit un faux pas. Elle partit sur le côté et tomba la tête en avant. Elle glissa une douzaine de mètres, le long de la pente, avant que le Kurde ne parvienne à l'arrêter. Miss Logan s'immobilisa sous le coup de la surprise, car il semblait que Miss Fergusson ait perdu l'équilibre sur une partie de rocher parfaitement stable, qui n'offrait aucun péril.

Quand ils s'approchèrent d'elle, elle souriait, apparemment indifférente à la vue de son sang. Miss Logan n'aurait pas permis au Kurde de bander Miss Fergusson. Elle accepta cependant des morceaux de sa chemise pour le faire, lui demandant toutefois de tourner le dos. Après une demi-heure environ, ils parvinrent à remettre leur employeur debout et reprirent la route. Miss Fergusson s'appuyait sur le bras du guide avec une curieuse nonchalance, comme si celui-ci lui faisait faire le tour d'une cathédrale ou d'un jardin zoologique.

Ils ne parcoururent que fort peu de chemin durant le reste de la journée, car Miss Fergusson demandait fréquemment à se reposer. Miss Logan calcula la distance à laquelle devaient être attachés leurs chevaux. Elle n'en fut guère encouragée. À l'approche de la nuit elles tombèrent sur deux petites grottes que Miss Fergusson compara à l'empreinte du pouce de Dieu sur la montagne. Le Kurde y pénétra le premier, prudemment, pour découvrir s'il n'y avait pas de bêtes sauvages, puis leur fit signe d'entrer. Miss Logan prépara les lits et administra une petite dose d'opium à sa compagne ; le guide, après lui avoir fait quelques gestes incompréhensibles, disparut. Il revint une heure plus tard avec quelques buissons rabougris qu'il était parvenu à arracher aux rochers. Il fit un feu ; Miss Fergusson s'allongea, but un peu d'eau et s'endormit.

Quand elle se réveilla elle dit qu'elle se sentait faible et que ses os lui paraissaient raides sous la peau. Elle n'avait pas faim et n'avait aucune force. Ils restèrent dans la grotte tout au long de cette journée, supposant que l'état de Miss Fergusson se serait amélioré le lendemain matin. Miss Logan se mit à réfléchir aux changements qui s'étaient opérés chez son employeur depuis qu'elles étaient arrivées sur la montagne. Leur but, en venant ici, était d'intercéder pour l'âme du colonel Fergusson. Cependant, jusqu'ici, elles n'avaient pas prié ; Amanda Fergusson paraissait encore se disputer

avec son père ; tandis que le dieu dont elle se récla-
mait si volontiers n'apparaissait pas être de la sorte
qui pardonnerait facilement au colonel son obstination pécheresse contre la lumière. Est-ce que Miss
Fergusson s'était rendu compte, ou tout au moins
avait supposé, que l'âme de son père était perdue,
condamnée, rejetée ? Est-ce ce qui était arrivé ?

À la tombée de la nuit, Miss Fergusson demanda
à sa compagne de quitter la grotte, elle voulait parler au guide. Cette requête paraissait inutile, étant
donné que Miss Logan ne connaissait pas le
moindre mot de turc, de russe, de kurde ou quelle
que soit la sorte de mélange qu'utilisaient ces deux-
là pour communiquer : néanmoins, elle fit ce qu'on
lui disait. Elle resta debout, à l'extérieur, à regarder
une lune crémeuse et à craindre que quelque
chauve-souris ne vienne se prendre dans ses cheveux.

« Déplacez-moi, s'il vous plaît, afin que je puisse
voir la lune. » Ils la levèrent doucement, comme si
elle était une vieille dame, et la placèrent plus près
de l'entrée. « Vous partirez demain matin à l'aube.
Que vous reveniez ou non, c'est sans importance. »
Miss Logan acquiesça. Elle ne voulait pas discuter,
car elle savait qu'elle ne pouvait gagner, et elle ne
pleura pas non plus, parce qu'elle savait qu'on la
réprimanderait. « Je me rappellerai les Écritures
saintes et attendrai la volonté de Dieu. Sur cette
montagne, la volonté de Dieu est des plus claires. Je
ne peux imaginer un lieu plus favorable pour être
réunie à lui. »

Miss Logan et le Kurde la veillèrent tour à tour

cette nuit-là. La lune, maintenant presque pleine, éclairait le sol de la grotte à l'endroit où était couchée Amanda Fergusson. « Mon père aurait sans doute voulu un peu de musique en plus », dit-elle à un moment donné. Miss Logan sourit pour montrer son accord, ce qui irrita son employeur. « Vous ne pouvez absolument pas savoir à quoi je fais allusion. » Miss Logan acquiesça tout aussitôt une deuxième fois.

Il y eut un silence. L'air froid était chargé des odeurs du feu de bois. « Il pensait que les peintures doivent bouger. Avec des lumières, de la musique et des poêles brevetés. Il pensait que c'était l'avenir. » Miss Logan, guère plus informée qu'auparavant, pensa plus prudent de ne pas répondre. « Mais ce n'était pas le futur. Regardez la lune. La lune n'a besoin ni de musique ni de lumière colorée. »

Miss Logan marqua néanmoins un point lors d'une petite discussion juste avant le départ — bien plus d'ailleurs grâce à des gestes qu'à des mots. On laissa en effet à Miss Fergusson les deux bouteilles de neige fondue. Elle accepta aussi deux citrons. Au point du jour, Miss Logan, portant maintenant le pistolet à sa ceinture, se mit en marche dans la montagne, en compagnie du guide. Elle était pleine de résolution, mais elle restait incertaine quant à la manière de procéder. Elle pensait par exemple que, si les habitants d'Arghuri n'avaient pas voulu s'aventurer dans la montagne avant le tremblement de terre, aucun des survivants ne serait prêt à y aller maintenant. Elle risquait de devoir chercher de l'aide dans un village plus éloigné.

Les chevaux avaient disparu. Le Kurde fit un long bruit avec la gorge, qui servait probablement, pensa Miss Logan, à marquer sa déception. L'arbre auquel ils avaient été attachés était encore là, mais les chevaux avaient disparu. Elle les voyait, pris de panique au moment où le sol s'était mis à s'agiter sous eux. Ils s'étaient sans doute libérés alors, emportant leurs entraves avant de fuir la montagne. Plus tard, alors qu'elle marchait péniblement derrière le Kurde en direction du village d'Arghuri, Miss Logan pensa à une autre explication : les chevaux avaient été volés par ces nomades hospitaliers, rencontrés au matin de leur première journée.

Le monastère de Saint Jacques avait été entièrement détruit. Ils passèrent devant sans s'arrêter. Comme ils approchaient des mines d'Arghuri, le Kurde fit signe à Miss Logan de l'attendre tandis qu'il irait jeter un coup d'œil dans le village. Vingt minutes plus tard, il revenait en secouant la tête et faisant un geste compris universellement. Tandis qu'ils passaient devant les maisons en ruine, Miss Logan ne put s'empêcher d'observer que le tremblement de terre, qui avait tué tous les habitants, avait laissé intactes les vignes qui — si l'on en croyait Miss Fergusson — étaient la véritable source de leur tentation et de leur châtiment.

Il leur fallut deux jours de plus avant qu'ils n'atteignent des habitations humaines. Dans un village sur les collines, au sud-ouest, le guide la remit entre les mains d'un prêtre arménien qui parlait un français passable. Elle lui expliqua la nécessité de mettre sur pied, immédiatement, une équipe de secours et de retourner dans le grand Ararat. Le prêtre répondit que de toute évidence le Kurde organisait cette expédition en ce moment même. Il y avait aussi quelque chose dans son attitude qui suggérait que peut-être il ne croyait pas entièrement à cette histoire. Cette femme n'avait sans doute pas escaladé la plus grande partie du Massis, montagne que les paysans et les saints hommes savaient depuis toujours inaccessible.

Elle attendit toute la journée le retour du Kurde, qui, contrairement à son attente, ne revint pas ; et, lorsqu'elle s'informa le lendemain matin, on lui dit qu'il avait quitté les lieux quelques minutes à peine après l'avoir conduite à la maison du prêtre. Miss Logan était furieuse et désespérée de la conduite de ce judas. Elle le fit savoir avec force au prêtre qui lui demanda de prier pour Miss Fergusson. Miss Logan accepta, tout en se demandant quelle pouvait être l'efficacité de ces simples prières, dans une région où les gens apportaient leurs dents en offrande.

Ce n'est que quelques semaines plus tard, alors qu'elle était allongée, dans la chaleur étouffante de sa cabine sur un vapeur de Trébizonde, repoussant de saleté, que Miss Logan se dit que le Kurde, durant tout le temps qu'il avait *passé* avec elles, avait exécuté les instructions de Miss Fergusson avec le plus grand respect et la plus grande précision. De plus, elle n'avait aucun moyen de savoir ce qui s'était réellement passé entre eux deux, cette dernière nuit dans la grotte. Peut-être Miss Fergusson avait-elle demandé au guide qu'il conduise sa compagne dans un lieu sûr avant de disparaître.

Miss Logan ne put également s'empêcher de penser à la chute de Miss Fergusson. Elles traversaient à ce moment-là un éboulis. Il y avait un grand nombre de cailloux et marcher n'était pas chose facile ; pourtant, juste à cet instant elles se trouvaient sur une pente douce, son employeur se tenait, au moment où elle était tombée, sur une portion de granit à peu près plate. C'était bien sûr une montagne traversée de champs magnétiques, où une boussole ne servait à rien. Il n'était donc pas facile de garder son équilibre. Mais non, ce n'était pas ça. Au fond, elle évitait de poser la vraie question, de savoir si Miss Fergusson n'avait pas été l'instrument de sa propre chute, afin d'accomplir ou confirmer quoi que ce fût. Miss Fergusson avait soutenu, alors qu'elles se tenaient toutes les deux devant la montagne entourée de son auréole, qu'il y avait deux explications pour toute chose, que chacune d'elles demandait de toute façon un acte de foi, que c'était la raison du libre arbitre, afin que chacun puisse choisir entre les deux. C'est dans ce dilemme que s'enferma Miss Logan au cours des années suivantes.

Trois histoires simples

I

À dix-huit ans, j'étais un garçon tout à fait normal : renfermé, timide, n'ayant jamais voyagé et ricaneur ; artificiellement cultivé, sans usages du monde, émotionnellement impulsif. En tout cas, tous les autres adolescents de dix-huit ans que je connaissais étaient comme moi, aussi je supposais que j'étais normal. J'attendais d'entrer à l'université et avais trouvé une place d'instituteur dans une école privée. Les romans que j'avais lus m'incitaient à imaginer pour moi des rôles éclatants — par exemple précepteur dans un vieux château en pierre où des paons nichent dans des haies d'ifs et où l'on trouve des os d'un blanc de craie dans le souterrain muré ; un ingénu crédule dans un établissement privé et excentrique du pays de Galles, rempli d'ivrognes robustes et de débauches cachées. Il y aurait des servantes légères et des valets faciles à impressionner. On connaît la morale de l'histoire : le petit méritocrate devient horriblement infatué.

La réalité se révéla moins exotique. J'enseignai

durant un trimestre dans une boîte de rattrapage, à cinq cents mètres de chez moi. Au lieu de couler des jours oisifs avec de charmants enfants dont les mères souriantes, aux chapeaux extravagants, sauraient prendre des airs condescendants, sans pour autant renoncer à flirter lors des interminables journées, remplies de pollen, consacrées au sport, je passais mon temps avec le fils du bookmaker du coin (il me prêta son vélo que je m'empressai de démolir) et la fille d'un avocat de banlieue. Néanmoins, cinq cents mètres c'est déjà une bonne distance pour quelqu'un qui n'a jamais voyagé. Et, à dix-huit ans, les plus petites gradations dans les différences de milieux sociaux surprennent et enivrent. Une famille, évidemment, gérait l'école et tout le monde vivait dans une seule maison. Tout ici était différent, donc bien mieux : les robinets en cuivre à l'air hautain, la forme de la rampe, les authentiques peintures à l'huile (nous avions aussi une peinture à l'huile authentique mais peut-être un peu moins), la bibliothèque qui était, d'une certaine manière, autre chose qu'une pièce pleine de livres, le mobilier suffisamment vieux pour qu'on y trouve des vers de bois, et cette atmosphère détendue que procurent les choses provenant d'un héritage. Dans le hall était accrochée la pelle d'un aviron sur laquelle étaient inscrits en lettres d'or sur un fond noir les noms des huit membres d'une équipe, dont chacun avait été récompensé de ce même trophée dans les jours ensoleillés de l'avant-guerre ; cette chose paraissait incroyablement exotique. Il y avait un abri antiaérien dans le jardin de

devant qui, chez moi, aurait provoqué une gêne
certaine, qu'on aurait soigneusement camouflé
avec des plantes vivaces ; ici, ça ne provoquait
qu'une sorte d'orgueil amusé. La famille allait fort
bien avec la maison. Le père était un espion ; la
mère avait été actrice : le fils portait des cols à
boutons et des gilets croisés. Ai-je besoin d'en
dire plus ? Si j'avais à l'époque lu suffisamment de
romans français, j'aurais su ce qui m'attendait.
Naturellement, ce fut là que je tombai amoureux
pour la première fois. Mais c'est une autre histoire
ou, tout au moins, un autre chapitre.

Le grand-père qui avait fondé cette école vivait
encore sur les lieux. Ayant plus de quatre-vingt-cinq
ans, il n'avait cependant renoncé que récemment
à enseigner, lors de l'arrivée d'un de mes prédécesseurs particulièrement astucieux. On le voyait
parfois errer dans la maison, en veste de toile de
couleur crème, avec la cravate de son collège
— Gonville et Caius, il fallait le savoir évidemment —
et une casquette de chasse (qui, dans notre maison
aurait passé pour vulgaire, mais ici paraissait chic,
puisqu'elle signifiait probablement qu'on avait eu
l'habitude de chasser avec une meute). Il était à la
recherche de sa « classe » qu'il n'était jamais parvenu
à trouver et parlait du « laboratoire », qui n'était rien
d'autre qu'une arrière-cuisine avec un bec Bunsen
et de l'eau courante. Par les chauds après-midi d'été,
il s'asseyait devant la porte extérieure avec une radio
portative de la marque Roberts (entièrement en
bois, parce que, devais-je apprendre, ce matériau
donnait un son de meilleure qualité que celui des

transistors en plastique ou en métal que j'admirais), pour écouter les reportages de cricket. Il s'appelait Lawrence Beesley.

En dehors de mon arrière-grand-père, il était l'homme le plus vieux que j'aie jamais rencontré. Son âge et sa position m'amenaient à éprouver ce mélange bien connu de déférence, de crainte et d'agressivité. Sa décrépitude — les vêtements démodés et tachés, ce petit morceau de blanc d'œuf accroché à son menton — déclencha chez moi une colère d'adolescent contre la vie et notre inévitable disparition. Un sentiment qui se transforma doucement en haine pour la personne qui se trouvait dans cet état. Sa fille le nourrissait de boîtes d'aliments pour bébés, ce qui ne faisait que confirmer ma manière de considérer la vie comme une amère plaisanterie et de regarder comme particulièrement méprisable l'aspect de ce vieillard. Je lui donnais de faux résultats des matches de cricket. « 84 contre 2, Mr. Beesley », criais-je alors que je passais devant lui, tandis qu'il sommeillait dans le soleil, sous la glycine aux branchages contournés. « Antilles, 790 contre 3 », insistais-je, tandis que je lui apportais sa bouillie sur un plateau. Je lui disais les résultats de matches qui n'avaient pas été joués, de matches qui ne seraient jamais joués, des résultats imaginaires, impossibles. Il hochait la tête en signe d'acquiescement et je me glissais dehors, ricanant et ravi, en pensant à mes petites cruautés, satisfait de ne pas être ce gentil jeune homme qu'il aurait pu imaginer.

Cinquante-deux ans avant que je le rencontre,

Lawrence Beesley avait été un passager de seconde classe à bord du voyage inaugural du *Titanic*. Il avait trente-cinq ans et avait récemment abandonné son poste de professeur de sciences au Dulwich College pour traverser l'Atlantique à la poursuite, peu passionnée — tout au moins selon la légende familiale — d'une héritière américaine. Lorsque le *Titanic* heurta l'iceberg, Beesley s'échappa en empruntant le canot de sauvetage numéro treize, peu chargé, et fut sauvé par le *Carpathia*. Parmi les petits souvenirs que ce survivant octogénaire gardait dans sa chambre, il y avait une couverture sur laquelle était brodé le nom du bateau sauveteur. Les membres les plus sceptiques de la famille soutenaient que cette couverture avait reçu son inscription à une date bien plus tardive que 1912. Ils se plaisaient aussi à penser que leur ancêtre s'était échappé du *Titanic* en se déguisant en femme. N'était-il pas vrai que le nom de Beesley avait été omis de la liste initiale des survivants et qu'il avait été effectivement inclus parmi les noyés dans la liste finale des victimes ? Il est certain que ces faits étayaient solidement l'hypothèse que ce faux cadavre, transformé mystérieusement en survivant, avait enfilé des jupons et pris une voix aiguë, jusqu'à ce qu'il soit en sécurité à New York où il put, subrepticement, se débarrasser de son déguisement dans les toilettes du métro ?

Je fis mienne cette théorie avec le plus grand plaisir, parce qu'elle confirmait ma vision du monde. À l'automne de cette même année, je coinçai dans le miroir de ma chambre, à l'université, un morceau

de papier sur lequel était écrit : « La vie est une escroquerie et absolument tout le montre/C'est ce que je
pensais naguère, maintenant je le sais. » Le cas de
Beesley m'en apportait la confirmation : le héros du
Titanic était un faussaire en couvertures, un imposteur en travestis. Comme il était normal et juste
qu'en conséquence je lui donne de faux résultats de
cricket. Et à un autre niveau, les théoriciens soutiennent que la vie se résume à la survie des plus
aptes : est-ce que l'hypothèse concernant Beesley ne
prouve pas que « les plus aptes » sont tout simplement les plus rusés ? Les vrais héros, les hommes
déterminés, aux vertus viriles, les hommes de bonne
naissance, même le commandant (tout spécialement le commandant !) — tous ceux-là s'enfoncèrent noblement avec le vaisseau, alors que les
lâches, les couards, les affolés, les imposteurs trouvaient moyen de se cacher dans un canot de sauvetage. N'était-ce pas là la preuve subtile que les gènes
humains vont constamment en se détériorant, que
le mauvais sang chasse le bon ?

Lawrence Beesley ne mentionne à aucun moment
des vêtements de femme dans son livre, La *Perte du
« Titanic »*. Installé par les éditeurs américains
Houghton Mifflin dans un club luxueux de Boston,
il écrivit son récit en six semaines. Le livre fut publié
trois mois à peine après le naufrage qu'il décrit, et a
été régulièrement réimprimé depuis. Ce récit fit
de Beesley un des survivants les plus célèbres de la
catastrophe, et pendant cinquante ans — jusqu'au
moment où je l'ai rencontré — il était bien souvent
consulté par des historiens de la marine, des docu

mentalistes de cinéma, des journalistes, des chas-
seurs de souvenirs, des casse-pieds, des théoriciens
de la conspiration et des plaideurs déçus. Quand
d'autres bateaux faisaient naufrage sur des icebergs,
les journalistes lui téléphonaient afin qu'il imagine
le destin des victimes.

Quarante ans environ après sa fuite, il fut
engagé comme conseiller pour le film *A Night to
Remember,* à Pinewood. Une grande partie du film
était tournée après la tombée de la nuit, avec pour
décor la maquette du navire réduit de moitié, au
moment où il se prépare à s'enfoncer dans une
mer de velours noir froissé. Beesley regarda le
tournage avec sa fille plusieurs soirs de suite, et ce
qui suit s'appuie sur le récit qu'elle m'en a fait.
Beesley était — ce n'est pas surprenant — intrigué
par la renaissance de ce *Titanic,* une fois de plus
en train de sombrer. Il désirait ardemment faire
partie des figurants qui, désespérés, s'amassaient
contre le bastingage du navire, au moment où
celui-ci s'enfonçait dans les flots — désireux, si l'on
veut, d'éprouver dans la fiction le deuxième terme
de l'alternative que lui avait offerte l'histoire. Le
metteur en scène du film était tout aussi résolu de
faire en sorte que son conseiller, qui n'avait pas
les papiers nécessaires du syndicat des acteurs, ne
paraisse pas sur la pellicule. Beesley, champion
des mesures d'urgence, s'arrangea pour faire une
contrefaçon du laisser-passer qu'on lui demandait,
afin d'être autorisé à monter à bord de la réplique
du *Titanic.* Il s'habilla en costume d'époque (est-ce
qu'un écho prouve la vérité de ce qui a provoqué

l'écho?) et se planta au milieu des figurants. Les projecteurs furent allumés et la foule fut avertie de sa mort imminente dans les vagues de velours noir. Juste à la dernière minute, comme la caméra se préparait à filmer, le metteur en scène s'aperçut que Beesley s'était arrangé pour se faufiler près de la rambarde du navire ; s'emparant de son porte-voix, il demanda gentiment à l'imposteur amateur de bien vouloir quitter le bateau. Et ainsi, pour la seconde fois dans sa vie, Lawrence Beesley se trouva dans la situation de quitter le *Titanic,* juste avant que celui-ci ne s'abîme dans les flots.

Étant un adolescent de dix-huit ans artificielle-ment cultivé, j'étais familier des théories de Marx et de Hegel : l'histoire se déroule toujours deux fois, la première sous la forme d'une tragédie, la seconde sous la forme d'une farce. J'avais finalement trouvé une illustration de ce processus. Des années plus tard, je n'en ai pas découvert de meilleure.

II

En premier lieu, que faisait Jonas à l'intérieur de la baleine ? C'est une histoire de pêche ou de pêcheurs, comme on peut s'y attendre.

Tout a commencé lorsque Dieu a demandé à Jonas d'aller prophétiser contre Ninive, un lieu qui, en dépit des preuves substantielles de l'élimination par Dieu des mauvaises villes, continuait — obstiné-ment, inexplicablement — à être une ville mauvaise. Jonas, qui de toute évidence, pour des raisons obscures, n'avait aucune envie de faire ce travail, peut-être parce qu'il craignait d'être lapidé par ces fêtards de Ninivites, s'enfuit. À Jaffa, il s'embarqua sur le bateau qui faisait voile vers la partie la plus lointaine du monde connu : Pharsis, en Espagne. Il ne se rendait pas compte, évidemment, que le Seigneur savait exactement où il était et que, de plus, ce dernier avait un contrôle efficace sur les vents et les eaux de la Méditerranée orientale. Lorsqu'une tempête d'une rare violence commença de souffler, les marins, qu'on sait superstitieux, interrogèrent les augures pour savoir qui à bord était cause du péril. La courte paille, le mauvais domino, la reine de pique furent tirés par Jonas. On le jeta rapidement par-dessus bord et, tout aussi rapidement il fut avalé par un grand poisson, ou une baleine, que le Seigneur avait fait venir parmi les vagues dans ce but précis.

À l'intérieur de la baleine — durant trois jours et trois nuits —, Jonas jura d'obéir au Seigneur à l'avenir, il le pria avec une telle ferveur que Dieu ordonna au poisson de rejeter le pêcheur repenti. Il n'est donc pas surprenant que, lorsque le Tout-Puissant le renvoya une deuxième fois à Ninive, Jonas acceptât de faire ce qu'on lui demandait. Il alla prophétiser dans la méchante ville, disant qu'elle allait, comme toutes les autres villes méchantes de la Méditerranée orientale, être anéantie. Sur quoi, ces fêtards de Ninivites, exactement comme Jonas à l'intérieur de la baleine, commencèrent à se repentir. Sur ce, Dieu décida d'épargner la ville ; alors Jonas se fâcha tout rouge, ce qui était bien normal

pour quelqu'un qui avait été précipité dans un tas
d'ennuis pour apporter la nouvelle de la destruc-
tion, sur quoi le Seigneur, en dépit de son goût connu et devenu historique de démolir les villes,
changea d'avis et renonça à son projet. Comme si ce
n'était pas suffisant, Dieu, infatigable dans son désir
de se montrer le plus fort, combina une curieuse
parabole pour son serviteur. Tout d'abord, il fit en
sorte qu'un calebassier jaillisse du sol afin de protéger Jonas du soleil (par « calebassier » on doit comprendre quelque chose ressemblant au ricin
commun, ou *Palma Christi,* dont la croissance est
extrêmement rapide et les larges feuilles propices à
fournir de l'ombre) ; puis, avec rien d'autre qu'un
petit signe guère plus visible que le frémissement
d'un mouchoir de soie, il envoya un ver détruire
ledit calebassier, laissant Jonas désagréablement ex-
posé à la chaleur. L'explication de Dieu concernant
cette petite parade foraine est la suivante : tu n'as
pas puni le calebassier lorsqu'il t'a planté au soleil,
n'est-ce pas ; de la même manière, je ne vais pas punir Ninive.

Ce n'est pas réellement une bonne histoire.
Comme dans la plupart des pages de l'Ancien
Testament il y a un manque insupportable de libre
arbitre dans les parages — ou même de l'illusion
du libre arbitre. Dieu tient toutes les cartes dans sa
main et gagne à tous les coups. La seule incertitude
est de savoir comment le Seigneur va s'y prendre
cette fois pour jouer la partie : commencera-t-il avec
le deux d'atout pour remonter sa longue jusqu'à
l'as, ou commencera-t-il avec l'as pour descendre

jusqu'au deux, ou encore mettra-t-il les cartes sens dessus dessous ? Et, étant donné qu'on ne peut jamais savoir les réactions des schizophrènes para- noïaques, cet élément donne à la narration un cer- tain dynamisme. Mais que faire de cette histoire de calebassier ? Ce n'est pas très convaincant en tant qu'argument logique : n'importe qui peut voir la différence entre le ricin commun et une ville de cent vingt mille âmes. À moins, bien sûr, toute la question est là, que le dieu de la Méditerranée orientale ne voit rien d'autre dans sa création que des fibres végétales.

Si nous regardons Dieu, non comme le protago- niste, le moraliste tyrannique, mais comme l'auteur de cette histoire, on ne peut guère le féliciter pour l'intrigue, les motivations, le suspens, la peinture des caractères. Cependant, malgré sa moralité banale et plutôt repoussante, il y a dans cette histoire un coup de théâtre assez sensationnel — l'affaire de la baleine. Au point de vue technique, le passage avec le cétacé n'est guère bien mis en place : la bête n'est évidemment rien d'autre qu'un pion, exactement comme Jonas ; son apparition providentielle, au moment où les marins jettent notre héros par-dessus bord, sent un peu trop fort le *deus ex machina ;* et ce grand poisson est sans ménagement rayé de l'his- toire dès l'instant où sa fonction narrative est rem- plie. Même le calebassier semble mieux loti que la pauvre baleine, qui n'est rien d'autre qu'une prison flottante dans laquelle Jonas doit passer trois jours afin d'expier son mépris du tribunal. Dieu, d'un cla- quement de doigts, fait venir çà et là la prison de blanc de baleine, comme un amiral déplace sa flotte sur une carte maritime, dans un jeu de stratégie militaire.

Et cependant, en dépit de tout, la baleine séduit. Nous oublions le côté allégorique de l'histoire (Babylone avalant le désobéissant Israël), nous ne nous inquiétons guère de savoir si Ninive a été sauvée ou non, ou ce qui est arrivé au pêcheur régurgité ; mais nous nous souvenons de la baleine. Giotto nous la montre ayant déjà avalé Jonas jusqu'aux cuisses, avec seulement les genoux et les pieds qui s'agitent. Bruegel, Michel-Ange, Corrège, Rubens et Dali ont peint cette histoire. À Gouda, il y a un vitrail de Jonas au moment où celui-ci quitte la gueule du poisson, comme un piéton sort des mâchoires d'un ferry-boat. Jonas (dont le portrait peut être n'importe quoi, celui d'un faune musclé ou d'un vieillard barbu) a une iconographie dont la qualité, la variété pourraient rendre Noé jaloux.

Qu'est-ce qui nous fascine dans l'aventure de Jonas ? Est-ce le moment où il est avalé, cette oscillation entre danger et salut lorsque nous nous imaginons être miraculeusement sauvés du péril de la noyade pour découvrir celui d'être mangé vivant ? Est-ce les trois jours et les trois nuits passés dans le ventre de la baleine, cette image de l'enfermement, de l'étouffement, de la crainte d'être enterré vivant ? (Une fois, ayant pris le train de nuit de Londres pour me rendre à Paris, je me suis trouvé enfermé dans un compartiment fermé à clé, bloqué lui-même dans le ventre d'un ferry-boat enfoncé dans l'eau ; je n'ai pas pensé à Jonas à ce moment-là, mais peut-être que ma panique avait quelque chose à voir avec la sienne. Et y a-t-il une peur plus classique que celle de l'image du blanc de baleine palpitant, qui engendre la terreur de se voir réintroduit dans la matrice une seconde fois ?) Sommes-nous plus frappés par la troisième partie de l'histoire, la délivrance, la preuve qu'il y a un salut, une justice après l'enfermement du purgatoire ? Comme Jonas, nous sommes ballottés dans la tempête qui fait rage sur les mers de la vie, nous sommes condamnés à une mort manifeste et à un enterrement certain, mais nous sommes aussi soumis à une résurrection aveuglante, au moment où les portes du ferry-boat basculent et que nous sommes rendus à la lumière pour découvrir l'amour de Dieu. Est-ce à cause de cela que ce mythe continue de flotter dans nos mémoires ?

Peut-être ou peut-être pas. Quand le film *Les Dents de la mer* est sorti, il y eut de nombreuses tentatives pour expliquer l'emprise qu'il exerçait sur le public. Renvoyait-il à quelque métaphore primordiale, à quelque rêve réellement typique, connu du monde entier ? Exploitait-il les éléments opposés de la terre et de l'eau, donnant pâture à notre angoisse concernant les êtres amphibies ? Était-il en relation, d'une manière ou d'une autre, avec le fait que des millions d'années plus tôt nos ancêtres, dotés de branchies, sortirent de l'eau en rampant, si bien que depuis nous sommes paralysés par l'idée de devoir y retourner un jour ? Le romancier anglais Kingsley Amis, réfléchissant sur le film et ses possibles interprétations, en arrive à la conclusion suivante : « C'est qu'on est sacrément effrayés d'être bouffés par un foutu requin. »

Au fond, c'est ça l'emprise que l'histoire de Jonas et de la baleine a encore sur nous : la peur d'être dévorés par une énorme créature, la peur d'être avalés, ingurgités, déglutis, arrosés d'une bonne gorgée d'eau salée, avec quelques anchois en garniture ; la peur d'être aveuglés, plongés dans le noir, étouffés, noyés, emprisonnés par du blanc de baleine ; la crainte d'être privés de sensations, ce qui, on le sait, rend fou l'être humain ; la crainte de mourir. Notre réaction est aussi vive que celle des générations précédentes qui ont été effrayées par la mort, depuis que cette histoire a été inventée par quelques marins sadiques désireux de terrifier le mousse récemment attaché à l'équipage.

Evidemment, nous sommes tous d'accord pour admettre que cette histoire ne peut avoir aucun lien avec la vérité. Nous sommes des hommes modernes, nous pouvons dire la différence entre un mythe et la réalité. Une baleine peut avaler un homme, d'accord. C'est plausible, mais une fois à l'intérieur, cet homme ne pourrait absolument pas vivre. D'abord, il se noierait ou, s'il ne se noyait pas, il serait étouffé, et plus probablement il mourrait d'une crise cardiaque lorsqu'il sentirait la grande bouche se refermer sur lui. C'est impossible pour un homme de survivre dans le ventre d'une baleine. Nous savons parfaitement distinguer les mythes de la réalité. Nous sommes des hommes modernes.

Le 25 août 1891, James Bartley, un marin de

trente-cinq ans, appartenant au bateau *Star of the East,* fut avalé, au large des îles Malouines, par un cachalot :

Je me souviens parfaitement du moment où je suis tombé du bateau et que j'ai senti mes pieds s'enfoncer dans quelque chose de mou. J'ai levé les yeux et j'ai vu une sorte de dais à grosses côtes, rose et blanc, descendre vers moi. Puis, je me suis senti entraîné vers le bas, les pieds en avant, et je me suis rendu compte que j'étais avalé par une baleine. Je descendais de plus en plus bas, entouré d'un mur de chair, qui m'encerclait de tous côtés, cependant la pression n'était pas douloureuse et la chair se distendait facilement, comme une sorte de caoutchouc, au moindre de mes mouvements.

Brusquement, je me retrouvai dans un sac bien plus grand que mon corps, totalement plongé dans le noir. Je tâtonnai autour de moi ; mes mains entrèrent en contact avec plusieurs poissons, dont certains paraissaient encore vivants, car ils se tortillaient sous mes doigts et glissaient à mes pieds. Bientôt, je souffris d'un terrible mal de tête et ma respiration devint de plus en plus difficile. En même temps, je ressentis une terrible chaleur qui semblait me consumer et qui devenait de plus en plus forte. Mes yeux devinrent comme des braises dans mes orbites et je croyais à ce moment-là que j'étais condamné à périr dans le ventre d'une baleine. Cela me tourmentait au-delà de tout ce qu'on peut imaginer, tandis qu'en même temps le terrible silence de cette horrible prison m'écrasait. J'essayai de me lever, de remuer mes bras et mes jambes, de crier. Mais il ne m'était plus possible d'agir, pourtant mes idées m'apparaissaient anormalement claires et, avec une totale compréhension de ma terrible destinée, je perdis finalement conscience.

La baleine fut tuée peu après et ramenée contre le *Star of the East*, dont l'équipage, inconscient de la proximité de leur camarade perdu, passa le reste du jour et une partie de la nuit à dépiauter leur capture. Le lendemain matin, ils attachèrent un appareil de levage au ventre du poisson et le hissèrent sur le pont. Il apparut alors qu'il y avait un léger mouvement spasmodique à l'intérieur. Les marins, s'attendant à trouver un grand poisson, ou peut-être même un requin, ouvrirent le ventre de leur victime et découvrirent James Bartley : il était inconscient. Son visage, son cou, ses mains, étaient devenus tout blancs par l'effet des fluides gastriques. Mais il était vivant. Il resta deux semaines à délirer, puis commença à aller mieux. À la longue, il retrouva une santé normale, si l'on omet le fait que les acides avaient supprimé la pigmentation de sa peau sur toutes les parties du corps qui avaient été soumises à leur action. Il resta albinos jusqu'au jour de sa mort.

M. de Parville, spécialiste scientifique du *Journal des débats*, étudia cette affaire en 1914 et conclut que le récit donné par le capitaine et l'équipage était

« digne de foi ». Les hommes de science actuels nous disent que Bartley n'aurait pu survivre que quelques minutes dans le ventre de la baleine, sans parler de cette demi-journée supplémentaire, peut-être même plus, que ce moderne Jonas s'était vu imposer involontairement par les marins du baleinier. Mais faisons-nous confiance aux hommes de science modernes? Lequel d'entre eux est réellement allé à l'intérieur du ventre d'une baleine? Bien sûr, nous pouvons passer un compromis avec les professionnels du scepticisme en suggérant qu'il y avait peut-être des poches d'air (est-ce que les baleines ne souffriraient pas d'aérophagie comme tout le monde?) ou alors que les acides de l'estomac avaient perdu de leur efficacité à cause d'une quelconque maladie du cétacé.

Si vous êtes un homme de science ou sujet à des incertitudes gastriques, regardez les choses de cette manière. Beaucoup de gens (moi y compris) croient au mythe de Bartley, exactement comme des millions de gens ont cru au mythe de Jonas. On peut ne pas ajouter foi à cette histoire, mais voici ce qui se passe : celle-ci a été racontée, redite, adaptée, mise au goût du jour ; elle s'est rapprochée en douce. À la place de Jonas, maintenant, il faut lire Bartley. Et un jour il arrivera quelque chose que vous-même finirez par croire : il sera question d'un marin englouti par la gueule d'une baleine et sorti de son ventre, peut-être pas après une demi-journée, mais peut-être après une demi-heure. Alors les gens croiront le mythe de Bartley, qui a été engendré par le mythe de Jonas. Car voilà de quoi il s'agit : non que les

mythes nous renvoient à des événements originaux
qui ont été rapportés, soumis à toutes sortes d'imaginations tandis qu'ils traversaient la mémoire collec-
tive, mais qu'au contraire ils nous poussent en avant
vers quelque chose qui va arriver, qui doit arriver.
Les mythes deviendront la réalité, quel que soit
notre degré de scepticisme.

III

Le samedi 13 mai 1939, à huit heures du soir, le
Saint-Louis, un liner, quitta son port d'attache de
Hambourg. C'était un bateau de croisière, et la
plupart des neuf cent trente-sept passagers qui
avaient pris leur billet pour ce voyage transatlantique détenaient un visa spécifiant qu'ils étaient
bien des « touristes voyageant pour leur plaisir ».
Ces mots recouvraient en fait un subterfuge, exactement comme le but du voyage lui-même. Tout le
monde à bord, à l'exception de quelques personnes, était juif. C'étaient des réfugiés qui fuyaient
le nazisme et un État dont un des buts consistait à
les dépouiller, à les déporter, à les exterminer.
Beaucoup d'entre eux, à vrai dire, avaient déjà été
spoliés. En effet, en tant qu'émigrants, ils n'avaient
droit en quittant l'Allemagne que d'emporter avec
eux la somme insignifiante de dix marks. Cette pauvreté imposée en faisait des cibles faciles pour la
propagande : s'ils partaient avec leur seule allo-
cation, on pouvait les comparer à de minables
Untermenschen s'enfuyant comme des rats ; s'ils par-

venaient à déjouer le système, ils étaient alors de monstrueux fraudeurs s'enfuyant avec des biens volés. Tout cela était normal.

Le *Saint-Louis* avait pour pavillon la croix gammée, ce qui était normal ; son équipage comprenait une demi-douzaine d'agents de la Gestapo, ce qui était tout aussi normal. La compagnie maritime avait demandé au commandant de ne faire provision, pour ce voyage, que de la viande la moins chère, de supprimer toutes les marchandises de luxe des boutiques et d'enlever les cartes postales gratuites des salons. Pourtant, ce commandant s'arrangea pour détourner de son mieux de tels ordres et décréta que ce voyage ressemblerait aux autres croisières du *Saint-Louis* et serait, dans la mesure du possible, normal. Aussi, lorsque les Juifs montèrent à bord, après avoir quitté un pays qui les avait systématiquement méprisés, humiliés, emprisonnés, ils découvrirent que, si ce bateau faisait encore légalement partie du territoire allemand, que, s'il avait pour pavillon la croix gammée et de grands portraits de Hitler dans les salons, les Allemands à qui ils avaient affaire étaient courtois, prévenants, et même obéissants. Cela n'était pas normal.

Aucun de ces Juifs — dont la moitié étaient des femmes et des enfants — n'avait la moindre intention de revenir en Allemagne dans un futur proche. Néanmoins, pour se plier au règlement de la compagnie de navigation, ils avaient tous été obligés d'acheter un billet de retour. Ces sommes, leur avait-on dit, étaient destinées à couvrir des « éventualités

imprévues ». Quand les réfugiés débarqueraient à
La Havane, on leur donnerait par l'intermédiaire de
la compagnie Hamburg-Amerika un reçu pour la
partie non utilisée du montant du billet. L'argent
serait déposé sur un compte spécial en Allemagne :
si jamais ils revenaient là-bas, ils pourraient le reti-
rer. Même les Juifs qu'on avait relâchés des camps
de concentration, à la condition expresse qu'ils
quittent la mère patrie immédiatement après leur
libération, se virent obligés de payer l'aller-retour.

En plus de leurs billets, les réfugiés avaient dû
acheter l'autorisation de débarquer au directeur
cubain de l'immigration. Celui-ci leur avait donné
sa garantie personnelle qu'aucune difficulté ne les
empêcherait d'entrer dans son pays. C'était lui qui
les avait classés sous la rubrique « touristes voyageant pour leur plaisir », et, durant le voyage, certains passagers, généralement les plus jeunes,
parvinrent à passer d'une manière assez remarquable de l'état *d'Untermenschen* méprisés à celui de
touristes à la recherche de plaisirs. Peut-être que
leur évasion d'Allemagne leur paraissait aussi miraculeuse que celle de Jonas sortant de sa baleine.
Tous les jours, on mangeait, on buvait, on dansait.
Malgré les rappels incessants des membres de la
Gestapo à l'équipage de ne pas enfreindre la loi sur
la Protection de l'Honneur et du Sang allemands,
l'activité sexuelle se donnait libre cours, exactement
comme durant une croisière normale. Vers la fin de
la traversée eut lieu le traditionnel bal costumé.

L'orchestre joua du Glenn Miller ; Les Juifs et les
Juives se déguisèrent en pirates, en marins, en dan-

seuses hawaiiennes. Quelques filles particulièrement délurées revêtirent des robes de harem
qu'elles avaient faites avec des draps — un déguisement qui apparut inconvenant aux plus orthodoxes
parmi les personnes à bord.

Le samedi 27 mai, le *Saint-Louis* jeta l'ancre dans
le port de La Havane. À quatre heures du matin la
corne de réveil se mit à sonner et, une demi-heure
plus tard, le gong appelant au petit déjeuner se fit
entendre. Des barques s'approchèrent du paquebot, certaines transportant des vendeurs de noix de
coco et de bananes, d'autres des amis ou des parents
qui criaient des noms en direction du bastingage.
Le bateau avait hissé le pavillon de quarantaine, ce
qui était normal. Le commandant devait certifier au
médecin du port de La Havane que personne à
bord n'était « idiot ou fou, ou atteint d'une maladie
répugnante ou contagieuse ». Quand cela fut fait,
les fonctionnaires de l'immigration commencèrent
à s'occuper des passagers, contrôlant leurs papiers
et les informant de l'endroit où ils pourraient
retrouver leurs bagages sur la jetée. Les cinquante
premiers réfugiés se rassemblèrent en haut de
l'échelle, attendant qu'un bateau les conduise
jusqu'au rivage.

L'immigration, comme l'émigration, est une
chose dans laquelle l'argent n'est pas moins important que les principes ou les lois, et souvent même
bien plus sûr. L'argent rassure le pays d'accueil — ou dans le cas de Cuba le pays de transit — qui sait alors que les nouveaux arrivants ne
seront pas à la charge de l'État. L'argent permet

aussi d'acheter les fonctionnaires qui détiennent la
décision. Le directeur cubain de l'immigration
avait *gagné* beaucoup d'argent grâce à d'autres
bateaux remplis de Juifs. Le président de Cuba,
quant à lui, n'en avait pas gagné suffisamment. Il
avait donc signé un décret le 6 mai, qui révoquait
la validité des visas de tourisme lorsque le véritable but du voyage était l'immigration. Est-ce que
ce décret s'appliquait oui ou non aux passagers du
Saint-Louis ? Le bateau avait quitté Hambourg
après que la loi eut été promulguée, par ailleurs
l'autorisation de débarquer avait été donnée plus
tôt. C'était une question sur laquelle on pouvait
passer beaucoup de temps en discussions et dépen-
ser un tas d'argent. Le numéro du décret prési-
dentiel était 937. Les personnes superstitieuses ne
manquèrent sans doute pas de remarquer que ce
chiffre était aussi celui du nombre des passagers à
bord lorsque le *Saint-Louis* avait quitté l'Europe.

Des atermoiements apparurent. Dix-neuf Cubains
et Espagnols reçurent l'autorisation de débarquer,
ainsi que trois personnes en possession de visas
authentiques ; le reste des passagers, neuf cents Juifs
environ, attendaient, quant à eux, des nouvelles des
négociations dans lesquelles se trouvaient impliqués, à divers degrés, le président de Cuba, le directeur de l'immigration, la compagnie maritime, le
comité local d'entraide, le commandant du navire
et un avocat, arrivé par avion, envoyé par le quartier
général à New York de l'agence juive. Ces entretiens
durèrent plusieurs jours. Il fallait prendre en considération un certain nombre de facteurs : l'argent,

l'orgueil national, les ambitions politiques et l'opinion politique cubaine. Le commandant du *Saint-Louis,* tout en se méfiant des politiciens de l'endroit et de sa compagnie maritime, était convaincu au moins d'une chose : que, si Cuba se révélait inaccessible, les États-Unis, qui avaient accordé à la plupart des passagers le droit d'entrer chez eux par la suite, les accepteraient sûrement plus tôt que promis.

Certains des passagers bloqués à bord se montraient moins confiants et commencèrent à s'énerver devant les incertitudes, les retards, la chaleur. Ils avaient passé tant de temps avant d'atteindre un endroit sûr et ils s'en trouvaient maintenant si près. Les amis, les parents continuaient à tourner autour du paquebot dans de petits bateaux ; un fox-terrier, qu'on avait sans doute envoyé d'Allemagne en avance, était amené en barque tous les jours et levé en direction de la rambarde où se trouvaient ses maîtres inaccessibles. Un comité des passagers s'était créé qui reçut de la compagnie maritime le droit de télégraphier gratuitement ; des appels furent lancés à des personnalités influentes, y compris à la femme du président cubain. Ce fut durant cette période que deux passagers tentèrent de se suicider, l'un d'eux en utilisant une seringue et des calmants, l'autre en s'ouvrant les poignets et en sautant à l'eau ; tous les deux furent sauvés. Ensuite, pour éliminer toute nouvelle tentative de suicide, des patrouilles de sécurité firent des rondes la nuit ; des bateaux de sauvetage étaient prêts à partir en permanence et des projecteurs éclairaient le navire. Ces mesures rappelaient curieusement à certains Juifs les camps de concentration qu'ils venaient de quitter.

Le *Saint-Louis* ne devait pas repartir de La Havane à vide après avoir déposé ses neuf cent trente-sept émigrants. Quelque deux cent cinquante passagers avaient retenu leurs places pour le voyage de retour vers Hambourg, via Lisbonne. On suggéra que deux cent cinquante Juifs, au moins, obtiennent l'autorisation de débarquer, afin de laisser la place à ceux qui devaient monter à bord. Mais comment allait-on choisir les deux cent cinquante qui auraient le droit de quitter l'Arche ? Qui allait séparer les purs des impurs ? Allait-on organiser un tirage au sort ?

Les malheurs du *Saint-Louis* n'étaient pas un problème local inconnu ailleurs. Les aléas du voyage étaient rapportés par la presse allemande, anglaise et américaine. *Der Stürmer* proclamait que, si les Juifs choisissaient de revenir en Allemagne, il faudrait leur trouver de la place à Dachau et Buchenwald. Cependant, dans le port de La Havane, des journalistes américains parvinrent à monter à bord du paquebot qu'ils surnommèrent peut-être trop facilement « le bateau qui fait honte au monde ». Une telle publicité ne servit pas forcément les réfugiés. Si la honte appartenait au monde entier, alors pourquoi un pays particulier — un pays qui avait déjà accepté un grand nombre de réfugiés juifs — devrait-il être condamné si fréquemment à les prendre en charge ? Le monde, apparemment, ne se sentait pas suffisamment honteux pour porter la main à son portefeuille. Le gouvernement cubain, en conséquence, décida de rejeter les immigrants et ordonna que le *Saint-Louis* quitte les eaux territoriales de l'île. Cela ne signifiait pas, ajouta le président, que la porte fût fermée à de plus amples négociations, simplement il n'accepterait pas de prendre en considération de nouvelles offres tant que le bateau n'aurait pas quitté le port.

Combien valent des réfugiés ? Cela dépend de l'étendue de leur désespoir, de la richesse de leurs protecteurs, de l'avidité de leurs hôtes. Dans le monde de la panique et des permis d'entrée, le marché est toujours favorable aux vendeurs. Les prix sont arbitraires, fluctuants, abstraits. L'avocat de l'Agence juive demanda de prendre pour base, pour le débarquement en toute sécurité des Juifs, la somme de cinquante mille dollars. On lui répondit que ce chiffre serait plus proche de la réalité s'il était triplé. Et si on le triplait, pourquoi ne pas le tripler de nouveau ? Le directeur de l'immigration — qui avait déjà reçu cent cinquante dollars par personne pour une autorisation de débarquer maintenant frauduleusement caduque — suggéra à la compagnie maritime un droit de deux cent cinquante mille dollars afin de pouvoir abroger le décret numéro 937. Un soi-disant intermédiaire du président pensait, apparemment, que les Juifs pourraient débarquer grâce à un million de dollars. Finalement, le gouvernement cubain fixa à cinq cents dollars la somme exigée pour chaque Juif. Ce prix avait une certaine logique, étant donné qu'il s'agissait de la somme de sécurité exigée de chaque immigrant entrant officiellement dans le pays.

Donc, les neuf cent trente-sept passagers à bord, qui avaient déjà payé un billet d'aller-retour, qui avaient acheté l'autorisation de débarquer et n'avaient eu droit officiellement qu'à dix marks chacun, allaient coûter quatre cent cinquante-trois mille dollars.

Comme le paquebot mettait ses moteurs en marche, un groupe de femmes tenta de s'emparer de l'échelle de coupée ; elles furent repoussées par la police cubaine armée de pistolets. Au cours des six jours qu'il avait passés dans le port de La Havane, le *Saint-Louis* était devenu une attraction touristique. Son départ fut regardé par une foule estimée à cent mille personnes. Le commandant reçut l'autorisation de ses supérieurs à Hambourg de mettre le cap sur n'importe quel port qui accepterait ses passagers. Tout d'abord, il décrivit paresseusement des cercles de plus en plus grands, s'attendant qu'on le rappelle à La Havane ; puis, il se dirigea vers le nord, pour gagner Miami. Lorsque le bateau atteignit la côte américaine, il fut salué par un garde-côte des États-Unis. Mais cet accueil, apparemment encourageant, n'était en fait qu'une rebuffade : le garde-côte n'était là que pour s'assurer que le *Saint-Louis* n'entrerait pas dans les eaux territoriales américaines. Le Département d'État avait déjà décidé que, si les Juifs étaient renvoyés de Cuba, il ne leur serait pas accordé l'autorisation d'entrer aux États-Unis. L'argent était un facteur moins déterminant ici, en revanche le chômage important et une xénophobie certaine constituaient des justifications suffisantes.

La République dominicaine offrit d'accepter les réfugiés pour le prix standard de cinq cents dollars par tête ; mais cela ne faisait que reproduire les tarifs cubains. Le Venezuela, l'Équateur, le Chili, la Colombie, le Paraguay et l'Argentine furent contactés ; tous ces pays refusèrent de supporter seuls la honte du monde. À Miami, l'inspecteur de l'immigration fit savoir au commandant que le *Saint-Louis* se verrait refuser l'autorisation d'entrer dans aucun port des États-Unis.

Le paquebot, à qui l'on interdisait d'entrer dans les eaux territoriales de tout le continent américain, continua à faire route vers le nord. Ceux qui se trouvaient à bord se rendaient compte qu'ils approchaient du moment où il leur faudrait prendre la direction de l'est et revenir inévitablement en Europe. Puis, à seize heures cinquante dans l'après-midi du dimanche 4 juin, une nouvelle dépêche arriva. Le président de Cuba avait apparemment donné l'autorisation aux Juifs de débarquer sur l'île de Pinos, cette ancienne colonie pénitentiaire. Le commandant fit faire demi-tour à son bateau et redescendit vers le sud. Les passagers amenèrent leurs bagages sur le pont. Ce soir-là, après dîner, la flamme des soirs de fête fut ranimée.

Le lendemain matin, à trois heures environ de l'île de Pinos, le bateau reçut un nouveau message : la permission de débarquer n'avait pas encore été confirmée. Le comité des passagers qui, tout au long de la crise, avait envoyé des télégrammes à des Américains de premier plan pour leur demander d'intercéder en leur faveur, ne trouvait plus personne à qui s'adresser. Quelqu'un suggéra le maire de Saint Louis, dans le Missouri, croyant que cette homonymie pouvait déclencher de quelque manière une certaine sympathie. Un câble fut expédié dans les règles.

Le président cubain avait demandé cinq cents dollars de caution par réfugié, ainsi qu'une autre caution supplémentaire pour payer la nourriture et le logement durant la période de transit passée sur l'île de Pinos. L'avocat américain avait offert (selon le gouvernement cubain) la somme totale de quatre cent quarante-trois mille dollars, mais avait ensuite stipulé que cette somme devait non seulement servir aux réfugiés du *Saint-Louis,* mais aussi aux cent cinquante Juifs qui se trouvaient à bord de deux autres bateaux. Le gouvernement cubain trouva cette contre-proposition inacceptable et retira son offre. L'avocat de l'Agence juive fit savoir alors qu'il acceptait la première proposition cubaine. Le gouvernement lui exprima ses regrets et lui fit savoir que la première offre n'était plus maintenant valable, et qu'il n'était pas possible de la renouveler. Le *Saint-Louis* fit demi-tour et mit une deuxième fois le cap sur le nord.

Alors que le bateau commençait son voyage de retour vers l'Europe, on prit contact officieusement avec les gouvernements français et britannique, afin de savoir si ces pays accepteraient de prendre les Juifs. Les Anglais répondirent qu'ils préféraient envisager le problème actuel dans un contexte plus général de la situation des réfugiés en Europe, mais que, cependant, ils pourraient prendre en considé-

ration l'entrée possible des Juifs en Grande-Bretagne
une fois qu'ils seraient retournés en Allemagne.

Il y eut des offres non confirmées ou irréalisables
du président du Honduras, d'un philanthrope américain et même d'un poste de quarantaine dans la
zone du canal de Panama ; le bateau poursuivit sa
route. Le comité des passagers lança des appels
aux chefs religieux et politiques partout en Europe — encore que ces messages dussent maintenant être écourtés, étant donné que la compagnie
maritime lui refusait l'accès gratuit au télégraphe.
C'est alors que quelqu'un suggéra que les meilleurs
nageurs parmi les Juifs sautent par-dessus bord, à
intervalles réguliers, afin d'obliger le *Saint-Louis* à
s'arrêter et à faire demi-tour. Cela ralentirait sa
course vers l'Europe et donnerait du temps pour
entreprendre de nouvelles négociations. L'idée
n'eut pas de suite.

La radio allemande déclara, étant donné qu'aucun pays ne voulait accepter le bateau plein de Juifs,
que la mère patrie se verrait obligée de les reprendre
et de les entretenir. Il n'était pas difficile d'imaginer
où on allait les entretenir. Et bien évidemment, si le
Saint-Louis était obligé de ramener sa cargaison de
dégénérés et de criminels à Hambourg, cela prouve-
rait simplement que la prétendue inquiétude du
monde concernant les Juifs était une pure hypocri-
sie. Personne ne voulait de ces Juifs minables, et personne, par conséquent, n'avait le droit de critiquer
l'accueil, quel qu'il soit, que réserverait la mère
patrie à ces sales parasites au moment de leur retour.

C'est à ce moment-là qu'un groupe de jeunes

Juifs essaya de s'emparer du bateau. Ils occupèrent la passerelle, mais furent dissuadés d'aller plus loin par le commandant. Pour sa part il se proposait de mettre le feu au *Saint-Louis* devant Beachy Head, ce qui obligerait les pays sauveteurs à prendre chez eux les passagers. Ce plan désespéré aurait probablement été tenté. Finalement, alors que beaucoup d'entre eux avaient perdu l'espoir et que le paquebot approchait de l'Europe, le gouvernement belge annonça qu'il prendrait deux cents passagers. Dans les jours qui suivirent, la Hollande accepta d'en prendre cent quatre-vingt-quatorze, l'Angleterre trois cent cinquante et la France deux cent cinquante.

Après un voyage de seize mille kilomètres, le *Saint-Louis* accosta à Anvers, à cinq cents kilomètres de son point de départ. Les travailleurs sociaux des quatre pays concernés s'étaient déjà rencontrés pour décider de la répartition des Juifs. La plupart des personnes qui se trouvaient à bord possédaient en fait maintenant le droit d'entrer aux États-Unis, il leur avait donc été attribué un numéro sur la liste des quotas américains. On remarqua que les travailleurs sociaux essayèrent tous d'obtenir les passagers qui avaient le chiffre le plus bas, car ceux-ci quitteraient leur pays de transit très prochainement.

À Anvers, une organisation de jeunes pro-nazie distribua des tracts avec le slogan suivant : « Nous voulons tous aider les Juifs. S'ils viennent à nos bureaux, chacun d'eux recevra gratis un morceau de corde et un grand clou. » Les passagers débarquèrent. Ceux qui avaient été admis en Belgique montèrent dans un train dont les portes furent verrouillées et les fenêtres clouées ; on leur dit que ces mesures étaient nécessaires pour leur propre protection. Ceux qui avaient été admis en Hollande furent immédiatement conduits dans un camp entouré de fils de fer barbelés gardé par des chiens.

Le mercredi 21 juin, le contingent du *Saint-Louis* destiné à l'Angleterre arriva à Southampton. Ceux-là découvrirent que leurs aventures sur la mer avaient duré exactement quarante jours et quarante nuits.

Le 1er septembre commençait la Seconde Guerre mondiale et les passagers du *Saint-Louis* partagèrent le destin des Juifs d'Europe. Leur chance de survie augmenta ou diminua selon le pays qu'on leur avait attribué. Les estimations concernant le nombre des survivants varient énormément.

Vers l'amont

Chérie,

Juste une petite carte — nous partons dans une heure. Avons fonctionné pour la dernière fois au Johnny Walker. Maintenant, ce sera l'eau de feu du coin ou rien du tout... Rappelle-toi ce que j'ai dit au téléphone et ne les fais pas couper trop court. Je t'aime. Ton Circus Strongman.

Lettre 1

Ma petite chérie,

Viens juste de passer vingt-quatre heures dans un car dont le tableau de bord était recouvert de saints Christophe, modèle local, bien sûr. N'aurais pas été contre que le chauffeur se confie à quelque pouvoir magique plus fort — le bon vieux christianisme ne semblait pas avoir beaucoup d'effet sur sa manière de conduire. Paysage magnifique à condition d'oublier ses haut-le-cœur, son envie de vomir à chaque virage en épingle à cheveux. Grands arbres au tronc immense, des montagnes — cette sorte de choses… J'ai acheté quelques cartes postales. L'équipe est un peu surexcitée pour le moment, si j'entends une autre plaisanterie du genre : « Je suis devenu cracra à Caracas », je crois que je vais étrangler quelqu'un. Au fond, c'est assez normal au cours d'un travail comme celui-ci. Non que j'aie jamais fait quelque chose de semblable auparavant. Ça devrait être très drôle, surtout quand on aura arrêté de m'enfoncer toutes ces aiguilles afin que je n'attrape pas le béribéri and co.

De toute façon, c'est un soulagement de quitter un endroit où les gens vous reconnaissent. Tu sais, même avec la barbe et les lunettes ils arrivaient à repérer ta binette à Caracas. À l'aéroport, évidemment, c'est normal de toute façon. Non, c'était drôle. Devine dans quoi ils m'avaient vu ? Non, le truc avec la bonne petite angoisse signé Pinter qui a obtenu la palme d'or non, pas ça. Non, mais cette petite merde américaine sentimentale que j'ai faite pour Hal Vatefairefoutropoloudos. Ça se joue ENCORE ici. Les gosses me tombent dessus dans la rue et me disent : « Salut, Mr. Rick, comment ça va ? » Qu'en dis-tu ? La pauvreté, ici, c'est quelque chose. Mais, après ce que j'ai vu aux Indes, rien ne peut plus me surprendre. Et alors, qu'est-ce que tu as fait à tes cheveux ? J'espère que tu n'as pas encore commis quelque stupidité simplement pour prendre ta revanche. Je sais comment vous êtes, vous les filles,

vous dites que vous allez vous les faire couper pour
voir de quoi ça a l'air, puis vous dites à Pedro, au
salon, que vous ne voulez pas les laisser pousser juste
en ce moment, ou encore qu'il faut que vous ayez
l'air convenable pour un mariage ou un truc comme
ça, que vous ne pouvez pas y aller avec ces mèches
folles, et en fin de compte vous ne les faites jamais
repousser. Et si je n'en parle pas chaque semaine, tu
penses que j'ai appris à aimer ça, et si j'en parle, tu
dis que je te harcèle, donc je n'en parle pas et je suis
coincé. Et ce ne serait pas juste de dire que c'est à
cause de ma barbe, parce que la barbe, je n'y suis
pour rien, on ne se rase pas dans la jungle, quel que
soit le siècle qu'on nous imposera quand nous y
serons. Bon, je l'ai laissée pousser très tôt, mais c'est
comme ça que je suis, j'aime commencer à me sentir
dans mon rôle le plus vite possible. Tu sais ce que dit
Dirk, comment il commence avec les chaussures,
une fois qu'il a trouvé des chaussures à son pied, il
sait comment est le personnage, eh bien, pour moi,
c'est la gueule. Navré que ce soit la première chose
que tu vois le matin. Admets pourtant que ce n'est
pas à la portée de toutes les femmes de dire qu'elles
ont dormi avec un jésuite. Un très vieux jésuite, qui
plus est. Une chaleur terrible. Je m'attends à des problèmes de blanchissage et je continue à prendre ces
comprimés pour le ventre. J'ai dit quelques mots à
Vic à propos du scénario et il m'a répondu de ne pas
me tracasser. Mais ils disent toujours ça à ce stade,
non ? Je lui ai répété ce que je t'avais dit au téléphone, qu'il fallait donner un peu plus d'humanité
concrète au personnage, vu que les prêtres ne font

pas particulièrement un tabac ces temps-ci, Vic m'a répondu que nous en reparlerions le moment venu. Ça colle à peu près bien avec Matt — évidemment il va y avoir forcément une certaine rivalité une fois qu'on aura commencé le travail, mais il n'est pas à moitié aussi parano que je l'avais pensé. Bon, un peu trop le genre claques dans le dos, quoique j'imagine que c'est la façon américaine. Je lui ai raconté mon histoire sur Vanessa et il m'a gratifié de la sienne. Écoute, on les avait entendues l'une et l'autre avant. Soûls comme des Polonais, tous les deux, la nuit dernière en ville on a fini avec la danse de Zorba le Grec au restaurant ! Matt a essayé de briser quelques assiettes, mais on lui a fait comprendre que ce n'était pas la coutume du pays. On nous a jetés dehors ! On nous a aussi fait payer les assiettes.

Tu sais comment ils appellent les bureaux de poste par ici ? Notre-Dame-des-Communications. Il faudra probablement que tu te mettes à genoux pour que ça arrive. Non que nous en ayons vu beaucoup durant tous ces kilomètres. Dieu sait où je pourrai poster cette lettre avant le commencement de *La Jungle*. Peut-être finirai-je par tomber sur un gentil indigène, portant un bâton fourchu, qui marchera dans la bonne direction. Je lui ferai alors un grand sourire, comme à l'écran, et la lui tendrai. (Plaisanterie.) Ne t'en fais pas pour moi. Je t'aime.

Charlie.

Chérie,

Si tu regardes dans ton album les photos de la soirée pas trop fumante dans l'appartement, tu verras qu'il manque quelque chose. Ne t'inquiète pas, c'est moi qui l'ai — celle où tu as ton petit visage d'écureuil. T'es un peu mouillé par ici — de terribles averses il y a deux jours — mais tu acceptes encore un petit baiser comme dernière chose de la journée. À partir de maintenant, on risque d'être assez chiffonnés, étant donné qu'on a vu notre dernier hôtel pour un bon petit bout de temps. Dès ce soir, c'est le genre boy-scout, tente et bivouac. J'espère que j'aurai la quantité de sommeil dont j'ai besoin. C'est dur de travailler sous les projos lorsqu'on n'a passé que deux ou trois heures au lit. De toute façon, nous sommes bien dans la jungle maintenant. Plein de retard. Comme d'habitude — il est décidé que tel et tel jour on arrivera avec tant de personnes et tant de bagages, que lui vous emmènera à la prochaine étape, et quand on arrive, comme par hasard les choses ont changé. On n'a pas dit cinquante, mais quinze, et de toute façon le prix est plus élevé, etc. Ça continue comme ça jusqu'à ce qu'il obtienne le pot-de-vin qu'il réclame. Bon Dieu, quand les choses se mettent à prendre cette tournure, j'ai tout simplement envie de hurler « Je veux travailler » à pleins poumons. J'ai fait ça un jour où la situation était encore plus désagréable que d'habitude. Je me suis précipité sur une espèce de bandit qui essayait de nous filouter et j'en suis presque venu aux mains. Je lui ai crié sous le nez : « Je veux travailler. Pour l'Amour du Christ. Laissez-moi travailler. » Mais Vic m'a dit que ça n'avait pas arrangé les choses.

Un peu plus tard. Matt pissait dans la rivière quand un des électriciens est venu lui dire que ce n'était pas une bonne idée. Apparemment, il y a par ici un minuscule poisson qui est attiré par la chaleur ou quoi que ce soit, et qui arrive à nager et à remonter dans ton jet. Tout d'abord ça ne semble guère vraisemblable, mais il faut peut-être penser aux saumons. Alors, la petite bête fonce en ligne droite dans ta bite et une fois qu'elle est dedans, elle ouvre une nageoire de chaque côté, afin de bien s'accrocher. Ouille puissance dix, c'est le moins qu'on puisse dire. L'électricien soutient qu'on ne peut pas le faire sortir, que c'est comme d'avoir une ombrelle ouverte à l'intérieur, il faut donc se faire charcuter à l'hôpital. Matt ne savait pas s'il fallait le croire. Mais peut-on prendre un tel risque ? Plus personne ne pisse dans la rivière, en ce moment en tout cas.

Plus tard. Nous remontions tranquillement le fleuve, en fin d'après-midi, alors que le soleil commençait à descendre derrière ces énormes arbres, lorsque de très grands oiseaux, des hérons ou quelque chose comme ça, se sont envolés. De grands hydravions roses, a dit quelqu'un. Le second assistant s'est levé brusquement et s'est mis à crier : « C'est le Paradis, voilà le foutu Paradis. » En vérité, me sens un peu déprimé, mignonne. Désolé de te balancer ça, je sais bien que ce n'est pas juste, car je me porterai probablement comme un charme lorsque tu recevras la lettre. C'est ce sacré Matt qui me déprime. Un de ses ego. On croirait que personne d'autre que lui n'a jamais fait de film. Il se démerde pour se mettre au mieux avec l'équipe de manière qu'elle lui rende la tâche plus facile lorsqu'il sera devant la caméra. Il paraîtra cinq ans plus jeune et c'est moi qui aurai le nez luisant. À dire la vérité, Vic n'est pas assez coriace pour ce truc. On aurait besoin d'un de ces patrons du bon vieux temps qui savaient manier le knout, si tu veux tout savoir, non une petite âme sensible, un diplômé qui s'est mis à faire du cinéma parce qu'il aimait les nuages d'Antonioni, qui s'est lancé tête baissée dans la nouvelle vague allemande, qui tient à fond pour le *Véritéspiel*. Je te demande un peu, nous sommes quarante à suer sang et eau dans la jungle parce que nous avons cru à son histoire. Que c'était nécessaire de nous plonger dans la réalité de deux jésuites morts et enterrés. Comment cela peut aussi s'appliquer à l'équipe technique, c'est quelque chose qui me dépasse, mais j'imagine que Vic a trouvé quelque théorie pour s'en tirer. On y ira à pied et ensuite le matériel arrivera par avion, bien entendu sens dessus dessous, comme tu peux imaginer. On ne nous laisse même pas nous servir du radiotéléphone tant que l'on n'a pas fait la jonction. La petite amie du pointeur attend un bébé, il voulait bien sûr appeler le quartier général à Caracas pour avoir des nouvelles, Vic le lui a refusé.

Fichu climat. Sacrément chaud tout le temps. On sue comme des porcs, *comme un porco*. Me tracasse encore à propos du scénario. J'ai l'impression qu'il me faudra opérer quelques changements dans mon rôle. Aucune chance de pouvoir faire blanchir son linge, à moins qu'on ne rencontre une tribu de laveuses attendant la clientèle devant une de ces cabanes en zinc, comme nous en avons vu dans ce village de Provence, tu t'en souviens ? De foutus panneaux métalliques pour Coca-Cola à un point de vente ce matin. Je te demande un peu, à des centaines de kilomètres de n'importe où, et les représentants de Coca-Cola sont passés avant nous pour chier sur le paysage, à moins que ce ne soit un copain de Matt qui ne l'ait fourré là afin qu'il se sente chez lui. Pardon.

Tendresses. Charlie.

Lettre 3

Salut, la belle !

Excuse-moi pour les jérémiades à la fin de ma dernière lettre. Ça va beaucoup mieux maintenant. Tout d'abord, on a recommencé à pisser dans le fleuve. Nous avons demandé à Courcircuité, comme nous l'appelons maintenant, comment il se faisait qu'il était au courant des poissons qui remontent le long du jet. Il nous a répondu qu'il avait vu un explorateur bedonnant à la télé qui n'en finissait pas de parler de ça. Ce qui paraissait extrêmement vraisemblable. Puis nous l'avons cuisiné un peu plus, il a alors commis une erreur fatale. Il nous a dit que cet explorateur affirmait s'être fabriqué un caleçon spécial, de manière à pouvoir pisser dans le fleuve en toute sécurité. Il a acheté une coquille de cricket, nous a dit l'électricien, a fait un trou sur le devant avant d'y fixer une passoire à thé. Écoute, c'est pas possible. Si on raconte des salades, il faut s'arranger pour qu'elles soient simples, c'est la règle, non ? Ne jamais prendre les enfants du bon Dieu pour des canards sauvages. Aussi, nous sommes-nous moqués à grand tapage de l'électricien, puis nous avons ouvert nos braguettes afin de pisser dans le fleuve, qu'on en ait eu envie ou pas. La seule personne qui ne l'a pas fait, c'était Courcircuité qui, bien entendu, voulait sauver la face en continuant à proclamer qu'il nous avait dit la vérité.

Comme tu peux l'imaginer, cela nous a mis de bonne humeur, mais ce qui nous a réellement remontés, c'est la jonction avec les Indiens. Je veux dire qu'étant donné que pour arriver ici on a été sans arrêt truandés (« ici », si tu regardes dans ton atlas de petite collégienne, tu verras que ça se trouve près de Mocapra), pourquoi les Indiens devraient-ils tenir leur promesse ? Matt m'a dit après coup qu'il s'attendait que tout se termine en eau de boudin et je lui ai répondu que je pensais la même chose. Pourtant ils étaient là, tous les quatre, juste où ils avaient dit qu'ils seraient, dans une clairière d'un méandre du fleuve, nus comme Adam et Ève, se tenant très droits, sans que cela pour autant les fasse paraître très grands. Ils nous regardaient sans montrer la moindre crainte. Sans aucune curiosité aussi, d'une drôle de manière, assez bizarre. On aurait pu s'attendre qu'ils veuillent nous toucher un peu, ou

quelque chose comme ça. Mais ils restaient juste là,
comme si c'étaient nous qui étions bizarres et pas
eux, ce qui, si l'on commence à y réfléchir, est sacrément juste. Ils nous ont regardés déballer nos
affaires, puis nous nous sommes mis en route. Ils ne
nous ont pas offert de porter quoi que ce soit, ce qui
était évidemment assez surprenant, mais bien entendu ce ne sont pas des sherpas. Apparemment, il
nous faudra deux jours de marche pour rejoindre le
reste de la tribu et trouver le fleuve qui a été choisi. Il
est impossible de voir la piste qu'ils suivent — quel
sens incroyable de l'orientation faut-il avoir pour se
diriger dans la jungle. Tu serais drôlement perdue
ici, mon ange, j'aime mieux te le dire, étant donné
que tu ne sais pas comment aller de Shepherd's
Bush à Hammersmith sans une escorte de motards*.
Nous avons marché pendant environ deux heures
puis nous nous sommes arrêtés pour la nuit. Nous
avons mangé du poisson que les Indiens avaient
attrapé dans la rivière, tandis qu'ils nous attendaient.
Bien fatigué, mais une bonne journée. Je t'embrasse.

* Une plaisanterie (rien de sérieux).

Un peu plus tard. En route toute la journée. Drôlement content d'avoir fait pas mal de gym avant.
Certains membres de l'équipe technique étaient
déjà essoufflés après une demi-heure ou quelque
chose comme ça, ce qui n'est pas tellement surprenant, vu que le seul exercice qu'ils prennent en
temps normal, c'est de mettre leurs pieds sous la
table et de diriger leur groin dans l'auge. Ah oui ! Et
de lever la main pour commander une autre bouteille. Matt est assez en forme à cause de tous ces

films qu'il a tournés en extérieurs, pour lesquels on passe à l'huile d'olive ses pectoraux (quoique pas aussi en forme qu'il devrait l'être). Tous les deux, nous avons donné du fil à retordre à l'équipe en proclamant que les règles syndicales ne s'appliquaient pas dans la jungle. Évidemment, ils avaient peur qu'on les laisse derrière ! Courcircuité, un peu cafardeux depuis que nous avons mis au jour son histoire, a trouvé que c'était terriblement drôle de commencer à appeler les Indiens Sitting Bull et Tonto. Bien entendu, ceux-ci ne comprennent pas et de toute façon nous nous sommes ligués pour lui battre froid. D'ailleurs, ce n'était absolument pas drôle. Ils sont incroyables, ces Indiens. Ils marchent nus comme des vers dans la forêt, avec une agilité étonnante, ils ne sont jamais fatigués et ont réussi à tuer un singe dans un arbre grâce à une sarbacane. C'est ce que nous avons à manger au dîner, enfin, quelques-uns d'entre nous ; les difficiles se sont contentés de corned-beef. J'ai mangé du singe. Ça ressemble un peu à de la queue de bœuf mais en plus rouge. Un peu filandreux, mais délicieux.

Mardi. Dieu seul sait comment va fonctionner le service des postes. En ce moment, nous donnons simplement le courrier à Rojas — cet indigène est notre quatrième assistant et nous l'avons nommé facteur. Cela signifie qu'il met les lettres dans un sac en plastique de manière qu'elles ne soient pas mangées par les insectes, ou les vers de bois, ou quoi que ce soit d'autre. Lorsque nous retrouverons les gens de l'hélicoptère, il le leur remettra. Aussi, Dieu seul sait quand tu auras cette lettre.

Tu me manques (un petit arrêt, tandis que je fais mon hurlement de Circus Strongman). Aujourd'hui, nous devrions prendre contact avec le reste de la tribu. Nous ne sommes malheureusement pas en aussi bon état que nous aurions pu l'être. Je parie que certains membres de l'équipe technique pensaient qu'il y avait des bagnoles juste là dans la jungle, des camions-restaurants tous les deux ou trois kilomètres et qu'ils pourraient acheter des hamburgers et des pommes de terre frites à des filles portant des guirlandes de fleurs autour du cou. Le gros Dick, l'ingénieur du son, a probablement même emmené avec lui une chemise hawaiiiiiiiiienne.

D'une certaine manière, on doit ça à Vic. Le budget le plus serré pour l'équipe depuis des années. Matt et moi, on fait nos « cascades » nous-mêmes (ce bon vieux Norman a réussi à faire tomber les dollars à cause de ce truc). Les rushes ne passent pas non plus tous les jours — l'hélicoptère ne vient seulement que tous les trois jours. Vic pense qu'autrement notre concentration risquerait de faiblir, à moins que ce ne soit quelque chose d'encore plus sophistiqué intellectuellement. Les rapports du laboratoire par le radio-téléphone, les rushes grâce à l'hélicoptère. Et les studios n'ont rien contre. Étonnant, non ?

Non, ce n'est pas tellement étonnant comme tu sais, ma douce. Aux studios, on pense que Vic est un génie, si bien qu'on lui a donné tout ce qu'il voulait, jusqu'à ce que les petits malins de l'assurance mettent le nez sur des vedettes passant par-dessus le bord d'un canot pour découvrir ensuite

les noms des deux mecs que l'industrie cinémato-
graphique ne serait pas mécontente de liquider*.
Bon. J'ai parfois joué les mauvais garçons, mais ils
espèrent bien cette fois que je ne peux tout plaquer
si je suis au milieu de la jungle. Quant aux caprices
de Matt — ce qui veut dire qu'en temps normal
il ne travaille pas à moins qu'on lui amène un
grand sac plein de sa petite poudre blanche —, il
semblerait qu'il y ait renoncé. D'ailleurs il n'y a
pas par ici tellement de dealers sautant de branche
en branche comme Tarzan. Et puis nous avons
accepté les conditions de Vic parce qu'on en avait
foutrement besoin et que tout au fond on pense
qu'il est probablement un génie.

   * Une plaisanterie. Une sorte de plaisanterie. Pas
de vrai danger, je suis sûr.

   Je me demande si ce n'était pas une erreur de
manger de ce singe hier au soir. Ça m'a très certainement ralenti aujourd'hui et Matt était bien souvent, lui aussi, derrière un buisson.

   Plus tard. Pardon, mercredi. Jonction avec la tribu. Le plus grand jour de ma vie. En dehors de celui
où je t'ai rencontré, chérie. Ils étaient là, brusquement, comme nous arrivions en haut d'une colline
et que serpentait le fleuve un peu plus bas. Le fleuve
perdu et le peuple perdu côte à côte — étonnant. Ils
sont plutôt petits et l'on pourrait penser qu'ils sont
grassouillets s'ils n'étaient pas tout en muscles. Ils
n'ont pas un seul fil sur eux. Les femmes sont jolies
(ne t'inquiète pas, mon ange, elles sont infectées à
mort). Le plus curieux, c'est qu'il ne semble pas y
avoir la moindre personne âgée chez eux. À moins

qu'ils les aient laissées quelque part en arrière. On a
pourtant l'impression que toute la tribu se déplace
ensemble. Je n'ai plus de crème contre les moustiques — celle qui était vraiment efficace. Suis pas
mal dévoré. Vic dit de ne pas m'inquiéter. Est-ce que
par hasard je penserais que le père Firmin avait un
repellent à toute épreuve à cette époque lointaine ?
Je lui ai répondu que l'authenticité était certes une
bonne chose, mais croyait-il vraiment que mes fans
et mes groupies voulaient me voir sur la toile avec
des piqûres partout sur le visage ? Il m'a alors lancé
que je devais souffrir pour mon art. Je l'ai envoyé se
faire foutre. Sacré *Véritéspiel*.

Jeudi. On a établi le camp sur la rive. Deux
camps, en réalité, un pour les Blancs (la plupart
sont marron avec plein de points rouges) et un
pour les Indiens. J'ai demandé pourquoi on ne faisait pas un seul grand camp, au nom du Ciel. Certains membres de l'équipe étaient contre, parce
qu'ils pensaient qu'on allait leur prendre leur
montre (je te demande un peu), et d'autres étaient
pour, afin de pouvoir zyeuter les femmes de plus
près (je te demande un peu). Vic dit qu'il pensait
que deux camps seraient préférables, étant donné
qu'il y en avait eu deux à l'origine, de sorte que ça
préparerait psychologiquement les Indiens à jouer
le rôle de leurs ancêtres, à quoi j'ai répondu que
c'était en fait une rationalisation élitiste. De toute
façon, la question nous échauffa si bien que finalement un des guides fut envoyé près des Indiens
pour leur demander leur avis. Il revint en nous

disant qu'ils ne voulaient pas partager leur camp avec nous, ce qui est assez drôle, je suppose.

Voici l'hélicoptère qui arrive, donc je termine.

Tendresses. Charlie.

Lettre 4

Chère Pips,

Premier rendez-vous ! L'hélicoptère a amené le groupe électro et le reste du matériel. Beaucoup d'excitation (sauf de la part des Indiens qui n'y prêtèrent aucune attention). De la bouffe, des cigarettes. Pas de crème antimoustique — je n'arrive pas à y croire ! Et aussi un drôle de truc — Vic leur a interdit d'apporter des journaux, ce qui m'a mis en rogne, je veux dire, nous ne sommes quand même pas des gamins, tu ne trouves pas ? Lire un numéro vieux de deux semaines de l'*Indépendant* a fort peu de risques de bousiller ma manière de jouer, non ? Et si c'était le cas ? Je suis étonné que Vic nous permette de recevoir des lettres. En tout cas, rien pour Charlie. Je sais que je t'ai dit de ne pas m'écrire, sauf en cas d'urgence, mais je ne le pensais pas vraiment. J'avais espéré que tu devinerais.

Vendredi. Ecoute, je sais que tu ne veux pas parler de ça, mais je pense que cette séparation momentanée nous fera beaucoup de bien. D'un tas de manières. Franchement. Je deviens trop vieux de toute façon pour mener une vie de patachon.

MA VIE DE PATACHON EST TERMINÉE, DÉCLARE LE « SALE GOSSE » DE LA TÉLÉ CHARLIE. Je t'aime.

Pippa, ma chérie, je pense réellement que c'est à cause des Indiens (oh ! samedi). Ils sont si ouverts, si directs. Ils sont là, complètement à poil, et disent ce qu'ils ont envie de dire, font ce qu'ils veulent, mangent quand ils ont faim, font l'amour comme si c'était la chose la plus naturelle du monde* et se couchent pour mourir quand ils arrivent à la fin de leur vie. C'est réellement quelque chose. Je ne veux pas dire que je pourrais faire la même chose juste maintenant, je veux simplement dire que j'éprouve une sorte de grande camaraderie pour ces gens. J'ai vaguement l'impression que je me retrouve ici afin qu'ils puissent m'apprendre quelque chose sur la vie. Est-ce que tu vois ce que je veux dire ? D'accord, ma douce, je ne vais pas revenir avec un os en travers du nez, mais je peux revenir avec un os de moins dans la tête. Tout ce bazar au sujet de Linda — je sais qu'on avait décidé de ne pas en parler —, je me sens une telle merde ici. T'avoir blessée, t'avoir menti. Ici, avec le fleuve perdu coulant à mes pieds, apprenant le nom des oiseaux dans cette langue étrangère, alors que je ne connais même pas leurs noms en anglais, je me sens bien en pensant à nous.

* Aucune expérience personnelle. Charlie se tient à carreau.

Dimanche. Ce n'est pas seulement l'éloignement qui amène cet enchantement ou quoi que ce soit. C'est quelque chose qui a à voir avec le fait d'être ici. Tu te souviens des astronautes américains qui,

lorsqu'ils sont revenus de la lune, étaient totalement changés, après avoir regardé la terre de si
loin, de l'avoir vue comme une vieille planète, toute
petite ? Certains d'entre eux sont devenus très religieux, un peu maboules, il semble me souvenir,
mais ce qui compte, c'est qu'ils étaient complètement changés quand ils sont revenus. C'est un peu
comme ça avec moi, sauf qu'au lieu d'être allé dans
un futur high tech, j'ai plutôt remonté le temps. À
vrai dire, ce n'est pas exactement ce que je veux
dire, remonter le temps. Toute l'équipe, ici, pense
que ces Indiens sont fantastiquement primitifs, simplement parce qu'ils n'ont pas de radio. Quant à
moi, je pense qu'ils sont fantastiquement en avance
et mûrs parce qu'ils n'ont pas de radio. Ils sont en
train de m'apprendre des choses sans savoir même
ce qu'ils font. Je commence à tout regarder avec
plus de recul. Seigneur, je suis vraiment désolé à
propos de Linda.

Lundi. De la gym pendant un bon moment, puis il
s'est mis à pleuvoir. Une des filles m'apprend leur
langue. T'en fais pas, petit écureuil, elle est infectée
à mort, j'en suis sûr *. Essaie de trouver le nom qu'ils
se donnent, tu sais, le nom de leur tribu. Eh bien,
devine. ILS N'ONT PAS DE NOM POUR SE DÉSI-
GNER EUX-MÊMES ! Et ils n'ont pas non plus de
nom pour leur langue. N'est-ce pas incroyable !
D'une maturité stupéfiante. C'est comme s'ils avaient
envoyé balader le nationalisme par la fenêtre.

* C'est une sorte de rengaine dans l'équipe. Si
quelqu'un commence à parler de sexe ou à regarder les femmes indiennes, immédiatement on lui

lance : « Infectée à mort, j'en suis sûr. » Probablement pas tout à fait aussi drôle à Londres.

Mardi. Il règne vraiment, depuis que nous avons commencé, une bonne atmosphère. Tout le monde se serre les coudes. Plus rien à faire avec ces réglementations imbéciles des syndicats. Chacun participe. Je suis sûr que c'est l'influence des Indiens. C'est ainsi que les choses devraient être.

Mercredi. Je crois que mon accent s'améliore. Il y a un grand oiseau blanc qui ressemble à une cigogne, qu'ils appellent *thkarni*. Je pense que c'est comme ça que tu l'écrirais. En tout cas je crie « thkarni » quand il y en a un qui s'envole ou atterrit sur l'eau, et les Indiens pensent que c'est vraiment très, très drôle. Ils se plient en quatre à force de rire. Bien, je pense qu'ils ne sont guère mieux lorsqu'ils disent Charlie.

Jeudi. Pas grand-chose. Été mordu par mille milliards de moustiques. Matt fait des plaisanteries stupides. Si tu y regardes de près, il a les jambes arquées, je te jure.

Vendredi. Quand on y pense, c'est vraiment étonnant. Regarde cette tribu indienne, totalement inconnue, qui n'a même pas un nom à se donner. Il y a quelque deux cents ans, deux missionnaires jésuites, qui essayaient de trouver la route revenant vers l'Orénoque, sont tombés sur eux, leur ont demandé de construire un radeau, et les deux hommes de Dieu se sont fait véhiculer dessus pendant plusieurs centaines de kilomètres en direction du sud, tandis qu'ils essayaient de leur apprendre l'Évangile et de leur faire porter des Levi's. Et juste

au moment où ils arrivaient près de leur destination, le radeau a chaviré, les missionnaires ont failli
se noyer et les Indiens ont disparu. Ils se sont évapo-
rés dans la jungle et personne ne les a vus jusqu'à ce
que les hommes de Vic arrivent à remettre la main
sur eux, il y a un an environ. Maintenant, ils nous
aident à faire exactement la même chose qu'il y a
deux cents ans. Je meurs d'envie de savoir si les
membres de la tribu s'en souviennent ? Est-ce qu'ils
ont des ballades racontant l'histoire de deux
hommes blancs habillés en femmes, qu'ils ont transportés en direction du sud, sur le grand serpent
d'eau, quel que soit le nom qu'ils lui donnent ? Ou
est-ce que les hommes blancs se sont effacés de la
mémoire de la tribu aussi complètement que la tribu s'est effacée aux yeux de l'homme blanc ? Tu
vois, il y a un tas de questions sur lesquelles on peut
réfléchir. Et qu'arrivera-t-il lorsque nous serons partis ? S'évanouiront-ils encore pour une autre
période de deux ou trois siècles ? Ou disparaîtront-
ils à jamais à cause de quelque insecte meurtrier et
ne restera-t-il d'eux que ce film dans lequel ils au-
ront joué le rôle de leurs ancêtres ? Je ne suis pas sûr
d'arriver à avoir des pensées bien claires à ce sujet.

Reçois ma bénédiction, ma fille, va et ne pêche
plus *.

Tendresses. Charlie.

* Plaisanterie !
Rien de toi ni dimanche ni mercredi. J'espère
que Rojas aura quelque chose demain. Je ne voulais

vraiment pas que tu n'écrives pas malgré ce que j'ai pu déclarer. T'enverrai ça de toute façon.

Lettre 5

Chérie,

Ces vêtements de prêtre sont certainement les plus inconfortables qu'on ait jamais inventés pour voyager dans la jungle. Ça te fait suer comme un porc — *comme un porco*. Je me demande vraiment comment ce vieux père Firmin arrivait à garder sa dignité. Évidemment, je suppose qu'on peut dire qu'il a souffert pour sa religion, autant que je souffre pour mon art.

Dimanche. Mon Dieu, devine quoi ? Le gros Dick, l'ingénieur du son, pissait dans le fleuve, hier soir, quand un des Indiens s'est précipité vers lui, tout excité, faisant de grands gestes, lui parlant par signes, indiquant des mouvements natatoires avec ses mains, etc. Dick n'y comprenait rien — en fait, il pensait que ce type lui faisait des propositions, ce qui est assez drôle lorsqu'on voit les femmes indiennes. Puis l'Indien est parti en courant chercher Miguel, l'un des guides. De nouveaux gestes et des explications, et Dick a fermé sa braguette, l'air pincé. Tu ne devines pas ? L'Indien le mettait en garde contre ce petit poisson qui vit dans le fleuve et… Tu peux imaginer la suite ! Vraiment fort peu de chance que ce membre-ci de cette tribu-là ait regardé la télévision

anglaise le même soir que Courcircuité. Et guère
plus de chance que Courcircuité ait appris suffisamment du baragouin local pour monter un coup comme celui-là. Donc, il a bien fallu que nous acceptions
qu'il avait raison dès le début ! Oh là là, tu vois sa
crise de rire d'ici, non ?

Lundi. Quelque chose de curieux. Alors que les
Indiens semblent comprendre en gros ce que nous
faisons — ils sont heureux de reprendre une prise
de vues et ne semblent pas du tout dérangés par
ce grand œil qu'on braque sur eux —, ils semblent
incapables de concevoir l'idée d'interprétation.

Je veux dire qu'ils jouent le rôle de leurs ancêtres
et acceptent volontiers (en échange de quelques
bimbeloteries) de nous construire un radeau, de
nous faire remonter le courant dessus et d'être fil-
més. Mais ils ne feront absolument rien d'autre. Si
Vic leur dit de prendre une autre position ou de se
servir de leur perche de cette manière, comme il
leur en fait la démonstration, ils refusent tout simplement. Ils refusent catégoriquement. C'est ainsi
qu'on a toujours fait avancer un radeau à la perche
et ce n'est pas parce qu'un Blanc nous observe avec
sa bizarre machine que nous allons nous y prendre
autrement. L'autre chose est même encore plus incroyable. Ils pensent dur comme fer que, lorsque
Matt et moi sommes habillés en jésuites, nous
sommes réellement des jésuites ! Ils croient que
nous nous sommes envolés et que ces deux types en
robes noires viennent d'arriver ! Le père Firmin est
pour eux une personne aussi réelle que Charlie et
je suis content de dire qu'ils aiment mieux Charlie.

Néanmoins, il est impossible de les convaincre de ce qui se passe. L'équipe pense que c'est vraiment stupide de leur part, mais je me demande si ce n'est pas, au contraire, une preuve fantastique de maturité. L'équipe suppose qu'ils sont tellement primitifs qu'ils n'ont pas même encore découvert l'art dramatique. Quant à moi, je me demande si ce n'est pas le contraire. Ils appartiennent peut-être à une sorte de civilisation postthéâtrale, peut-être la première sur terre, comme s'ils n'en avaient plus besoin, et qu'en conséquence ils ont tout oublié là-dessus et n'y comprennent plus rien. Une de ces profondeurs de pensée !

Mercredi. Aurais dû te parler davantage du travail. Ça ne va pas trop mal. Le scénario ne ressemble pas à ce dont je me souvenais, mais de toute façon c'est toujours comme ça : en général parce qu'on l'a changé. Matt n'est pas un mauvais bougre au boulot. J'ai demandé au maquilleur de lui coller quelques piqûres de moustiques, mais Matt a refusé obstinément. Il dit qu'il veut être le beau gosse, rien qu'une fois, pour changer. C'est drôle, non — je veux dire que tout au fond de lui c'est évident il pense qu'il est beau gosse ! Je crois que je ferais mieux de ne pas lui répéter ce que tu as dit concernant son visage, qu'on avait l'impression qu'il avait été sculpté dans un bloc de corned-beef.

Jeudi. Une chose terrible est arrivée. Vraiment terrible. Un des Indiens est tombé du radeau et s'est noyé. Il a été emporté. Nous avons fixé l'eau, à cet endroit très agitée, en attendant qu'il refasse surface, en vain. Naturellement nous avons dit qu'on allait arrêter de travailler toute la journée. Eh bien, devine ? Les Indiens n'ont pas voulu en entendre parler. Quels bons petits soldats ils font !

Vendredi. Je repense à l'accident d'hier. Nous étions en fait bien plus bouleversés que ne l'étaient les Indiens. Je veux dire il devait sûrement être le frère, ou le mari, ou le parent de quelqu'un. Pourtant, il n'y a eu ni cris ni lamentations. Je m'attendais à moitié que, lorsqu'on aurait établi le camp pour la nuit, ils organisent quelque sorte de cérémonie, je ne sais pas, brûler un tas de chiffons ou un truc comme ça. Rien de tel. La bonne vieille vie autour d'un joli feu de camp, comme d'habitude. Je me demande s'ils n'aimaient pas le type qui est passé par-dessus bord, mais ce serait trop simple. Peut-être ne distinguent-ils pas réellement entre la vie et la mort. Peut-être ne pensent-ils pas qu'ils « s'en vont » comme nous le faisons, ou tout au moins qu'ils ne s'en vont pas complètement. Qu'ils s'en vont vers une plus jolie section du fleuve. J'ai essayé d'en parler avec Matt qui m'a dit : « Eh, mon vieux, je ne savais pas que tu avais du sang hippie. » Matt n'est pas exactement l'être le plus raffiné et le plus porté à la spiritualité qu'on puisse rencontrer. Il croit à la réussite, à se frayer un chemin dans la vie.

Se tenir et tirer droit et se taper les petites nanas, comme il dit. Et cracher à la figure de ceux qui lui cherchent noise. Cela, en tout cas, semble être les règles fondamentales de sa sagesse. Il pense que les Indiens sont plutôt de braves petits gars qui n'ont pas encore malheureusement inventé la vidéo. Je dois dire que c'est assez drôle qu'un type comme lui finisse par jouer le rôle d'un jésuite débattant sur des problèmes théoriques dans la forêt vierge. Le fait est qu'il est un de ces acteurs américains parfaitement efficaces dont les carrières sont faites par leur imprésario. Je lui ai parlé de mon idée d'arrêter le cinéma pendant six mois et de partir en tournée en province, simplement pour reprendre contact avec les planches et le public. Il m'a regardé comme si je venais de lui avouer que je commençais une dépression nerveuse. On peut dire ce qu'on veut, je crois que la scène est l'endroit où l'on apprend à jouer. Matt peut tordre son visage dans tous les sens, plisser ses yeux, afin que ses groupies restent assises, là, à mouiller leur culotte. Mais peut-il réellement jouer avec son corps ? Pense si tu veux que je suis vieux jeu, mais je crois qu'un tas d'acteurs américains sont juste capables de frimer, et ils en restent là. J'ai essayé d'expliquer ça à Vic qui m'a répondu que je m'en sortais bien, et que Matt aussi, et que de toute façon ça passerait sûrement à l'écran. Parfois j'aimerais qu'il écoute ce qu'on lui dit. Voilà que la poste arrive, ou plutôt l'hélicoptère. Rien de toi encore.

Tendresses, Charlie.

Lettre 6

Pippa ma douce,

D'accord, je sais ce que nous avions dit, que nous n'en parlerions pas. Et peut-être n'est-ce pas bien

parce que je ne sais pas dans quel état tu seras
lorsque tu recevras ça. Mais pourquoi n'irions-nous
pas nous installer à la campagne pour faire des
enfants ? Non, je ne suis pas tombé la tête la première dans le fleuve ou quoi que ce soit d'autre. Tu
n'as pas idée à quel point ça m'a fait du bien d'être
venu ici. J'ai renoncé au café après le déjeuner et je
ne fume presque plus. Les Indiens ne fument pas,
nom d'une pipe, c'est ce que je me suis dit. Les
Indiens ne cherchent pas à entretenir la puissante
société Philip Morris de Richmond, Virginie. Quand
les choses deviennent difficiles, ils mâchent parfois de petites feuilles vertes, ce qui, je l'admets, est
l'équivalent de ces sèches qu'on grille lorsque le
metteur en scène se conduit comme une prima
donna. Aussi pourquoi ne pas s'en passer comme
eux ? Bon, cette histoire avec Linda. J'imagine que
probablement tu ne veux plus jamais entendre prononcer son nom, et si c'est ce que tu veux, je t'en fais
la promesse, mais tout est arrivé à cause de Londres,
tu le sais, non ? Ça n'a réellement pas grand-chose à
voir avec nous. Juste ce foutu Londres avec ses rues
sales et lugubres et son alcool. Ecoute, ce n'est pas
réellement vivre ce qu'on fait dans les villes, tu ne
trouves pas ? Je pense aussi que les villes poussent les
gens à se mentir mutuellement. Tu ne crois pas que
c'est possible ? Les Indiens ne mentent jamais, pas
plus qu'ils ne savent jouer la comédie, ils ne font
jamais semblant. Eh bien, maintenant je ne pense
plus que c'est une attitude primitive, au contraire, je
trouve que c'est la preuve d'une grande maturité. Et
je suis convaincu que c'est ainsi parce qu'ils vivent

dans la jungle et pas dans les villes. Ils passent tout leur temps entourés par la nature, et s'il y a une chose que la nature ne fait pas, c'est mentir. Elle fonce et fait ce qu'elle a à faire. Comme dirait Matt : Tiens-toi et tire droit. Ça peut ne pas être toujours merveilleux, mais en tout cas elle ne ment pas. C'est pourquoi je pense que la campagne et les bébés sont la réponse. Et quand je dis la campagne, je ne pense pas à ces villages proches de l'autoroute, pleins de gens comme nous, qui achètent du chardonnay australien chez le marchand de vin du coin, et où pour entendre un accent de terroir il faut écouter le feuilleton paysan à la radio dans son bain. Je parle en réalité de la vraie campagne, d'un endroit perdu et caché — le pays de Galles peut-être ou le Yorkshire.

Dimanche. À propos du bébé. Ça a quelque chose à voir, d'une curieuse manière, avec les Indiens. J'ai dit tu te souviens qu'ils sont fantastiquement en bonne santé et que pourtant il n'y a pas de personnes âgées parmi eux, même si nous savons que la tribu se déplace toujours en groupe ? Eh bien, j'ai finalement réussi à ce que Miguel leur en parle et il s'est avéré que, s'il n'y a pas de vieillard parmi eux, c'est parce qu'ils ne vivent guère au-dessus de trente-cinq ans. Aussi, j'avais tort de penser qu'ils étaient fantastiquement en bonne santé et représentaient une bonne publicité pour la jungle. La vérité, c'est que c'est uniquement ceux qui sont fantastiquement en bonne santé qui parviennent à survivre. Quel changement de perspective. Mais voilà où j'en arrive : je suis maintenant plus âgé que la plupart des gens de cette tribu ne le seront jamais. Ça m'a donné un frisson dans le dos. Si nous vivons à la campagne, je t'assure que je ne reviendrai pas le soir épuisé, voulant qu'on s'occupe de moi, furieux de ne trouver qu'un bébé braillard. Je m'arrangerai pour n'accepter que les rôles importants et pas toutes ces merdes à la télé. Tu vois, quand je serai là, j'y serai réellement. Hein ? Je pourrai faire un parc pour le gosse et lui acheter une de ces grandes arches en bois, avec plein d'animaux et aussi un de ces sacs qu'on fait maintenant pour les porter, un truc que les Indiens utilisent depuis des siècles. Puis j'irai marcher avec lui dans la lande, afin de te débarrasser de nous pour un moment, qu'en dis-tu ? Au fait, je suis vraiment désolé d'avoir frappé Gavin.

Lundi. Assez déprimé, chérie. À cause de cette ridicule prise de bec avec Vic au sujet d'une réplique. Rien que six foutus mots, mais je sais que Firmin ne les dirait pas. Écoute, je suis dans la peau de ce type depuis plus de trois semaines maintenant et Vic commence à me dire comment je dois parler ? Il m'a dit, d'accord, écris-les. Donc, on a tout arrêté pendant une heure et en fin de compte, il m'a dit qu'il n'était pas convaincu. On a quand même essayé, parce que j'ai insisté, et devine ce qui s'est passé ? Ce salaud de Matt n'était pas convaincu non plus. Je lui ai alors balancé qu'il n'était pas capable de distinguer un vers de Shakespeare d'un verre de vin et que sa tête avait été sculptée dans un morceau de corned-beef. Il a failli me boxer. Saleté de merde de film.

Mardi. Toujours en rage.

Mercredi. Quelque chose d'étonnant. Tu te souviens de ce que j'ai dit à propos des Indiens, qu'ils n'étaient pas capables de concevoir ce qu'était une interprétation ? Eh bien, durant ces derniers jours, Firmin et Antonio sont devenus de plus en plus agressifs l'un en face de l'autre (ce qui n'est pas difficile à comprendre, vu ce qu'éprouvent Charlie et Matt l'un pour l'autre). Et l'on sentait tout à coup que les Indiens étaient réellement impliqués en suivant la scène de l'endroit où ils étaient placés sur le radeau, comme si leur vie en dépendait. Ce qui, d'une certaine manière, est exact, je suppose, étant donné que nous discutons pour savoir s'ils peuvent être baptisés ou non, si leur âme peut être oui ou non sauvée. Ils le sentent je ne sais de quelle manière. En tout cas, aujourd'hui, on tournait la scène où Matt doit me frapper avec une pagaie, à moitié accidentellement. C'était évidemment du bon vieux balsa, mais les Indiens l'ignoraient. Donc, je suis tombé par terre, comme il fallait, après avoir reçu le coup et Matt a commencé à vouloir expliquer qu'il s'agissait d'un accident. Les Indiens, en principe, devaient regarder ce qui se passait en ayant l'air de penser que les deux hommes Blancs en jupes étaient dingues. C'est ce qu'on leur avait dit de faire. Ils ne réagirent pas du tout de cette manière. Plusieurs d'entre eux se sont précipités vers moi et ont commencé à me frotter le visage, à m'humecter le front en poussant des gémissements, puis trois d'entre eux se sont tournés vers Matt, l'air féroce. Incroyable ! Bien plus, ils lui auraient proba-

blement fait son compte s'il ne s'était empressé
d'enlever, vite fait, sa soutane, afin de redevenir
Matt, ce qui les a calmés aussitôt. Étonnant ! Ce
n'était que ce bon vieux Matt, le sale méchant
prêtre, Antonio, s'était envolé. Puis je me suis relevé
lentement et ils se sont mis à rire d'un air joyeux,
comme si, finalement, je n'étais pas mort. La chose
vraiment chouette, c'est que Vic a continué de tourner, de sorte que nous avons tout ça sur la pellicule. Il pense qu'il va pouvoir s'en servir. Ce qui me
plaît pas mal parce que, si c'est la manière dont
réagissent les Indiens vis-à-vis de moi et de Matt,
alors c'est peut-être une indication sur la façon
dont mes fans réagiront.

Jeudi. Vic dit que le rapport du laboratoire sur
la bagarre d'hier n'est vraiment pas fameux. Je
veux bien parier que ce sacré Matt l'a harcelé à ce
sujet, il sait probablement que la caméra l'a filmé,
alors qu'il avait une peur de tous les diables. J'ai
dit, attendons de voir et Vic a accepté mais je n'ai
pas senti de très bonnes vibrations. Et voilà pour le
Véritéspiel : quand ils en ont, ils n'en veulent Pas.

Vendredi. Je ne pense pas que le scénario soit
merveilleux, de plus, le budget est totalement insuf-
fisant, mais il faut reconnaître quand même que ça
a une signification : je veux dire que ça n'a pas peur
des grands problèmes. La plupart des films ne
parlent jamais de rien, n'est-ce pas ? C'est ce qu'il
me semble de plus en plus. « Deux prêtres au fond
de la jungle » (c'est ce que Courcircuité chante
de temps en temps sur l'air de *Red Sails in the
Sunset*) — d'accord, mais c'est aussi quelque chose

sur la sorte de conflit qu'on rencontre dans la vie, à
n'importe quel moment et dans n'importe quelle
civilisation, l'ordre contre liberté. Attachement à la
lettre plutôt qu'à l'esprit. La fin et les moyens. Faire
une chose juste pour de mauvaises raisons, contre
faire une chose injuste pour une bonne raison.
Comment de grandes idées, telles que l'Église, se
sont embourbées dans la bureaucratie. Comment
le christianisme a commencé par être une religion
de paix, mais a fini dans la violence, comme les
autres. On peut dire la même chose, d'ailleurs,
à propos du communisme, ou de n'importe quelle
autre grande idée. Je pense que ce film peut être
vraiment subversif en Europe de l'Est et pas simplement parce qu'il y est question de prêtres. Vont-ils
le distribuer, ça c'est une autre question. J'ai dit à
Courcircuité que ce film adressait également un
message aux syndicats, et que ce serait bien qu'ils
parviennent à le découvrir. Il m'a répondu qu'il
allait se mettre activement à sa recherche. Pippa,
ma chérie, pense un peu à cette histoire de bébé,
d'accord ?

                                            Ton Charlie.

P.-S. Une drôle de chose est arrivée aujourd'hui.
Pas vraiment importante, mais ça m'oblige à me
poser des questions à propos des Indiens.

P.-P.-S. N'arrive pas à comprendre pourquoi tu
n'écris pas.

Pippa, ma chérie,

Foutue jungle. Elle ne mollit jamais. Foutus nuages de mouches et de machins piquants et de trucs bourdonnants que les premiers quinze jours on accepte puisque c'est vraiment extraordinaire et que de toute façon ce n'est pas important d'être piqué, étant donné que tout le monde l'est, en dehors de Matt avec son repellent magique, fabriqué par la Nasa avec l'autorisation spéciale du gouvernement des États-Unis, et sa peau cuirassée de corned-beef. Mais ensuite ça continue, ça continue et ça continue. Vacherie. Après un moment, on voudrait tout simplement que la jungle prenne un jour de congé. Vas-y, jungle, c'est dimanche, fous-les en l'air, voilà ce qu'on a envie de crier parce que ça bourdonne vingt-quatre heures sur vingt-quatre. Je ne sais pas. Peut-être que ce n'est pas la jungle, mais le film. On peut sentir la tension monter. Matt et moi sommes de plus en plus énervés, aussi bien devant la caméra que loin d'elle. Le film déborde sur le reste du temps. Même les Indiens ne sont plus si sûrs que je ne sois pas Firmin tout le temps, et Matt, Antonio. Ils commencent peut-être à penser que je suis réellement Firmin, et que de temps en temps je fais semblant d'être cet homme blanc qu'on appelle Charlie. Franchement, le monde à l'envers.

Dimanche. Un truc sur les Indiens. Pour te dire la vérité, ça m'a mis assez en boule quand je l'ai découvert. Maintenant je commence à voir les choses de leur point de vue. Je t'ai dit que j'essayais d'apprendre leur langue — elle est vraiment gentille avec rien sur elle, mais, comme je t'ai dit, pas besoin de t'inquiéter, mon ange, infectée à mort, j'en suis sûr, sans parler d'autres choses, bien entendu. Il est apparu que la moitié des mots qu'elle m'a enseignés étaient faux. Je veux dire que ce sont de vrais mots, sauf qu'ils ne s'appliquent pas aux véritables choses. Le premier truc que j'ai appris plus ou moins était *thkarni*, qui signifie — eh bien, elle m'a dit que ça signifiait — cette espèce de cigogne blanche qu'on voit un peu partout. Aussi, lorsque j'en voyais une passer, je me mettais à crier « thkarni » et les Indiens, tous en chœur, se mettaient à rire. Et je découvre — pas grâce à Miguel, mais à notre deuxième guide qui n'a pas dit grand-chose pendant le voyage — que thkarni est le nom indien — bon, un de leurs nombreux noms, pour être plus précis — pour ce que tu sais. La chose à l'intérieur de laquelle le petit poisson du fleuve grimpe, grimpe si tu n'y prends garde. Même chose pour environ la moitié des mots que j'ai appris de cette petite nana. Je croyais en savoir à peu près soixante, mais la moitié d'entre eux sont bidons — des gros mots ou des mots désignant des choses totalement différentes. Je n'étais guère heureux, comme tu peux l'imaginer, au moment où je m'en suis aperçu, mais je pense au fond que cela montre surtout que les Indiens ont un sens fantastique de l'humour. Aussi décidé de leur faire voir que je savais accepter la plaisanterie. Et, lorsqu'une grande cigogne est apparue, j'ai fait semblant de ne pas savoir quel était son nom et j'ai demandé à

la fille. « Thkarni », elle m'a dit, le visage impassible. J'ai pris un air étonné et j'ai secoué la tête,
puis j'ai dit que ça ne pouvait pas être thkarni,
parce que ceci, c'est thkarni (non je n'ai pas sorti
mon truc ou quoi que ce soit comme ça, je l'ai simplement montré). Alors elle a compris que le jeu
était fini et s'est mise à pouffer. J'en ai fait autant
pour lui montrer que je ne lui en voulais pas.

Lundi. On approche de la fin maintenant. Il n'y a
plus que la grande scène à tourner. On va prendre
deux jours de repos d'abord. Je pense que c'est stupide de la part de Vic, mais j'imagine qu'il doit avoir
les syndicats sur le dos. Il dit que c'est une bonne
idée de recharger les batteries avant le morceau de
bravoure. Quant à moi, je crois que, lorsqu'on est
dans le bain, il faut se laisser porter par la vague.
Bon, bon, chérie, je ne parle pas réellement comme
ça, je le fais seulement pour foutre en rogne Matt,
résultat que je n'obtiens pas facilement vu qu'il a la
couenne si épaisse qu'il pense que tout le monde
parle ainsi, de toute façon. Aussi j'imagine que je le
fais pour m'amuser moi-même. « Hé ! Matt, lorsqu'on est dans le bain, il vaut mieux se laisser porter par la vague. » Il hoche la tête comme un vieux
prophète des Dix Commandements. De toute façon,
c'est décidé de faire relâche aujourd'hui et demain,
ensuite deux jours de répétitions pour mettre au
point la scène du radeau qui chavire, et vendredi le
morceau de bravoure. Peut-être que Vic a raison,
après tout, nous avons besoin d'être en pleine
forme. Il ne s'agit pas seulement de la réussir, il faut
encore préparer le truc sous tous les angles. On doit

être attachés avec des cordes, selon les termes du contrat, au cas où quelque chose arriverait. Ne t'inquiète pas, chérie, ce n'est pas vraiment dangereux. On fera quelques séquences sur un bout de rivière où il y a des rapides mais le véritable naufrage ne se passera pas là en réalité. L'équipe technique a installé deux machines qui battent l'eau pour faire de la mousse et le décorateur a fabriqué des rochers qu'on a amarrés au fond du fleuve. Ils paraissent plus vrais que nature. Aussi, tu n'as absolument aucune raison de t'inquiéter. Je suis impatient de tourner ça, quoique, bien entendu, il y ait eu quelques bonnes vieilles disputes à propos de cette scène. Ce qui se passe, c'est que les deux prêtres sont jetés à l'eau et que l'un d'eux heurte un rocher avec la tête, l'autre le sauve. La question est de savoir qui fait quoi ? Je veux dire, voilà ces deux types qui se battent comme des chiffonniers en remontant le courant à cause de cette énorme abîme qui les sépare à propos de la doctrine. L'un, autoritaire, inconditionnel (moi) et l'autre permissif et gentil avec les Indiens (Matt). Il me semble que ce serait bien plus efficace si celui qu'on perçoit comme réactionnaire et qu'on imagine déjà laissant l'autre se noyer décide en fait de le sauver, même s'il pense que ses idées concernant les Indiens et son projet de les baptiser quand ils arriveront sur l'Orénoque sont hérétiques. Mais non, il faut que ce soit Matt qui me sauve, moi. Vic dit que c'est ce qui s'est passé réellement. Et Matt soutient que c'est ce qu'il a lu dans le scénario, là-bas, à Dudesville, dans le Dakota du Nord, ou je ne sais quel endroit où il crèche. Et c'est ce qu'on va jouer. « Personne ne sauve Matt Smeaton », a-t-il dit. Il a réellement dit ça, tu imagines ? « Personne ne sauve Matt Smeaton. » Je lui ai répliqué que je me souviendrai de ça le jour où je le trouverai suspendu par un orteil à un câble de téléphérique. Donc, ce sera comme dans le scénario.

Mardi. Un autre jour de repos.

Plus tard.

Plus tard.

Plus tard.

Tendresse. Charlie.

Lettre 8

Mon Dieu, Pippa, mon Dieu. Je n'ai tout simplement pas réussi à terminer ma dernière lettre. Jolis petits potins des journées de tournage : je ne pouvais pas continuer comme ça après ce qui est arrivé. Mais ça va. Réellement ça va.

Plus tard. Ce pauvre vieux Matt. Merde alors, c'était un brave type. Bien sûr, il pouvait être chiant, mais saint François d'Assise l'aurait probablement été aussi en travaillant sur un truc comme celui-là. Il aurait passé son temps à regarder les foutus oiseaux dans la jungle au lieu d'apprendre son texte. Désolé, chérie. De très mauvais goût, d'accord. Je n'arrive pas, tout simplement, à trouver la manière de prendre les choses. Vraiment pas. Ce pauvre vieux Matt. Je me demande comment tu as appris la nouvelle et ce que tu as pensé.

Mais, bon Dieu, ces foutus Indiens. Je pense que je vais en crever. Je peux à peine tenir ce bic. Sue comme un porc, *comme un porco*. Seigneur, je t'aime, Pippa, je me raccroche à ça.

C.

Lettre 9

J'ai sorti ta photo avec ta tête d'écureuil et je l'ai embrassée. Voilà tout ce qui compte : toi et moi, et de faire des gosses. Faisons-en, Pippa. Ta mère sera contente, non ? J'ai demandé à Courcircuité s'il avait des enfants, il m'a dit oui, qu'ils étaient la prunelle de ses yeux. J'ai passé mon bras autour de ses épaules et je l'ai serré contre moi. C'est des choses comme ça qui permettent de continuer, hein ?

C'est vrai ce qu'on dit. Va dans la jungle et tu découvriras réellement ce que sont les gens. Vic est un râleur, je l'ai toujours su. Il râle à propos de cette merde de film. Je lui ai dit de ne pas s'en faire, qu'il pourra toujours vendre ses mémoires à une feuille de chou. Il n'aime pas ça.

Mais pourquoi l'ont-ils fait ? Pourquoi l'ont-ils fait ?

Tendresses. C.

P.-S. Aurais bien aimé que tu écrives. Ça m'aurait aidé en ce moment.

Ç'aurait pu être moi. Ç'aurait pu tout aussi bien être moi. Qui décide ? Est-ce qu'il y a quelqu'un qui décide ? Hé ! Toi, là-haut, dans le ciel, est-ce que tu y es vraiment ?

Je n'ai pas arrêté de penser à ça toute la journée. J'ai demandé à Courcircuité s'il avait des enfants, et il m'a répondu oui, ils sont la prunelle de mes yeux et nous nous sommes embrassés, là, devant tout le monde, et depuis je me demande ce que ça peut bien signifier. La prunelle de mes yeux. Qu'est-ce que ça signifie ? Tu dis des mots comme ça et tout le monde sait ce qu'ils signifient, mais quand tu y penses, tu n'arrives plus à les comprendre. Le film est comme ça, tout le voyage a été comme ça. Tu y vas, pensant que tu sais exactement ce qu'est chaque chose, et puis tu t'arrêtes, tu réfléchis et plus rien n'a de sens et tu te dis que peut-être ça paraissait avoir du sens au début parce que chacun faisait semblant de croire que ça en avait. Est-ce que ce que je dis a le moindre sens ? Je veux dire, c'est comme les Indiens et les faux rochers que le décorateur a fabriqués. Ils les regardaient, les regardaient et plus ils les regardaient, moins ils comprenaient. Ils ont commencé par penser que c'étaient des rochers, puis finalement ils ne savaient plus rien du tout, ni quoi penser. On le voyait sur leurs figures.

Je vais donner cette lettre à Rojas maintenant. Il est passé il y a quelques minutes et m'a dit que c'était la troisième lettre que j'écrivais aujourd'hui et m'a demandé pourquoi je ne les mettais pas dans la

même enveloppe, afin d'économiser les timbres. Je
me suis dressé — et tu sais je te jure que je me suis
transformé en Firmin pour un moment — et j'ai dit :
« Écoute-moi, Notre-Dame-des-Communications,
j'écrirai ce que je veux et tu t'occuperas de toutes les
foutues lettres que je peux avoir envie d'écrire tous
les jours. » Évidemment, Firmin n'aurait pas dit les
foutues lettres, mais le ton y était. Vachement hautain et hargneux, à cause du manque de perfection
de ce monde. Bon, c'est mieux d'aller m'excuser,
autrement, il va les jeter l'une après l'autre.

Tendresses. C.

Lettre 11
En attendant l'hélicoptère

Pippa mon amour.
Quand on sort de là, je vais faire les choses suivantes : avaler le plus grand foutu whisky que je peux
trouver à Caracas, prendre un bain dans la plus
grande foutue baignoire que je peux trouver à
Caracas et avoir la plus longue conversation télépho-
nique qu'il est possible d'avoir avec toi. J'entends
déjà ta voix au téléphone comme si j'avais été au
débit de tabac chercher un paquet de sèches et étais
rentré un peu tard. Ensuite, j'irai à l'ambassade britannique pour trouver un numéro du *Daily
Telegraph,* et je m'en fous pas mal s'il est vieux de
plusieurs semaines, et je lirai quelque chose que je
ne lis généralement jamais, par exemple la rubrique

sur la vie de la nature, s'il y en a une. Je veux
apprendre où le martin-pêcheur fait son nid, et où
on peut voir, avec un peu de chance, un blaireau.
Des choses ordinaires qui arrivent tout le temps. Je
regarderai les résultats de cricket et ferai semblant de penser que je suis un vieil Anglais dans
un bled perdu qui porte un blazer rayé et boit du
whisky-soda. Peut-être lirai-je aussi le carnet mon-
dain. Pour Emma et Nicholas, une fille, Suzie, sœur
d'Alexandre et de Bill. Mes bons vieux Alexandre et
Bill, dirai-je, maintenant vous avez une petite sœur
avec qui jouer. Vous devez être gentils avec elle, vous
devez la protéger durant toute votre vie, c'est votre
petite sœur, il faut que vous fassiez en sorte qu'elle
soit la prunelle de vos yeux. Mon Dieu, je pleure,
Pippa, les larmes coulent sur mes joues.

Tendresses. C.

Lettre 12
Caracas, le 21 juillet

Pippa chérie, je n'arrive pas à y croire, je n'arrive
tout simplement pas à y croire. Nous avons finalement rejoint ce qu'on appelle — c'est l'ironie de la
chose — la civilisation. Nous avons finalement sous
la main un téléphone avec lequel il est possible de
faire des appels transatlantiques, j'ai finalement
trouvé une place dans la queue pour le téléphone
et j'ai été mis en communication avec la maison et
tu étais dehors. « Ce numéro ne répond pas, mon-

sieur. — Essayez encore. — Ce numéro ne répond toujours pas, monsieur. — Essayez encore. — Très bien monsieur. Ce numéro ne répond pas davantage. » Où es-tu ? Je ne veux appeler personne d'autre. Je ne veux pas appeler ta mère et lui dire que nous avons eu des ennuis, mais que nous sommes maintenant de retour à Caracas et que Matt est mort, oui, vous l'avez entendu aux informations, mais je ne veux pas en parler. Je veux juste te parler à toi, chérie, et je ne peux pas.

Essaye encore.

Essaye encore.

Parfait, j'ai trouvé une bouteille de whisky qui coûte environ cinq cents balles et, si les mecs du studio ne veulent pas la payer, je ne travaillerai plus jamais pour eux, et un bon paquet de papier à lettres d'hôtel, extrêmement minces. Les autres sont partis en ville. Je ne le supporte pas. Je n'arrête pas de penser à la dernière soirée que nous avons passée ici — dans ce même hôtel et tout ça — et comment Matt et moi sommes allés nous soûler ensemble, avant de finir avec la dame de Zorba le Grec et d'être jetés dehors, Matt me montrait du doigt en disant aux serveurs : « Hé ! Ne reconnaissez-vous pas Mr. Rick, de *Parkway Peninsula* ? » Et ils ne me reconnaissaient pas et nous ont fait payer les assiettes.

Après ces moments de repos, il ne restait plus que trois jours de travail. Le matin du premier jour, nous avons répété dans des eaux toutes blanches, en prenant mille précautions, je n'hésite pas à le dire. Vic et l'équipe étaient sur la rive, Matt et moi sur le radeau, avec environ une douzaine d'Indiens, pagayant, manipulant leurs perches. Pour plus de sûreté, il y avait une longue corde attachée au radeau et passée autour d'un arbre sur la rive, de sorte que, si les Indiens perdaient le contrôle, la corde nous arrêterait à temps. Matt et moi étions également attachés comme l'exigeait le contrat. Donc, nous avons fait un essai ce matin-là, qui s'est bien déroulé, puis dans l'après-midi un autre sur des eaux peu profondes, avec cette machine à faire de la mousse. Je pensais que nous n'avions pas besoin de passer une autre journée à répéter, mais Vic a insisté. Donc, le lendemain matin, nous avons recommencé, en portant cependant cette fois des micros. Vic n'avait pas encore décidé s'il allait post-synchroniser ou non. La corde était attachée à l'arbre, l'équipe installée sur la rive, et tout le monde prêt à faire deux ou trois répétitions devant la caméra. Matt et moi étions tellement occupés à nous disputer au sujet du baptême des Indiens que nous ne pouvions pas voir le danger derrière nous, ainsi que le verrait le public. J'ai pensé à ce qui est arrivé à peu près un million de fois et je ne connais toujours pas la réponse. C'était au moment de notre troisième passage. On a levé le pouce pour indiquer que nous étions prêts, puis nous avons commencé à nous disputer, c'est alors que nous avons remarqué quelque chose de bizarre, au lieu d'une douzaine d'Indiens dans le radeau, il n'y en avait plus que deux, qui tenaient chacun une perche à l'arrière du radeau. Sans doute avons-nous pensé que Vic avait demandé d'essayer comme ça. Matt et moi étions déjà dans

notre querelle et regarde à quel point c'était un vrai
professionnel : il a poursuivi, comme si tout était normal, j'ai fait de même, d'ailleurs. Puis, à la fin de la
scène, nous avons remarqué que les Indiens ne faisaient pas ce qu'ils devaient faire normalement,
c'est-à-dire enfoncer leur perche afin d'arrêter le
radeau. Ils continuaient à faire avancer l'embarcation à coups de perche. Matt s'est mis à crier : « Hé !
Les gars, c'est fini », mais ils n'y prêtèrent aucune
attention, et je me souviens d'avoir pensé que peut-
être ils voulaient éprouver la corde, pour voir si elle
tenait. Matt et moi nous nous sommes retournés
juste au même moment et avons vu vers où les
Indiens nous emmenaient — directement au beau
milieu d'un tas de rochers et d'écume. J'ai su alors
que la corde devait avoir lâché ou quelque chose
comme ça. Nous nous sommes mis à crier, mais avec
le bruit de l'eau et sans connaître leur langue, ça ne
servait évidemment à rien. Puis nous étions dans
l'eau. J'ai pensé à toi au moment où nous avons chaviré, Pippa, je te jure que c'est vrai. J'ai vu ton visage
et essayé de penser à toi. Puis j'ai tenté de nager,
mais c'était impossible à cause de la violence du courant et de cette foutue soutane — et puis, bang, j'ai
reçu un coup dans les côtes, comme si quelqu'un
m'avait envoyé un coup de pied, je me suis dit que
c'était la fin, ça doit être un rocher, ai-je pensé, et
puis j'ai renoncé, je me suis à moitié évanoui. Ce qui
s'est passé, c'est que la corde à laquelle j'étais
accroché s'était brusquement tendue. Je ne me souviens de rien de plus, jusqu'au moment où je suis sur
la rive, régurgitant et vomissant de l'eau dans la

boue. L'ingénieur du son me donnait de grands coups dans le dos et m'enfonçait son poing dans l'estomac. Ma corde a résisté, tandis que celle de Matt a cassé, c'est comme ça, c'était mon jour de chance.

Comme tu peux imaginer, tout le monde était sous le coup. Quelques membres de l'équipe ont essayé de remonter la rive — tu sais que parfois les gens sont retrouvés accrochés à des branches surplombant le fleuve, à un kilomètre en aval, mais ce ne fut pas le cas. Cette sorte de chose n'arrive qu'au cinéma. Matt avait disparu, d'ailleurs l'équipe n'avait pu descendre qu'une trentaine de mètres au-delà de l'endroit où il s'était enfoncé, parce que, vois-tu, il n'y a pas vraiment de chemin de halage dans la jungle. « Pourquoi n'étaient-ils que deux ? n'arrêtait pas de demander Vic. Pourquoi seulement deux ? » On a cherché dans les environs les Indiens qui avaient aidé à installer le truc, mais ils n'étaient plus là. Puis on est revenus au camp, où il ne restait plus que Miguel, l'interprète. Il avait eu une longue conversation avec un des Indiens et, lorsqu'il s'était retourné, tous les autres avaient foutu le camp.

Puis nous sommes allés voir ce qui était arrivé à la corde attachée à l'arbre. Elle n'y était plus, elle avait disparu. Ce qui était extrêmement bizarre, car elle avait été fixée avec un de ces nœuds compliqués qui ne lâchent jamais — sans doute, selon les termes du contrat. De sacrés soupçons. Puis nous avons parlé de nouveau à Miguel et avons appris que l'Indien avait commencé cette longue conversation avec lui bien avant que ne survienne l'accident. Donc, ceux-ci savaient probablement ce qui allait arriver. Et lorsque nous avons pénétré dans le camp, nous ayons découvert qu'ils avaient tout emporté — vêtements, nourriture, équipement. Pourquoi avaient-ils donc emporté les vêtements ? Ils sont toujours à poil.

Le temps nous a semblé foutrement long en attendant l'hélicoptère, c'est moi qui te le dis. Les Indiens avaient piqué le radio-téléphone (ils auraient certainement pris le groupe électro s'ils avaient eu une grue). Et bien entendu Caracas pensait qu'on était de nouveau tombés en panne, ce qui était assez normal. Deux jours à attendre, qui ont paru durer deux foutus mois. Je me disais que j'avais probablement attrapé quelques saloperies, malgré toute les piquouses. Apparemment, quand ils m'ont tiré du fleuve et qu'ils ont fait sortir toute cette saleté d'eau de mon ventre, la première chose que j'ai dite lorsque je suis revenu à moi, c'était : « Infecté à mort, j'en suis sûr » et toute l'équipe s'est mise à rire d'une manière hystérique. M'en souviens pas, mais ça ressemble assez à Charlie. Pensé que j'étais bon pour le béribéri et compagnie. Ouille puissance dix, me disais-je.

Pourquoi ont-ils fait ça ? C'est là qu'on en revient toujours. Pourquoi ? La plupart d'entre nous pensent qu'ils l'ont fait parce que ce sont des êtres primitifs — tu sais, un homme blanc ne fait jamais entièrement confiance à un indigène, etc. Mais ça ne marche pas. Je n'ai jamais pensé qu'ils étaient primitifs et ils nous ont toujours dit la vérité (en dehors des moments où ils m'apprenaient leur langage), et ils étaient sacrément plus fiables que certains des Blancs qui travaillaient avec nous. La première chose que j'ai pensée, c'est que nous les avions offensés de quelque manière sans le savoir — insulté d'une manière effroyable leur dieu ou quoi que ce soit. Mais à vrai dire je n'arrivais pas à penser.

Voilà comment je vois les choses : ou bien il y a un rapport avec ce qui s'est passé quelque deux cents ans plus tôt, ou bien il n'y en a pas, peut-être alors s'agit-il d'une pure coïncidence. Il s'est trouvé que des descendants des premiers Indiens dont le radeau a chaviré étaient aussi responsables d'un autre radeau qui a chaviré à peu près au même endroit sur le fleuve. Peut-être que ces Indiens ne peuvent pas faire autrement que d'emmener des jésuites, de leur faire remonter le courant à la perche, puis instinctivement de s'énerver, de devenir méchants et de les balancer par-dessus bord. Guère vraisemblable, n'est-ce pas ? Ou alors y a-t-il peut-être une connexion entre les deux incidents. C'est ce que je pense de toute façon. Il me semble que les Indiens — les nôtres — savaient ce qui était arrivé au père Firmin et au père Antonio, il y a fort longtemps. C'est la sorte de chose qui est transmise tandis que les femmes écrasent le manioc ou je ne sais quoi. Ces jésuites occupaient probablement une place importante dans le folklore des Indiens. Je pense à cette histoire transmise de génération en génération, avec chaque fois des détails de plus en plus colorés, des exagérations. Puis, nous sommes arrivés, une nouvelle cargaison d'hommes blancs qui avaient aussi avec eux deux types portant des grandes robes noires, qui voulaient également remonter le fleuve, à la perche, jusqu'à l'Orénoque. Bien sûr, il y avait des différences, ceux-là se servaient d'une machine avec un œil, etc., mais fondamentalement c'était la même histoire, nous leur avons expliqué d'ailleurs que ça finirait de la même manière, avec un radeau qui se retourne. Évidemment, il est difficile de trouver un équivalent, mais disons que, si tu étais un habitant de Hastings en 2066, et que tu ailles à la plage un jour et que tu trouves ces longs bateaux arrivant vers toi et un tas de gens en cottes de mailles et en casques pointus qui en descendent et te disent qu'ils sont venus pour la bataille de Hastings et, est-ce que vous voudriez bien préparer le roi Harold, afin qu'on puisse lui tirer une flèche dans l'œil et voici pour vous un gros portefeuille plein de billets, afin de bien tenir votre rôle. Tout d'abord, on peut être tenté de le faire, non ? Et puis on se mettrait à penser : Mais pourquoi veulent-ils qu'on le fasse ? Et alors on peut arriver à ceci — c'est juste mon idée, Vic n'est pas vraiment d'accord —, qu'ils (c'est-à-dire nous) sont venus pour faire revivre cette cérémonie pour quelque raison, une cérémonie terriblement importante pour la tribu. Peut-être les Indiens pensaient-ils qu'il s'agissait d'un acte religieux, comme la célébration du cinq centième anniversaire d'une cathédrale ou un truc comme ça.

Il y a encore une autre possibilité — que les Indiens suivaient effectivement la dispute entre les jésuites et la comprenaient bien mieux que nous ne le pensions. Ils — c'est-à-dire Matt et moi — se disputaient à propos du baptême des Indiens et, au moment où le radeau a chaviré, il semblait que j'étais en train de l'emporter. J'étais le supérieur, après tout, et j'étais contre le baptême — au moins jusqu'à ce que les Indiens fassent quelques efforts et arrêtent quelques-unes de leurs pratiques répugnantes. Aussi peut-être que les Indiens comprenaient tout cela et firent chavirer le radeau parce qu'ils voulaient tuer le père Firmin (moi !) afin que le père Antonio survive et les baptise. Qu'en dis-tu ? Sauf que, lors de la scène originelle, les Indiens virent bien que c'était Firmin qui survivait et s'enfuirent, pris de peur. La deuxième fois, ils virent qu'ils avaient tué Antonio, ce qui n'était pas du tout le résultat escompté, et s'enfuirent parce que tout allait de travers.

Est-ce ce qui s'est passé ? Je sais bien, en tout cas, que c'est bien plus compliqué que ça n'apparaît dans les journaux. Je ne serais guère surpris si Hollywood envoyait un avion pour bombarder les Indiens en châtiment de la mort de Matt. Ou s'il en faisait un film — oui, ce serait plus sacrément probable. Qui jouerait le rôle de Matt ? Quel merveilleux tremplin pour une carrière, hein ?

Je crains que nous soyons coincés ici pour une semaine environ. Ce foutu studio et ses foutus avocats. Apparemment le film va être officiellement annulé de quelque manière, et ça prend du temps.

Vais porter ça à Notre-Dame-des-Communications et l'envoyer en express. Quel changement de remettre ma lettre à un véritable facteur.

Mille tendresses. Charlie.

Bon Dieu, ne me fais plus ça, je veux dire plus jamais. Deux jours loin de cette foutue jungle après avoir failli y crever et tu me raccroches au nez. Écoute, j'ai essayé de t'expliquer, elle avait trouvé du travail ici, c'est purement et simplement une coïncidence. Je sais que je me suis conduit comme un cochon, *comme un porco,* pendant un moment, mais je t'en prie, lis toutes mes lettres de la jungle, et tu verras que j'ai changé. Tout est fini maintenant entre Linda et moi, je te l'ai déjà dit avant de partir. Et je ne peux exercer un contrôle sur l'endroit où cette fille travaille, non ? Oui, je savais qu'elle allait venir à Caracas. Non, je ne te l'ai pas dit. Oui, c'était mal de ma part, mais est-ce que ç'aurait été mieux si je te l'avais dit ? De toute façon, comment, nom de Dieu, l'as-tu découvert ? Non, elle n'est pas ici, autant que je le sache, mais je m'en fous, elle est aux Antilles. Pour l'amour de Dieu, Pippa, ne fichons pas en l'air cinq années.

Ton Charlie.

P.-S. Je t'envoie ça par express.

P.P.S. Caracas est un trou pourri. Coincé ici au moins jusqu'au 4.

P.P.P.S. Je t'aime.

Télégramme

APPELLE S'IL TE PLAÎT CHARLIE À L'HÔTEL INTERCONTINENTAL LE PLUS VITE POSSIBLE STOP TENDRESSES CHARLIE.

Télégramme

POUR L'AMOUR DU CIEL APPELLE L'INTER-CONTINENTAL DEVONS PARLER LE PLUS TÔT POSSIBLE STOP TENDRESSES CHARLIE.

Télégramme

T'APPELLERAI À MIDI HEURE DE LONDRES JEUDI UN TAS DE CHOSES À METTRE AU CLAIR STOP CHARLIE.

Télégramme

NOM DE DIEU RÉPONDS AU TÉLÉGRAMME OU APPELLE-MOI PIPPA STOP CHARLIE.

Lettre 14

Chère Pippa,

Comme tu ne sembles pas vouloir répondre aux télégrammes pour des raisons que tu es seule à connaître, je t'écris pour te dire que je ne rentrerai pas immédiatement à la maison. J'ai besoin d'un peu d'air et de temps, non seulement pour surmonter les choses terrifiantes qui me sont arrivées, et auxquelles tu ne sembles pas porter grand intérêt, mais aussi pour penser et réfléchir où nous en sommes tous les deux. Ça paraît assez inutile de te dire que je t'aime en dépit de tout, parce qu'apparemment cela ne fait que t'irriter, pour des raisons seules connues de toi et que tu te gardes bien d'expliquer ou d'éclaircir. Je reprendrai contact lorsque je saurai où j'en suis à propos de tout cela.

Charlie.

P.-S. J'envoie ça par express.

P.P.S. Si quoi que ce soit de ce qui se passe est dû à ce petit salaud de Gavin, je lui briserai son foutu cou de mes propres mains. J'aurais dû le frapper bien plus fort en premier lieu. Et, au cas où tu ne l'aurais pas remarqué, il n'est pas foutu de se frayer un chemin hors d'un sac en papier. Aucun talent. Pas de *cojones*.

Lettre 15
Sainte-Lucie — Antilles
Un foutu jour ou un autre

Ecoute, salope, pourquoi ne sortirais-tu pas tout simplement de ma vie, mets les bouts. METS LES VOILES. Tu as toujours foutu les choses en l'air, c'était surtout ça ton grand talent de foutre toutes les choses en l'air. Mes amis m'ont toujours dit que tu étais une chieuse et que la dernière chose que je devrais faire serait de t'installer chez moi. J'étais drôlement con de ne pas les croire. Seigneur, si tu penses que je suis un égoïste, regarde-toi dans ton miroir, nénette. Bien sûr que je suis ivre, quoi que tu penses, c'est une manière de te faire sortir de ma tête. Maintenant, je vais m'efforcer de me soûler la gueule à mort. *In vivo* foutue *veritas*.

Charlie le « Patachon ».

P.-S. J'envoie ça en express.

Télégramme

RENTRE À LONDRES LUNDI 15 STOP DÉGAGE GENTIMENT AVEC TES POSSESSIONS AVANT MON ARRIVÉE STOP LAISSE LA CLÉ DE L'APPARTEMENT POINT FINAL STOP.

Parenthèse

Permettez-moi de vous confier quelque chose sur elle. C'est ce moment, au milieu de la nuit, quand les rideaux ne laissent filtrer aucune lumière et que le seul bruit de la rue provient du ronronnement d'un Roméo rentrant chez lui. Les oiseaux n'ont pas encore commencé leur joyeux tapage rituel. Elle est allongée sur le côté et me tourne le dos. Je ne peux la voir dans le noir, mais la houle paisible provoquée par sa respiration me permet de dessiner la configuration de son corps. Lorsqu'elle est heureuse, elle arrive à dormir pendant des heures dans la même position. Je l'ai observée au cours de toutes ces périodes boueuses de la nuit et je peux donc certifier qu'elle ne bouge pas. Ce n'est peut-être après tout que le signe d'une bonne digestion et de rêves sereins, pourtant je veux y voir l'image du bonheur.

Nos nuits sont différentes. Elle s'endort comme quelqu'un qui se rend à la douce poussée d'un courant tiède, puis confiant se laisse emporter jusqu'au matin. Je m'endors avec plus de regret, luttant contre la vague, refusant d'accepter la fin d'une bonne journée ou encore maudissant celle qui ne le fut pas. Des courants différents sillonnent nos moments d'inconscience. Assez souvent, je me retrouve hors du lit, oppressé par le temps qui passe, par la mort, une panique provoquée par ce vide qui approche ; les pieds au sol, la tête dans les mains, je lance un inutile (et décevant, et combien peu éloquent) : « Non, non, non », tandis que je m'éveille. Il faut alors qu'elle me caresse, pour chasser l'horreur, comme on lave à grande eau un chien sortant en aboyant d'une rivière immonde.

Plus rarement, c'est elle qui pousse un cri dans son sommeil. Et c'est à mon tour de me glisser vers elle avec le désir de la protéger. Je suis complètement réveillé. Elle articule alors avec ses lèvres lourdes de sommeil les raisons de son alarme. « Un très, très grand scarabée », dit-elle, comme si elle n'aurait pas voulu m'ennuyer pour un insecte plus petit ; ou « Les marches étaient glissantes » ; ou simplement (quelque chose qui m'apparaît aussi énigmatique qu'une tautologie) : « Un truc déplaisant. » Puis, s'étant débarrassée de ce crapaud humide, de cette poignée de saletés surgies des profondeurs des égouts, elle soupire et retourne à un sommeil épuré. Je demeure éveillé, m'accrochant à un animal amphibie et gluant, retournant dans ma main une poignée de détritus détrempés, inquiet et admiratif (je ne prétends pas, à propos, que mes rêves sont plus exceptionnels que les siens. Mais non. Le sommeil démocratise toutes les terreurs. La peur de perdre une chaussure ou de rater un train est aussi grande dans cet univers que celle provoquée par une guérilla ou une guerre nucléaire). Je l'admire parce qu'elle sait mettre en ordre ce sommeil qui nous saisit chaque nuit, sans répit, jusqu'à notre mort, beaucoup mieux que je ne suis capable de le faire. Elle s'en arrange comme un grand voyageur qui ne saurait craindre un aéroport inconnu. Alors que je m'enfonce dans la nuit avec un passeport expiré, poussant un chariot à bagages aux roues grinçantes en direction d'un tapis roulant qui se révélera ne pas être le bon.

De toute façon... elle dort, me tournant le dos. Les stratagèmes habituels, les changements de position répétés n'ont pas réussi à m'apporter le sommeil, si bien que je décide de me couler contre les doux zigzags de son corps. Tandis que je me déplace et commence à glisser mon tibia contre un mollet aux muscles détendus par le sommeil, elle sent ce que je suis en train de faire et, sans se réveiller, lève la main gauche afin d'enlever les cheveux de son épaule pour les mettre sur le sommet de son crâne, dégageant ainsi un espace nu où je peux me nicher. Chaque fois qu'elle le fait, je sens un frisson d'amour me parcourir à cause de la parfaite précision de cette politesse nocturne. Des larmes me montent aux yeux et je dois faire un effort pour m'empêcher de la réveiller afin de lui redire mon amour. À ces moments-là, sans le savoir, elle actionne quelque levier secret relié aux sentiments que j'ai pour elle. Elle ne le sait pas, évidemment : je ne lui ai jamais parlé de ce petit plaisir aux contours merveilleusement précis qui enchante mes nuits. Bien que je sois sans doute en train de le lui dire maintenant, j'imagine…

Vous pensez sans doute qu'elle est bien sûr réveillée quand elle le fait ? Je sais que ça peut apparaître effectivement comme une affabilité consciente — un geste charmant, mais qui ne montre nullement que l'amour ait enfoncé ses racines au-delà des limites de la conscience. Vous avez bien raison d'être sceptique : nous ne devons montrer de l'indulgence aux amoureux que jusqu'à un certain point, leur vanité n'a d'égale que celle des politiciens. Pourtant, je peux donner d'autres preuves. Ses cheveux, voyez-vous, tombent sur ses épaules. Il y a quelques années, alors qu'on nous annonçait un été torride qui allait durer des mois, elle se les est fait couper. Sa nuque était donc offerte aux baisers jour et nuit. Dans le noir, alors que nous étions allongés sous un seul drap, que je suais abondamment à cause de cette chaleur digne de la Calabre et que le milieu de la nuit, bien que plus court, était néanmoins encore difficile à franchir, je me tournais vers cette forme en S, abandonnée à côté de moi. Elle, murmurant alors doucement, essayait de relever les cheveux absents pour dégager son cou.

« Je t'aime, soupirai-je contre sa nuque endormie, je t'aime. » Tous les romanciers savent que leur art emprunte des chemins obliques. S'il est jamais tenté d'être didactique, l'écrivain devrait imaginer un commandant de navire, à la tenue impeccable, regardant la tempête s'avancer vers lui, puis allant d'un instrument de bord à l'autre dans un tourbillonnement de galons dorés, donnant des ordres secs dans le tube acoustique. Malheureusement, il n'y a personne, en bas, sous les ponts : la salle des machines n'a jamais été installée et le gouvernail est hors d'usage depuis des siècles. Le commandant peut agir avec logique et détermination. Il peut bien sûr non seulement s'illusionner, mais aussi convaincre quelques passagers. Pourtant, il ne dépend pas de lui que cet univers flottant arrive à bon port, mais bien plutôt de la fureur des vents, de la grosseur des vagues, de l'emplacement des icebergs et du surgissement soudain des récifs.

Certes, il est naturel parfois que le romancier peste contre les chemins détournés de la fiction. Dans la partie du bas de *L'Enterrement du comte d'Orgaz,* du Greco, à Tolède, il y a un alignement de personnages en deuil, au visage osseux, portant des fraises. Ils regardent de côté et d'autre avec un air douloureux et théâtral. Seul, l'un d'entre eux nous fixe directement, il nous dévisage d'un œil à la fois sombre et ironique — un œil qui a aussi renoncé à toute concession, comme on ne peut s'empêcher de le remarquer. La tradition veut que ce visage soit celui du Greco lui-même. C'est moi qui ai fait ça, dit-il. Moi qui l'ai peint. J'en suis responsable, et je me tourne vers vous.

Les poètes semblent écrire plus facilement sur l'amour que les prosateurs. Dès le départ, ils ont la possibilité d'employer ce « je » indéfini (alors que, quand je dis « je », vous voulez savoir au bout d'un paragraphe ou deux s'il s'agit de Julian Barnes ou d'un personnage inventé ; le poète, quant à lui, peut se permettre d'osciller entre les deux, on l'accrédite à la fois de sentiments profonds et d'objectivité). De plus, les poètes paraissent capables de transmuer un amour misérable, égoïste, merdique, en un amour poétique et merveilleux. Les prosateurs n'ont pas le pouvoir de transformer ainsi les choses, de les embellir de cette manière admirable et malhonnête. Nous ne pouvons, avec un amour au rabais, qu'écrire en prose quelque chose sur l'amour au rabais. Aussi sommes-nous envieux (et légèrement méfiants) quand les poètes nous parlent de l'amour.

Ils écrivent ces trucs qu'on appelle des poèmes d'amour. C'est rassemblé dans des livres avec pour titre *Anthologie mondiale des poèmes d'amour des plus grands amoureux de la Saint-Valentin* ou quelque chose comme ça. Et il y a aussi les lettres d'amour. Celles-ci sont rassemblées dans les *Trésors de la plume d'or des lettres d'amour* (on peut passer commande par courrier). Mais il n'y a aucun genre qui réponde au nom de prose amoureuse. Ça sonne curieusement, c'est presque contradictoire. De la prose amoureuse égale un manuel de bricolage. Voir rubrique : menuiserie.

L'écrivain canadien Mavis Gallant écrit ceci : « Le mystère de ce qu'est exactement un couple est presque le seul véritable mystère qui nous est laissé et, lorsqu'on en aura fini avec ça, il n'y aura plus besoin de littérature — ni d'amour d'ailleurs. » La première fois que j'ai lu ces phrases, j'ai mis dans la marge le signe utilisé, pour les parties d'échecs, « !? », signifiant un déplacement qui, tout en apparaissant brillant, va se révéler très probablement néfaste. Mais, peu à peu, ce point de vue parvient à convaincre, et j'ai changé le signe par celui du coup brillant, « !! ».

« Ce qui restera de nous, c'est l'amour. » Voilà la conclusion, prudemment tirée, d'un poème de Philip Larkin, « An Arundel Tomb ». Ce vers nous surprend car généralement l'œuvre de ce poète est un flot à peine endigué de désenchantement. Nous sommes prêts à applaudir, pourtant nous devrions tout d'abord prendre notre air renfrogné de prosateur et poser face à cette poétique guirlande la question : Est-ce bien vrai ? Est-ce que l'amour sera ce qui, effectivement, restera de nous ? Ce serait agréable de le penser. Ce serait vraiment réconfortant, si l'amour était une source d'énergie qui s'obstinait à rayonner après notre mort. Au début, les postes de télévision, quand on les arrêtait, continuaient d'émettre une lueur au milieu de l'écran de la taille d'une pièce de monnaie. Cette lueur diminuait lentement avant de devenir un point et de disparaître. Jeune garçon, je la regardais chaque soir, voulant vaguement la retenir (la voyant, avec les yeux mélancoliques de l'adolescence, comme la tête d'épingle de l'existence humaine se dissolvant inexorablement dans un univers d'obscurité). Est-ce que l'amour signifie qu'on continue de luire ainsi, durant un certain temps, après que la machine a été débranchée ? Ce n'est pas ce qu'il me semble. Quand le survivant d'un couple d'amants meurt, l'amour meurt aussi. Si quelque chose survit de nous, c'est probablement autre chose. Ce qui survivra de Larkin, ce n'est pas son amour, mais sa poésie ; c'est évident. Et quand je lis la fin d'« An Arundel Tomb », je pense à William Huskisson. C'était un politicien et un financier bien connu à son époque. Mais nous nous souvenons de lui aujourd'hui parce que le 15 septembre 1830, lors de l'inauguration de la ligne de chemin de fer Liverpool-Manchester, il fut la première personne à être renversée et tuée par un train (c'est ce qu'il est devenu, c'est en ça qu'il est transformé). Est-ce que William Huskisson était amoureux ? Est-ce que son amour a duré ? Nous n'en savons rien. Tout ce qui a survécu de lui est ce moment d'inattention qui lui fut fatal ; la mort l'a figé dans une sorte de camée didactique, nous révélant l'exacte nature du progrès.

« Je t'aime. » Tout d'abord, nous ferions mieux de mettre ces mots tout en haut d'une étagère ou dans une boîte carrée derrière une vitre qu'il nous faudrait briser avec le coude ou encore à la banque. Nous ne devrions pas les laisser traîner dans la maison comme un tube de vitamines C. Si ces mots viennent trop facilement sur la langue, nous les utiliserons sans y penser, nous ne serons pas capables de leur résister. Oh ! Nous ne les utiliserons pas, disons-nous, mais nous les utilisons. Nous sommes ivres, seuls ou — ce qui est le plus probable — terriblement remplis d'espoir et il y a là ces foutus mots, usés et pâlis. Nous pensons que nous sommes peut-être amoureux et nous les essayons pour voir s'ils ne cadreraient pas ? Comment pouvons-nous savoir ce que nous pensons avant d'entendre ce que nous disons ? À d'autres.

Ça ne les arrange pas, croyez-moi. Ce sont de grands mots, nous devons nous assurer que nous les méritons. Écoutons-les encore une fois : « Je t'aime. » En anglais : « I love you. » Le sujet, le verbe, le complément d'objet : la phrase nue, irréfutable. Le sujet est un mot extrêmement court qui renvoie à l'effacement volontaire de l'amant. Le verbe est plus long mais sans ambiguïté, un moment de vérité lorsque la langue quitte le palais pour prononcer la voyelle. L'objet comme le sujet n'a pas de consonne et devient distinct lorsqu'on pousse les lèvres en avant, comme pour un baiser. « I love you. » Comme c'est sérieux, comme c'est lourd, comme c'est effrayant.

J'imagine une conspiration du son entre les diverses langues du monde. Elles décident, lors d'une conférence, que cette phrase doit toujours être gagnée, désirée, respectée. *Ich liebe dich :* un murmure enroué tard le soir, avec cette rime heureuse de l'objet et du sujet. Je t'aime : voilà quelque chose de différent, puisque le sujet et l'objet arrivent d'abord afin que la longue voyelle de l'adoration puisse être dégustée en totalité. (La grammaire, ici rassure : l'objet en second, et l'aimé ne risque pas de se transformer brusquement en quelqu'un d'autre.) *Ya tebya lyublyu :* l'objet, une fois de plus, est en deuxième position rassurant, mais ici, en dépit de la rime suggérée du sujet et de l'objet, il y a l'indication d'une sorte de difficulté, d'obstacle à surmonter. *Ti amo* ressemble peut-être un peu trop à un apéritif, mais cette phrase est sûre de sa structure grâce au

verbe et au sujet, à l'acteur et à l'action, réunis au
cœur du même mot.

Pardonnez cet amateurisme. Je remettrai volontiers ce projet entre les mains de quelque associa-
tion philanthropique qui voudrait se consacrer à
augmenter la somme des connaissances humaines.
Laissons-la charger une équipe de chercheurs d'examiner la phrase dans toutes les langues du monde,
pour voir quelles sont les variantes, pour voir ce que
ces sons suggèrent à ceux qui l'entendent, pour
découvrir si la mesure du bonheur varie selon la
richesse de la phraséologie. Une question venant
du chœur : Y a-t-il des tribus dont le vocabulaire ne
contient pas les mots « Je t'aime » ? Ou ont-elles
toutes disparu ?

Nous devons garder ces mots dans une boîte derrière une vitre. Et lorsque nous les sortons, nous
devons les ménager. Les hommes diront : « Je
t'aime », afin de coucher avec une femme ; les
femmes diront « Je t'aime » pour inciter un homme
à les épouser ; les uns et les autres diront « Je
t'aime » pour maintenir la peur à distance, pour se
convaincre de la réalité du fait par le mot lui-
même, pour s'assurer que la condition promise est
arrivée, pour se convaincre que ce n'est pas encore
fini. Nous devons faire attention à de tels usages.
« Je t'aime », cette expression ne devrait pas faire
son chemin dans le monde comme une monnaie,
comme des actions, elle ne devrait pas nous rapporter des dividendes. C'est ce qu'elle fera si nous
la laissons divaguer. Pour moi, il faut garder cette

phrase docile pour la murmurer au creux d'une nuque dont les cheveux viennent d'être relevés.

Je suis loin d'elle en ce moment ; peut-être l'avez-vous deviné. Le téléphone transatlantique émet un écho moqueur et ressassé. « Je t'aime », et avant qu'elle puisse répondre, j'entends mon autre voix métallique répéter : « Je t'aime. » Cela n'est pas satisfaisant. Les mots portés par l'écho sont devenus publics. J'essaie encore, avec le même résultat. Je t'aime, je t'aime — c'est devenu une roucoulade célèbre durant un mois épouvantable, avant de traîner dans les night-clubs où des rockers rondouillards, les cheveux huileux, la voix languissante, s'en serviront pour déculotter les filles qui se balancent au premier rang. Je t'aime, je t'aime, pendant que le guitariste glousse et que la langue du batteur, tout humide, pend de sa bouche ouverte.

Nous devons être pointilleux avec l'amour, avec son langage et ses gestes. S'il doit nous sauver, nous devons y regarder d'aussi près que nous devrions apprendre à le faire pour la mort. Est-ce que l'amour devrait être enseigné à l'école ? Premier trimestre : amitié ; deuxième trimestre : tendresse ; troisième trimestre : passion. Pourquoi pas ? On apprend à nos enfants à cuisiner, à réparer les voitures, à baiser sans faire de gosses. Et ils sont, nous le supposons, bien meilleurs pour tout ça que nous autres, mais à quoi ça peut-il leur servir s'ils ne savent rien à propos de l'amour ? On espère qu'ils se tireront d'affaire tout seuls. La nature, suppose-t-on, devrait les prendre en charge comme le pilote automatique dans un avion. Pourtant la nature, sur qui nous rejetons la responsabilité concernant tout ce qu'on ne peut pas comprendre, n'est guère experte lorsqu'il s'agit d'automatismes. Des couples réellement vierges, liés soudain par le mariage, ne trouvent jamais que la nature leur fournit toutes les réponses au moment où ils éteignent la lumière. À ces deux-là, on avait dit que l'amour était la terre promise, une arche sur laquelle on pouvait, à deux, échapper au déluge. C'est peut-être une arche, mais une arche sur laquelle l'anthropophagie est assez répandue, une arche commandée par une vieille barbe un peu folle, qui vous donne des coups sur la tête avec sa canne en bois de gopher et qui peut vous jeter par-dessus bord à n'importe quel moment.

Commençons par le commencement. L'amour vous rend-il heureux ? Non. L'amour rend-il heureux la personne que vous aimez ? Non. Est-ce que l'amour arrange absolument tout ? Évidemment non. Je croyais tout cela, autrefois, bien sûr. Qui n'y a pas cru (qui n'y croit pas encore quelque part tout au fond de la cale de la psyché ?)

On le répète dans tous nos livres, dans tous nos films, c'est l'apothéose de milliers d'histoires. À quoi pourrait bien servir l'amour s'il ne résolvait pas tout ? Sûrement nous pouvons déduire de la force même de nos aspirations que l'amour, une fois réalisé, allège les douleurs quotidiennes, fournit un analgésique facile.

Si un couple s'aime, mais n'est pas heureux, que faut-il en conclure ? Que l'un des deux amoureux n'aime pas réellement l'autre, qu'ils s'aiment, certes, mais pas suffisamment ? Je conteste ce « réellement » et aussi ce « suffisamment ». J'ai aimé deux fois dans ma vie (ce qui me semble beaucoup à mon avis), une fois d'un amour partagé, une autre fois d'un amour malheureux. Ce fut l'amour malheureux qui m'enseigna la plupart de ce que je sais sur la nature de l'amour — mais pas sur le moment, seulement bien des années plus tard. Les dates et les détails, vous les choisirez selon vos goûts. Mais j'aimais et j'étais aimé pendant longtemps, pendant de nombreuses années. Tout d'abord, j'étais effrontément heureux, insupportable de joie égoïste ; cependant, ensuite, la plupart du temps, j'étais bizarrement, désagréablement malheureux. Est-ce que je ne l'aimais pas assez ? Je sais bien que ce n'était pas le cas — j'avais renoncé à la moitié de mon avenir pour elle. Ne m'aimait-elle pas assez ? Je sais bien sûr qu'il n'en était rien — elle avait renoncé à la moitié de son passé pour moi. Nous avons vécu côte à côte durant de nombreuses années, nous énervant de ne pas trouver ce qui n'allait pas dans l'équation que nous avions inventée. L'amour partagé n'amène pas forcément le bonheur. Avec entêtement, nous voulions qu'il en soit ainsi.

Plus tard, je vis exactement ce que je croyais à propos de l'amour. Nous pensons qu'il s'agit d'une force active. Mon amour la rend heureuse, son amour me rend heureux : comment cela pourrait-il être faux ? C'est faux. Ça renvoie à une construction conceptuelle erronée. Ça sous-entend que l'amour

est une baguette magique, qu'il va démêler l'éche-
veau, remplir le chapeau haut de forme de foulards
colorés, faire envoler les colombes. Pourtant sa
structure n'est pas magique mais physique. Mon
amour ne peut pas, ne peut absolument pas la
rendre heureuse, mon amour peut seulement libérer en elle sa capacité d'être heureuse. Maintenant
les choses apparaissent plus claires. Comment se
fait-il que je ne puisse la rendre heureuse, qu'elle ne
puisse me rendre heureux ? Extrêmement simple :
la réaction atomique que vous attendiez n'a pas eu
lieu, le faisceau destiné à bombarder les particules
ne se trouvait pas sur la bonne longueur d'onde.

Mais l'amour n'est pas une bombe atomique,
aussi nous allons essayer de prendre une comparaison plus prosaïque. J'écris ces lignes chez un ami
qui habite le Michigan. C'est une maison américaine des plus normales, avec tous les gadgets que la
technologie peut rêver (en dehors de celui de
rendre les gens heureux). Il est venu me chercher à
l'aéroport de Detroit hier pour m'amener ici.
Comme nous arrivions dans l'allée, il a fouillé dans
la boîte à gants pour prendre son petit appareil de
contrôle à distance qui, d'une poussée d'un simple
doigt, fait remonter la porte du garage pour ouvrir
le passage. Voici maintenant l'enchaînement que
je propose. On arrive chez soi — du moins c'est ce
qu'on pense — et, dans l'allée, on essaie de faire
marcher l'engin magique et familier. Rien ne se
passe, la porte reste fermée. On essaie de nouveau.
Toujours rien. Tout d'abord perplexe, puis inquiet,
et enfin furieux, ne parvenant pas à y croire, on

reste dans l'allée en laissant tourner le moteur, on reste là pendant des semaines, des mois, des années, en attendant que la porte s'ouvre. Mais on n'est pas dans la bonne voiture ni devant le bon garage, en fait on attend devant la mauvaise maison. L'un des ennuis à propos de ces choses c'est que le cœur n'a pas la forme d'un cœur.

« Nous devons nous aimer ou mourir », a écrit W.H. Auden, attirant le commentaire suivant d'E.M. Forster : « Parce qu'il a écrit "Nous devons nous aimer ou mourir", il peut m'ordonner de le suivre. » Auden, cependant, n'était pas content de ce vers célèbre écrit « le 1er septembre 1939 ». « C'est un sacré mensonge, commenta-t-il. Nous mourrons de toute façon. » Aussi, lors d'une réédition du poème, il changea ce vers pour celui-ci, plus logique : « Nous devons nous aimer et mourir. » Puis, finalement, il le supprima totalement.

Ce changement de « ou » en « et » est l'une des plus célèbres corrections de toute l'histoire de la poésie. Quand je la découvris pour la première fois, j'applaudis à l'honnêteté, à la rigueur avec laquelle Auden le critique relisait Auden le poète. Si un vers sonne bien mais n'est pas vrai, supprimons-le — une telle approche est d'une liberté tonifiante, débarrassée de toute vanité d'auteur. Maintenant, je ne suis plus si sûr de ma première réaction. « Nous devons nous aimer et mourir » met certainement la logique de son côté ; c'est à peu près aussi intéressant concernant la condition humaine et aussi frappant que « Nous devons écouter la radio et mourir » ou encore « Nous devons penser à dégivrer le réfrigéra-

teur et mourir « . Auden se méfiait à juste titre de sa
propre rhétorique, néanmoins soutenir que le vers
« Nous devons nous aimer ou mourir » est faux parce
que nous mourrons de toute façon (ou parce que
ceux qui n'aiment pas ne meurent pas sur-le-champ)
me semble correspondre à un point de vue étroit et
bien léger. Il y a également une logique, et combien
plus persuasive, si l'on garde la conjonction « ou »
dans le vers. L'explication la plus évidente, celle qui
vient en premier lieu à l'esprit, est celle-ci : Nous
devons nous aimer, sinon on va finir par se tuer.
Voici la seconde : Nous devons nous aimer parce
que, si nous ne le faisons pas, si l'amour n'alimente
pas nos vies, alors nous pouvons tout aussi bien être
morts. Cela n'est certainement pas un « sacré mensonge » de proclamer que ceux qui obtiennent leurs
satisfactions les plus profondes d'autres choses que
de l'amour vivent des existences vides et ressemblent
à des crabes qui marchent d'un air fanfaron au fond
de la mer, dans une coquille d'emprunt.

Nous avançons ici en terrain difficile. Nous
devons être pointilleux, ne pas nous laisser aller à la
sentimentalité. Si nous devons placer l'amour en
face de concepts aussi puissants et compliqués que
pouvoir, argent, histoire et mort, il ne nous faut pas
nous retrancher derrière une imprécision dédai-
gneuse et une superbe autosatisfaction. Les ennemis de l'amour tirent profit de ses prétentions
vagues, de son immense capacité d'isolement. Aussi,
par où allons-nous commencer ? L'amour peut-il ou
ne peut-il pas amener le bonheur ? Qu'il en soit
ainsi ou non, son effet essentiel, capital est d'aug-

menter le taux d'énergie. Avez-vous jamais parlé aussi bien, avez-vous jamais dormi aussi peu, avez-vous jamais fait si souvent l'amour que lorsque vous êtes amoureux pour la première fois ? Les plus anémiés se mettent à étinceler, tandis que les bien-portants deviennent intolérables. Ensuite, l'amour vous donne une assurance qui vous fait redresser le dos. Vous sentez que vous vous tenez droit pour la première fois de votre vie, vous pouvez faire n'importe quoi tant que dure cette impression, vous pouvez affronter le monde dans sa totalité. (Pouvons-nous faire ici une certaine distinction ? L'amour renforce la confiance en soi alors que les conquêtes sexuelles ne font qu'exalter l'ego.) L'amour rend aussi les choses bien plus claires, c'est une sorte d'essuie-glaces qui fonctionne directement sur nos globes oculaires. Aviez-vous jamais vu les choses aussi clairement que lorsque vous avez été amoureux pour la première fois ?

Si nous regardons la nature, voyons-nous ce que l'amour a à voir avec elle ? Pas vraiment. Il y a bien quelques espèces qui, apparemment, se mettent en couples pour la vie mais pensons cependant aux possibilités d'adultère durant ces longs voyages migratoires par mer ou par air. En général nous voyons tout simplement en œuvre la force, le désir de domination, le plaisir sexuel. Les féministes et les phallocrates interprètent bien entendu différemment la nature. Les féministes cherchent des exemples de conduite désintéressée dans le règne animal, découvrent des mâles qui ici et là remplissent des tâches qui dans les sociétés humaines sont considérées comme typiquement « féminines ». Chez le pingouin du pôle Sud, c'est le mâle qui couve l'œuf, le transportant sur lui et le protégeant durant des mois dans le climat de l'Antarctique, grâce à un pli au bas de son ventre… Ouais, répondra le phallocrate, mais que dites-vous de l'éléphant de mer mâle ? Il reste couché sur la plage toute la journée et couvre toutes les femelles qui apparaissent ? Il semble malheureusement vrai que la conduite de cet éléphant de mer est bien plus courante que celle du pingouin. Connaissant mon propre sexe comme je le connais, j'ai plutôt tendance à mettre en doute les motivations de ce dernier. Le pingouin peut très bien avoir calculé que, s'il faut rester dans l'Antarctique jour après jour pendant des années, alors la meilleure chose à faire est de rester à la maison pour s'occuper de l'œuf et d'envoyer la femelle pêcher dans les eaux glacées. Il peut très bien avoir tourné les choses à son avantage.

Aussi, qu'est-ce que l'amour a à voir là-dedans ? Il n'est pas absolument indispensable, n'est-ce pas ? On peut construire des barrages comme les castors, sans amour. On peut organiser des sociétés extrêmement complexes comme les abeilles, sans amour. On peut faire de très grands voyages comme les albatros, sans amour. On peut s'enfoncer la tête dans le sable, comme les autruches, sans amour. On peut disparaître en tant qu'espèce, comme le dodo, sans amour.

Est-ce alors une mutation bénéfique qui aide la race à survivre ? Je ne vois rien là qui aille dans ce sens. Est-ce que l'amour a été inventé afin que le guerrier, par exemple, défende mieux sa vie parce qu'au fond de sa mémoire scintille la lueur chaleureuse du foyer ? Pas vraiment. L'histoire du monde nous enseigne que c'est une nouvelle forme de tête de flèche, la ruse du général, le ventre plein des guerriers et la perspective du pillage qui représentent des facteurs décisifs en temps de guerre, plutôt que les radotages sentimentaux sur la douceur du foyer.

Alors l'amour ne serait qu'un luxe qui surgit en temps de paix, comme, disons, la fabrication des patchworks ? Quelque chose d'agréable, de complexe, mais sans rien d'essentiel ? Un effet du hasard, renforcé culturellement, qui s'est trouvé être l'amour plutôt que quelque chose d'autre ? Il m'arrive de le penser. Il y eut un jour une tribu d'Indiens, à l'extrême nord-ouest des États-Unis (je n'invente rien) qui menait une vie extraordinairement facile. Leur isolement les protégeait de leurs ennemis et les terres qu'ils cultivaient étaient d'une fertilité illimitée. Il leur suffisait de jeter un haricot ratatiné au-dessus de leur épaule pour qu'une plante jaillisse du sol et que les fruits tombent en pluie. Ils étaient en bonne santé, satisfaits et n'avaient aucun goût pour les guerres intestines. Bien entendu, ils avaient beaucoup de temps libre. Sans doute excellaient-ils dans ces choses qui mûrissent dans les sociétés oisives, il est probable que leur vannerie devenait tarabiscotée et leurs exploits érotiques, plus sportifs. Et sans doute que l'usage de certaines feuilles écrasées pour provo-

quer des transes artificielles se sophistiquait dans le
sens de l'efficacité. Nous ne savons rien pourtant
de ces aspects de leur vie. Nous connaissons cependant l'activité principale à laquelle ils s'adonnaient
au cours de ces heures interminables de loisir : ils
se volaient entre eux. C'est ce qu'ils aimaient faire
et c'est ce qu'ils fêtaient joyeusement. Alors qu'ils
sortaient en titubant de leurs wigwams et que l'air
d'une autre journée splendide, chargée des parfums du Pacifique, venait les caresser, ils respiraient
l'odeur de miel et s'interrogeaient les uns les autres
pour s'enquérir de ce qu'ils avaient réussi à faire
la nuit dernière. La réponse était la confession
timide — ou la forfanterie — du voleur. Ancien
Visage rouge a encore eu sa couverture fauchée
par Petit Loup gris. Ça, par exemple ? Il fait de
beaux progrès, ce Petit Loup gris. Et qu'est-ce que
tu as réussi ? Moi ? Ah ! J'ai simplement piqué les
sourcils du grand totem. Oh non ! Pas de nouveau.
Ça devient ennuyeux.

Est-ce ainsi que nous devrions considérer l'amour ?
Nos amours ne nous aident pas à survivre, pas
plus que les vols des Indiens. Cependant, ils nous
donnent un but et une identité. Enlevons-leur ces
joyeux larcins et nos Indiens auraient bien plus de
mal à se définir eux-mêmes. N'est-ce donc alors
qu'une mutation dévoyée ? Nous n'en avons pas
besoin pour le développement de l'espèce et, à vrai
dire, l'amour ne s'entend guère avec une civilisation
de l'ordre. Les problèmes sexuels seraient bien
moins nombreux si nous n'avions pas à nous préoccuper de l'amour. Le mariage serait bien plus

simple — et peut-être plus durable — si nous ne subissions pas les démangeaisons de l'amour, si nous n'étions pas ravis de son arrivée, terrifiés de son départ.

Si nous regardons l'histoire du monde, il semble assez surprenant que l'amour en fasse partie. C'est une excroissance, une monstruosité, une addition tardive au programme. L'amour me fait penser à ces maisons bizarres qui, selon les critères normaux du plan, ne devraient pas exister. L'autre semaine, je me suis rendu en Amérique du Nord à cette adresse : 2041 1/2, Yonge Street. Le propriétaire du 2041 doit avoir, à un moment donné, vendu un petit bout de terrain, si bien que cette décimale, cette maison à part, a pu voir le jour. Bien entendu les gens peuvent y vivre plutôt confortablement, en l'appelant leur chez eux... Tertullien dit de la foi chrétienne qu'elle est vraie parce qu'elle est impossible. Peut-être l'amour est-il essentiel parce qu'il n'est pas nécessaire.

Elle est le centre de mon univers. Les Arméniens croyaient que le mont Ararat était le centre du monde, mais la montagne fut divisée entre trois grands empires et les Arméniens, finalement, n'en avaient plus le moindre morceau, aussi je ferais mieux de ne pas continuer cette comparaison. Je t'aime. Je suis de retour à la maison et il n'y a aucun écho moqueur dans ces mots. Je t'aime. *Ti amo* (avec une rondelle de citron). Et si on n'a ni la langue ni le langage nécessaires à sa glorification, on peut faire ceci : on croise les mains à la hauteur des poignets, les paumes tournées vers soi, on place ses poignets croisés sur son cœur (en tout cas au milieu de sa poitrine), puis on écarte les mains légèrement et on les ouvre en direction de l'objet aimé. C'est aussi éloquent qu'un long discours. Et imaginez toutes les modulations de tendresse que cela implique, les subtilités qui peuvent être développées à partir de baisers donnés aux phalanges, du rapprochement des deux paumes, des jeux avec le bout des doigts dont les empreintes portent, on le sait, la marque ineffaçable de notre personnalité.

Mais accorder les paumes induit en erreur. Le cœur n'a pas la forme d'un cœur et c'est là un de nos problèmes. Nous lui imaginons, n'est-ce pas, une configuration bien définie, un organe bivalve qui renvoie à la manière dont l'amour soude deux moitiés, deux différences en un tout. Nous imaginons ce symbole, net, écarlate, à la rougeur pudique, écarlate aussi, bien sûr, à cause de l'afflux du sang lors de la tumescence. Un livre de médecine ne va pas nous désillusionner immédiatement. Ici, le cœur ressemble au métro de Londres. L'aorte, les artères, les veines pulmonaires droite et gauche, les artères sous-clavières droite et gauche, les artères coronaires droite et gauche, les artères carotides, droite et gauche... Ça apparaît comme un réseau élégant, efficace, sûr, de tuyaux et de pompes. Ici le sang coule avec précision, pensez-vous.

Quelques faits soumis à réverbération :

— Le cœur est le premier organe à se développer chez l'embryon. Alors que nous ne sommes guère plus grands qu'un haricot de Soissons, le cœur est déjà visible et bat.

— Chez un enfant, le cœur est proportionnellement bien plus gros que chez un adulte : un cent trentième du poids total du corps, contre un trois centième.

— Au cours de la vie, la taille, la forme et la position du cœur peuvent subir des variations considérables.

— Après la mort, le cœur prend la forme d'une pyramide.

Le cœur de bœuf que j'ai acheté chez Corrigan pèse un kilo deux cent soixante et m'a coûté deux livres quarante-deux pence. Le plus gros parmi les cœurs disponibles des espèces animales, mais aussi l'un de ceux qui renvoient, d'une certaine manière, à l'homme. « Fort comme un bœuf » : on pense à la littérature de l'empire, à l'aventure, à l'enfance. Ces cavaliers portant des casques coloniaux, qui abattent avec un pistolet de l'armée le rhinocéros d'une seule balle tandis que la fille du colonel s'abrite derrière un baobab, avaient des natures simples mais nullement, si l'on en juge par ce bœuf, des cœurs simples. Cet organe est lourd, massif, sanguinolent, serré comme un poing en colère. Contrairement au plan de métro du livre de médecine, la chose réelle s'avère compacte, fermée sur ses secrets.

Je l'ai découpé en présence d'une amie radiologue. « Il était au bout du rouleau, ce bœuf «, commenta-t-elle. Si ce cœur avait été celui d'un de ses patients, le bonhomme n'aurait pas continué encore longtemps à se frayer un chemin à coups de machette à travers la jungle. Notre petit parcours intérieur s'effectua à l'aide d'un couteau de cuisine de la marque Sabatier. Nous ouvrîmes un passage dans l'oreillette gauche et le ventricule gauche, tout en admirant le poids des muscles de ce chateau-briant. Nous caressâmes la soyeuse doublure de la rue de Rivoli, enfonçâmes nos doigts dans les sorties blessées. Les veines s'étiraient comme des élastiques, les artères, comme des calmars résistants. Un caillot, qui s'était formé après la mort, ressemblait, dans le ventricule gauche, à une limace couleur bordeaux. Nous perdîmes assez souvent notre chemin au milieu de cette viande compacte. Les deux moitiés du cœur ne se séparèrent pas, comme je l'avais si volontiers imaginé, mais s'accrochaient tout au contraire désespérément l'une à l'autre, comme des amants en train de se noyer. Nous coupâmes à deux reprises dans le même ventricule, alors qu'on croyait avoir trouvé l'autre. Nous admirâmes l'astucieux système de valves, les *chordae tendineae* qui les empêchent de s'ouvrir en grand — une sorte de harnais de parachutiste en miniature empêche la corolle de se déployer outre mesure.

Après que nous eûmes fini, le cœur resta posé, pour le reste de la journée, sur un lit de journaux tachés, réduit à une espérance de dîner assez peu prometteuse. Je parcourus des livres de cuisine pour voir ce que je pouvais en faire. Je trouvai finalement une recette de cœur farci, servi avec du riz à l'eau et des quartiers de citron, ce plat n'apparaissait guère tentant. En tout cas ça ne méritait certes pas le nom alléchant donné à cette préparation par les

Danois qui avaient inventé la recette. Ils appelaient ça le plat de l'Amour passionné.

Vous souvenez-vous de ce paradoxe à propos de l'amour, au cours des premières semaines, des premiers mois de l'Amour passionné (je mets pour commencer une majuscule comme dans la recette) — le paradoxe à propos du temps ? Vous êtes amoureux, vous êtes dans cet état où fierté et appréhension se combattent en vous. Une part de vous-même désire que le temps s'arrête, car vous vous dites que ce que vous vivez est certainement le meilleur moment de votre vie. Je suis amoureux, je veux savourer cet instant, l'étudier, me complaire dans sa langueur, ah ! si seulement aujourd'hui pouvait durer toujours. Ces souhaits correspondent à votre nature poétique. Malheureusement, votre nature prosaïque demande avec autant d'insistance, non pas un ralentissement, mais une accélération. Comment sais-tu que ceci c'est l'amour, chuchote votre côté prosaïque, ainsi qu'un avocat sceptique, ça n'a duré encore que quelques semaines, que quelques mois. Tu ne sauras si c'est vraiment le grand amour qu'à condition que toi (et elle) vous vous sentiez encore dans le même état dans, disons, un an au moins environ. C'est la seule manière de savoir que vous n'êtes pas tous les deux en train de commettre une erreur monumentale. Il faut donc passer le plus vite possible à travers ces prémices, quel que soit le plaisir que tu y prends, afin de découvrir si oui ou non tu es réellement amoureux.

Une photographie se développe dans un bac

rempli de liquide. Avant, ce n'était qu'un morceau de papier sensible, vierge, mis à l'abri de la lumière, maintenant c'est une image qui a une fonction, une présence. Nous glissons la photo rapidement dans le bac de fixatif pour cristalliser ce moment limpide et fragile, pour rendre l'image plus solide, insécable, prête à résister au moins pour quelques années. Mais que se passe-t-il si on la plonge dans le fixatif et que le produit chimique n'agit pas ? Le développement, ce sentiment amoureux que vous éprouvez peut refuser de se stabiliser. Avez-vous déjà observé une image qui continue inéluctablement à se développer, jusqu'à ce que toute sa surface ne soit plus qu'une grande tache noire et que l'instant magnifique soit oblitéré à jamais ?

Est-ce que l'état amoureux est normal ou anormal ? Statistiquement, bien sûr, c'est anormal. Dans une photographie de mariage, les visages intéressants ne sont pas ceux du marié et de la mariée, mais ceux qui les entourent : la plus jeune sœur de la mariée (est-ce que ce sera bientôt mon tour de vivre ce truc terrible ?), le frère aîné du marié (va-t-elle le laisser tomber comme l'a fait cette salope avec moi ?), la mère de la mariée (comme ça m'en rappelle, des choses), le père du marié (si mon garçon savait ce que je sais maintenant — si seulement j'avais su ce que je sais maintenant), le prêtre (c'est étrange comme la langue des moins bavards se délie lorsque sont prononcés ces vœux anciens), l'adolescent renfrogné (mais pourquoi ont-ils tous besoin de se marier ?), et ainsi de suite. Le couple au centre se trouve dans un état des plus anormaux,

pourtant essayez de le leur dire. Ils se sentent plus
normaux qu'ils ne l'ont jamais été auparavant.
C'est normal, se confient-ils l'un à l'autre ; tout ce
qui s'est passé avant, que nous considérions comme
normal, ne l'était pas du tout.

Cette certitude d'être dans la normalité, la conviction que leur être profond a été développé, fixé par
l'amour, et qu'il restera ainsi pour toujours, leur
donne une touchante arrogance. C'est absolument
anormal, bien sûr : à quel autre moment l'arrogance
peut-elle être touchante ? Elle l'est ici. Regardons de
nouveau la photographie : remarquons derrière
toutes ces dents blanches l'autosatisfaction considérable qui s'accorde à l'instant. Comment ne serions-
nous pas émus ? Les couples un peu trop tapageurs,
un peu trop prolixes à propos de leur amour (personne avant eux n'a jamais aimé — en tout cas pas
comme il convient, n'est-ce pas ?) peuvent être irri-
tants, mais ne sont nullement ridicules. Et, même
lorsqu'il y a quelque chose qui peut amener un petit
sourire satisfait sur les lèvres des gens convention-
nels — par exemple une importante différence
d'âge, de taille, d'éducation, d'ambition —, le couple
possède à cet instant un vernis inaltérable. Les bulles
de salive du rire crèvent d'elles-mêmes, tout simplement. Le jeune homme, au bras de la femme mûre,
la souillon enchaînée au dandy, la femme du monde
accouplée à l'ascète se sentent tous profondément
normaux. Et cela devrait nous émouvoir. Eux se
montrent évidemment indulgents à notre égard
parce que, de toute évidence, nous ne sommes pas

aussi crûment amoureux, pourtant nous devons être
discrètement indulgents envers eux.

Ne vous méprenez pas. Je ne recommande pas
une forme d'amour plutôt qu'une autre. Je ne sais
pas de l'amour prudent ou risqué lequel est le
meilleur, de l'amour désargenté ou doré lequel le
plus sûr, de l'amour hétérosexuel ou homosexuel
lequel le plus excitant, de l'amour marié ou libre
lequel le plus fort. Je peux être tenté de prendre
une attitude didactique, mais néanmoins je ne
rédige pas le courrier du cœur. Je ne peux vous
dire si vous êtes ou n'êtes pas amoureux. Si vous
éprouvez le besoin de le demander, alors vous ne
l'êtes probablement pas. C'est ma seule intervention (et même celle-ci peut se révéler fausse). Je
ne peux pas vous dire qui vous devez aimer ni
comment il faut aimer : car ces cours didactiques
seraient tout autant sur ce qu'il ne faut pas que
sur ce qu'il faut faire. (C'est comme dans les cours
de création — on ne peut enseigner aux élèves
comment écrire ou quoi écrire, on ne peut que
leur montrer utilement là où ils se trompent et
leur faire gagner du temps.) Néanmoins, il m'est
possible de vous dire pourquoi il faut aimer. Parce
que l'histoire du monde, qui ne sait s'arrêter
qu'aux demi-numéros des maisons de l'amour
que pour les transformer en ruine à l'aide de bull-
dozers, est ridicule sans lui. L'histoire du monde
devient brutale et arrogante sans l'amour. Notre
mutation aléatoire est essentielle parce qu'elle
n'est pas nécessaire. L'amour ne changera pas
l'histoire du monde (cette absurdité à propos du

nez de Cléopâtre, laissons-la aux sentimentaux), mais il fera quelque chose de bien plus important. Il nous enseignera à résister à l'histoire, à ignorer sa marche arrogante le menton en avant. Je n'accepte pas vos conditions, dit l'amour. Excusez-moi, mais vous ne m'impressionnez pas et d'ailleurs quel uniforme idiot vous portez là. Bien sûr, on ne tombe pas amoureux pour aider à résoudre le problème de l'ego du monde. Pourtant c'est un des effets les plus sûrs de l'amour.

Amour et vérité, c'est la relation essentielle. Amour et vérité. Avez-vous jamais dit autant de vérités que lorsque vous étiez amoureux pour la première fois ? Avez-vous jamais vu le monde aussi nettement ? L'amour nous fait voir la vérité, nous fait prendre conscience de notre devoir de dire la vérité. Au lit, il faut dire la vérité : il s'agit en vérité d'un devoir moral. Ne roule donc pas les yeux ainsi, ne gémis pas pour me flatter, ne fais pas semblant d'avoir un orgasme. Dis la vérité avec ton corps, même si — tout particulièrement si — cette vérité n'a rien de sensationnel. Le lit est un des principaux endroits où l'on peut mentir sans se faire prendre, où l'on peut gémir et crier dans le noir pour se vanter ensuite de sa « performance «. Le sexe n'a rien à voir avec le théâtre (quelle que soit l'admiration que nous portons à notre propre scénario). Le sexe renvoie à la vérité. Comment on se caresse dans le noir connote la manière dont on voit l'histoire du monde. C'est aussi simple que cela.

Nous avons peur de l'histoire et nous nous laissons bousculer par les dates.

> *En quatorze cent quatre-vingt-douze*
> *Christophe Colomb part en voyage.*

Et puis quoi ? Le monde est devenu plus sage ? Les gens se sont arrêtés de construire de nouveaux ghettos pour se livrer aux anciennes persécutions ? Ils ont renoncé aux vieilles erreurs ou aux nouvelles erreurs ou aux nouvelles versions des vieilles erreurs ? (Et est-ce que l'histoire se répète et se présente la première fois sous la forme d'une tragédie et la seconde fois sous la forme d'une farce ? Non, c'est trop grandiose, c'est apporter trop de considération au processus. L'histoire rote tout simplement et nous respirons encore l'odeur du sandwich à l'oignon cru qu'elle a avalé il y a quelques siècles.)

Les dates ne nous disent pas la vérité. Elles nous rebattent les oreilles — gauche, droite, gauche, droite, apprenez-les donc, bande de crétins. On veut nous faire croire à un progrès permanent, à une marche en avant. Mais que s'est-il passé après 1492 ?

> *En quatorze cent quatre-vingt-treize*
> *Christophe Colomb rentre de voyage.*

C'est cette sorte de date que j'aime. Fêtons, voulez-vous, 1493 à la place de 1492 ; le retour plutôt que la découverte. Qu'est-il arrivé en 1493 ? La gloire prévisible, évidemment, les flatteries des altesses royales, des armes plus sophistiquées sur l'écu du navigateur. Mais il y eut aussi ceci. Avant le départ, on avait promis une récompense de dix mille maravedis à l'homme qui le premier apercevrait le Nouveau Monde. Un simple marin avait gagné la prime, pourtant, lorsque l'expédition revint, Christophe Colomb réclama l'argent pour lui-même (la colombe une fois encore écarta le corbeau de l'histoire). Le marin déçu partit pour le Maroc, où, dit-on, il devint un renégat. 1493 était une année intéressante.

L'histoire n'est pas ce qui arrive. L'histoire, c'est ce que nous en disent les historiens. Elle a une forme, un plan, une direction, un développement, c'est une marche vers la démocratie. C'est une tapisserie, une suite d'événements, une narration complexe, imbriquée, explicable. Une bonne histoire qui conduit inéluctablement à une autre. Tout d'abord, c'étaient les rois et les archevêques avec, en coulisses, quelques coups de pouce divins, puis ce fut la marche des idées, les mouvements de masse, puis de petits incidents locaux qui renvoient à des choses bien plus importantes, mais à toutes les époques il y avait des liens, un progrès, un sens qui conduisaient à ceci, et ceci arrivait à cause de cela. Et nous, les lecteurs de l'histoire, les victimes de l'histoire, nous étudions sa forme pour en tirer des conclusions chargées d'espoir, pour découvrir la manière d'aller de l'avant. Et nous nous accrochions à l'espoir, à une suite de tableaux de genre, à des dialogues de gens à qui nous pouvions facilement redonner vie grâce à notre imagination, alors qu'il s'agit bien plutôt, à toutes les époques, d'un collage multimédia, retouché au rouleau plutôt qu'au pinceau de martre.

L'histoire du monde? Simplement des voix semblables à un écho sortant du noir, des images qui
s'embrasent pour quelques siècles, puis qui disparaissent; des histoires, de vieilles histoires qui parfois
semblent se chevaucher; d'étranges liens, d'inso-
lentes relations. Nous sommes allongés là, dans
notre lit d'hôpital du temps présent (comme les
draps sont joliment propres de nos jours) avec un
flacon de nouvelles quotidiennes, qu'on enfonce au
goutte-à-goutte dans notre bras. Nous croyons savoir
qui nous sommes, bien que nous ne sachions pas
exactement pourquoi nous y sommes, ni combien
de temps nous allons être forcés d'y rester. Et tandis
que nous nous agitons, que nous nous tortillons
dans les bandages de l'incertitude — sommes-nous
des patients volontaires? —, nous inventons des
fables. Nous racontons des histoires pour maquiller
les faits que nous ne connaissons, ou que nous n'acceptons pas; nous préservons un noyau de faits réels
et nous brodons une nouvelle histoire. Notre
panique, notre souffrance ne sont allégées que par
des récits euphorisants. C'est ce que nous appelons
l'histoire.

Il y a une chose, cependant, que je dirai en
faveur de l'histoire. Elle est extrêmement habile à
déterrer les choses. Nous essayons de les enterrer,
mais l'histoire ne se laisse pas faire. Le temps est de
son côté, le temps et la science. Quelle que soit la
manière féroce avec laquelle nous recouvrons nos
premières pensées, l'histoire trouve le moyen de les
lire. Nous enterrons nos victimes en secret (étran-
glons de petits princes, irradions les rennes), mais

l'histoire découvre ce que nous avons fait. Nous avions perdu le *Titanic,* pour toujours apparemment dans des profondeurs noires comme l'encre des calmars. On le fit réapparaître. On a retrouvé l'épave de la *Méduse* il n'y a pas si longtemps au large des côtes de Mauritanie. Personne ne pensait y trouver un trésor, on le savait, tout ce qu'on a sauvé après cent soixante-quinze ans fut quelques clous en cuivre appartenant à la quille de la frégate et deux canons. Néanmoins, on est allé la chercher quand même.

Que peut faire d'autre l'amour? Si nous devions le vendre, nous ferions bien de souligner que c'est le point de départ des vertus civiques. On ne peut aimer quelqu'un sans imagination et sympathie, sans commencer à voir le monde d'un autre point de vue. On ne peut être un bon amant, un bon artiste ou un bon politicien sans cette qualité (on peut toujours faire semblant, mais ce n'est pas ce que je veux dire). Montrez-moi les tyrans qui ont été de grands amoureux. Je ne veux pas dire de célèbres baiseurs, nous savons tous que le pouvoir est un aphrodisiaque (un auto-aphrodisiaque aussi). Même ce héros de la démocratie, Kennedy, aspergeait les femmes comme un ouvrier à la chaîne envoie de la peinture sur des carrosseries de voitures.

Il y a eu, au cours de l'agonie de ces derniers millénaires du puritanisme, des débats intermittents sur le rapport entre orthodoxie sexuelle et exercice du pouvoir. Si un président n'est pas capable de garder son pantalon, a-t-il le droit de nous diriger? Si un fonctionnaire trompe sa femme, est-ce que cela

ne le rend pas plus disposé à tromper ses adminis-
trés ? Pour ma part, je préférerais être dirigé par un
mari infidèle, par quelque pervers sexuel que par
un vrai célibataire ou par une épouse frigide. Étant
donné que les criminels ont tendance à s'en tenir à
certains crimes, les politiciens corrompus normalement se spécialisent dans la corruption : les pervers
sexuels s'en tiennent au baisage, les amateurs de
pots-de-vin aux bakchichs. En conséquence, il serait
plus raisonnable d'élire des maris adultères plutôt
que de les décourager de la vie publique. Je ne dis
pas que nous devrions leur pardonner, bien au contraire, nous devrions entretenir leur culpabilité.
Mais en exploitant ce sentiment utile, nous limite-
rions leurs méfaits à la sphère érotique et produi-
rions en contrepartie une parfaite intégrité dans
leur gouvernement. C'est ma théorie, en tout cas.

En Grande-Bretagne, où la plupart des politiciens sont des hommes, il est de tradition au parti
conservateur d'interroger les épouses des candidats
possibles. Cela, évidemment, est une épreuve avilis-
sante qui exige des femmes de se laisser examiner
par les membres du bureau local afin de prouver
leur normalité. (Est-elle saine d'esprit ? Est-elle
fiable ? Est-elle de bon teint ? A-t-elle des vues cohé-
rentes ? Est-elle stupide ? Est-elle photogénique ?
Peut-on la laisser faire des démarches électorales ?)
On pose à ces épouses, qui rivalisent consciencieusement les unes avec les autres pour dégager un
ennui de bon aloi, un grand nombre de questions.
Solennellement, elles jurent leur attachement aux
armes nucléaires, à la sainteté de la famille. Mais on

ne leur demande pas la question la plus importante : est-ce que leur mari les aime ? La question ne
devrait pas être mal comprise. Elle ne s'intéresse
pas seulement à des choses pratiques (n'y a-t-il rien
de scandaleux dans votre mariage ?) ou sentimentales. C'est une question précise sur la capacité du
candidat à représenter les autres, c'est un moyen de
connaître sa faculté d'imaginer et de sympathiser.

Nous devons être extrêmement minutieux à propos de l'amour. Ah ! Vous voulez peut-être des des-
criptions ? À quoi ressemblent ses jambes, ses seins,
ses lèvres, quelle est la couleur de ses poils ? (Ah !
bien, pardon.) Non, être pointilleux, précis à propos de l'amour signifie porter son attention au
cœur, à ses pulsations, à ses certitudes, à sa vérité, à
son pouvoir — à ses imperfections. Après la mort,
le cœur devient une pyramide (cela a toujours été
une des merveilles du monde). Mais même durant
la vie le cœur n'a jamais la forme d'un cœur.

Mettons le cœur et le cerveau côte à côte et
voyons la différence. Le cerveau est net, fragmenté,
divisé en deux moitiés comme nous imaginions
que devait être évidemment le cœur. On peut s'en
sortir avec le cerveau, pensez-vous ; c'est un organe
réceptif, qui invite à la compréhension. Le cerveau
apparaît raisonnable. Il est compliqué, bien sûr,
avec ses méandres, ses replis, ses poches, ses cou-
loirs ; il ressemble à un récif de corail et vous pousse
à vous demander s'il ne peut pas être subrepticement en perpétuelle transformation, s'agrandis-
sant doucement sans que vous vous en aperceviez.
Le cerveau a ses secrets, bien que, quand les crypta-

nalystes, les fabricants de labyrinthes et les chirur-
giens finiront pas s'unir, il devienne sûrement possible de résoudre ses mystères. On peut s'en tirer
comme je l'ai dit avec le cerveau, il semble raisonnable. Alors que le cœur, le cœur humain, j'en ai
peur, ressemble à un vrai foutoir.

L'amour est contre le mécanique, le matéria-
lisme : c'est pourquoi l'amour malheureux a encore
quelque chose de bon. Ça peut vous rendre malheureux, mais ça démontre que le mécanique, le
matériel, ne sont pas nécessairement aux commandes. La religion est devenue frileuse, ou banale,
ou complètement folle, ou encore mercantile — on
confond le spirituel avec les donations charitables.
L'art dont la position est consolidée par le déclin
de la religion, annonce sa transcendance par rapport au monde (et ça dure, ça dure ! l'art tient en
respect la mort !). Mais cette affirmation n'est pas
accessible à tous, ou, lorsqu'elle l'est, elle n'est pas
forcément bienvenue ni motivante. Donc, la religion et l'art doivent se rendre à l'amour. C'est lui
qui nous donne notre humanité et aussi notre sens
mystique. Il y a plus en nous que nous.

L'argumentation des matérialistes attaque
l'amour, évidemment. Ils attaquent tout. L'amour se
ramène aux phéromones, disent-ils. Ce bondisse-
ment du cœur, cette clarté de vision, cette énergie
soudaine, cette certitude morale, cette exaltation,
cette vertu civique, ces je vous ai aimé soupirés, sont
dus sans exception à une odeur de bas niveau, émise
par un des partenaires et inconsciemment perçue
par l'autre. Nous ne sommes au fond qu'une version

un peu plus élaborée de cet insecte qui se cogne la tête à l'intérieur d'une boîte dès l'instant où l'on frappe le couvercle avec un crayon. Le croyons-nous ? Eh bien, croyons-le pour le moment, parce que cet argument rend encore plus grand le triomphe de l'amour. De quoi est fait un violon ? De morceaux de bois et de boyaux de mouton. Est-ce que ces matériaux diminuent ou banalisent la musique ? Au contraire, cela ne fait que l'exalter.

Et je ne dis pas que l'amour vous rendra heureux — je ne dis surtout pas cela. J'aurais plutôt tendance à croire qu'il vous rendra malheureux : soit immédiatement, parce que vous êtes crucifié par les incompatibilités, soit plus tard, lorsque le vers de bois aura tranquillement rongé, durant des années, le siège de l'évêque au point de le faire s'effondrer. On peut croire cela et néanmoins affirmer que l'amour est notre seul espoir.

C'est notre seul espoir, même s'il nous déçoit, bien qu'il nous déçoive et parce qu'il nous déçoit. Manquerais-je de clarté ? Ce que je cherche, c'est la bonne comparaison. L'amour et la vérité, oui, c'est la relation essentielle. Nous savons tous que la vérité objective n'est pas à notre portée, que lorsque survient un événement nous aurons une multitude de vérités subjectives que nous évaluons et que nous transformons en histoire, à partir du point de vue tout-puissant du narrateur, afin de reconstituer la version de ce qui est « réellement » arrivé. Cette version du point de vue de Dieu est fausse — une fable impossible et charmante, ressemblant à ces peintures du Moyen Âge qui nous montrent simultanément, dans les différentes parties du tableau, tous les stades, tout ce qui est arrivé durant la passion du Christ. Mais, alors que nous le savons parfaitement, nous devons cependant encore penser que la vérité objective peut être amenée au jour, ou du moins croire qu'on peut l'atteindre à quatre-vingt-dix-neuf pour cent.

Et si cela nous est difficile, nous devons croire que quarante-trois pour cent de vérité objective est bien mieux que quarante et un pour cent. Nous devons nous conduire ainsi, parce que, si nous ne le faisons pas, nous sommes perdus, nous nous laissons prendre à la séduction de la relativité, nous attachons autant de valeur à la version d'un menteur qu'à celle d'un autre menteur, nous baissons les bras devant la complexité générale et nous admettons que le vainqueur a non seulement droit au butin, mais aussi à la vérité. (À propos, quelle vérité préférons-nous, celle du vainqueur ou celle de la victime ? Est-ce que l'orgueil, la compassion déforment plus que la crainte et la honte ?)

Et il en est de même avec l'amour. Nous devons y croire ou nous sommes perdus. Nous pouvons ne pas l'obtenir, nous pouvons l'obtenir, et découvrir qu'il nous rend malheureux, mais nous devons encore croire en lui. Si nous ne le faisons pas, nous nous livrons alors tout simplement à l'histoire du monde et à la vérité de quelqu'un d'autre.

Il finira mal, cet amour ; très probablement. Cet organe contourné, comme ce tas de viande de bœuf, est tortueux et secret. Notre modèle habituel de l'univers se réfère à l'entropie, qu'on peut, dans la vie quotidienne, traduire par « ça déconne à fond ». Mais, même lorsque l'amour nous déçoit, nous devons encore croire en lui. Est-il inscrit dans chaque molécule que les choses déconnent à fond, que l'amour nous décevra ? C'est possible. Cependant, nous devons encore croire à l'amour, comme nous devons croire au libre arbitre et à la vérité objective. Et lorsque l'amour nous déçoit, nous devons rejeter la faute sur l'histoire du monde. Si celle-ci nous avait seulement laissés tranquilles, nous aurions pu être heureux, nous aurions pu continuer à être heureux. Notre amour s'est envolé, eh bien, c'est la faute de l'histoire du monde.

Mais ce n'est pas encore arrivé. Peut-être est-ce que ça n'arrivera jamais. Dans la nuit, le monde peut être défié. Oui, c'est vrai, on peut l'avoir, on peut faire face à l'histoire. Tout excité, je remue et donne des coups de pied. Elle bouge et pousse un soupir souterrain, sous-marin. Ne pas l'éveiller. Ça peut sembler une grande vérité maintenant, mais au matin ça risque d'apparaître idiot de l'avoir dérangée pour si peu. Elle pousse un soupir doux et léger. Je sens les volumes de son corps, à côté de moi, dans le noir. Je me tourne sur le côté pour décrire un zigzag presque parallèle au sien et j'attends de m'endormir.

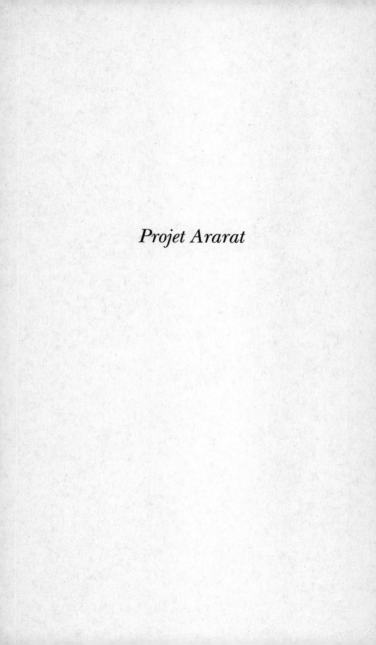

Projet Ararat

C'est un bel après-midi et vous roulez le long de l'Outer Banks en Caroline du Nord — une austère répétition de la côte atlantique, avant les Keys de Floride. Vous traversez Currituck Sound, de Point Harbor à Anderson, puis vous descendez vers le sud, sur la nationale 158, pour atteindre bientôt Kitty Hawk. De l'autre côté des dunes, vous trouvez le Mémorial national des frères Wright. Mais une autre fois, une autre fois. De toute façon ce n'est pas de lui que vous vous souviendrez à Kitty Hawk. Non. Vous vous rappellerez ceci : sur le côté droit de la route, c'est-à-dire à l'ouest, se tient son immense proue pointée vers l'Océan, une arche. Elle est aussi grande qu'une grange, avec des côtés en lattes de bois, peintes en brun. Alors que vous tournez la tête d'un air amusé en passant devant, vous vous rendez compte qu'il s'agit d'une église. En effet, là où on pourrait normalement voir le nom du bateau et peut-être celui de son port d'attache, on nous renseigne sur la fonction de cette arche : CENTRE DE PRIÈRE, est-il écrit. On vous a prévenu de vous attendre à de curieuses excroissances du sentiment religieux en Caroline, aussi cette église vous apparaît-elle comme le résultat d'un fondamentalisme rococo, assez mignon, par certains côtés. Pourtant, non, vous décidez de ne pas vous arrêter.

Plus tard, ce même soir, vous prendrez le ferry-boat de sept heures qui, partant de Hatteras, gagne Ocracoke Island. Il fait frais car c'est le début du printemps. Frissonnant, vous vous sentez perdu au milieu de l'obscurité sur ces eaux noires. La Grande Ourse est suspendue sens dessus dessous dans un ciel embrasé, probablement loué à Universal Pictures. Le ferry-boat lui aussi montre une certaine inquiétude. Ses énormes projecteurs balaient l'eau vingt mètres devant lui ; bruyamment, mais sans conviction, il se fraie un chemin entre les balises rouges, vertes et blanches. Ce n'est qu'alors, comme vous montez sur le pont et que votre haleine semble se solidifier, que vous repensez à cette réplique de l'Arche. Elle est là, bien sûr, pour une raison précise et, si vous vous étiez arrêté pour réfléchir, au lieu de simplement, amusé, lever le pied de l'accélérateur, vous auriez peut-être senti sa signification. Vous êtes en fait passé à l'endroit où l'homme a volé pour la première fois. Et l'on a cherché ici à vous faire souvenir d'un autre événement plus ancien, plus vital, l'instant où l'homme a pris la mer pour la première fois.

L'Arche n'était pas là, en 1943, quand Spike Tiggler, qui n'avait renoncé aux culottes courtes que depuis un an, accompagna son père à Kitty Hawk. Vous vous souvenez, bien sûr, de Spike Tiggler ?

Évidemment, tout le monde se souvient de Spike Tiggler. C'est ce type qui lança un ballon de foot sur la lune. Le type qui donna un foutu coup de pied dans un ballon de foot sur la lune ? Exactement. Le plus long tir de l'histoire de la National Football League, quatre cent dix mètres qui finirent dans les mains tendues du cratère d'un volcan. But ! C'est ce qu'il a crié. Et son cri est venu jusqu'à nous, jusqu'à la terre, au milieu des grésillements. But Tiggler, c'est ainsi que le monde au cou raide l'a surnommé, du moins pour un été ou deux. But Tiggler, le type qui a fourré en douce un ballon de foot dans une capsule aérospatiale (comment s'y est-il pris ?). Souvenez-vous, quand on lui a demandé pourquoi il avait fait ça, il a gardé le visage impassible d'un joueur de poker et a répondu : « J'ai toujours eu envie de tenter ce shoot pour les vieux copains de l'équipe. J'étais foutrement sûr que les mecs regardaient. » Les mecs regardaient en effet, comme ils regardèrent aussi sa conférence de presse. Ils écrivirent d'ailleurs à But pour lui demander le ballon, offrant de lui payer ce qui nous paraît encore aujourd'hui un bon prix. Mais Spike l'avait laissé très loin là-bas, dans un cratère rempli de sable — au cas, on ne sait jamais, où quelque joueur de Mars ou de Vénus apparaîtrait.

But Tiggler : c'est comme ça qu'on l'appelait sur la banderole qui ornait la rue à Wadesville, en Caroline du Nord. Dans ce petit bourg le pompiste doit également se doubler d'un marchant de spiritueux, afin de ne gagner qu'à moitié sa vie. WADESVILLE EST FIÈRE D'ACCUEILLIR LE

MEILLEUR DE SES FILS, BUT TIGGLER. Tout
le monde était dehors, ce matin chaud de 1971,
lorsque Tiggler, dans une décapotable de star de
cinéma, traversa la ville. Même Mary-Beth qui vingt
ans plus tôt avait permis à Spike certaines privautés,
qui ensuite avait passé une semaine ou deux à
s'inquiéter et qui n'avait guère eu le moindre mot
aimable à son sujet jusqu'à ce qu'il soit choisi pour
le projet Apollo, mit le nez dehors pour l'occasion
et rappela à ceux qui l'entouraient — elle leur avait
déjà rafraîchi la mémoire un certain nombre de
fois auparavant — qu'il y avait eu une époque où
elle et Spike étaient, eh bien, vraiment très proches.
Même alors, proclamait-elle, elle avait bien vu qu'il
irait loin. Et jusqu'où est-il allé avec toi, Mary-Beth ?
lui demanda une des jeunes épouses parmi les plus
espiègles de la ville. Mary-Beth sourit d'un air béat,
comme ces vierges que l'on voit dans les livres
d'images, sachant que, quelle que soit sa réponse,
sa position ne pouvait que s'améliorer.

Pendant ce temps, But Tiggler avait atteint le
bout de Main Street et tourné devant la boutique
du coiffeur appelée Au bon plaisir du ciseau, dont
le propriétaire s'occuperait volontiers de votre
caniche si vous l'emmeniez dans l'arrière-boutique.
Tandis que la sono jouait interminablement « Je
suis un gars de chez moi/Qui ne connaît que trop
bien/L'envie et la joie de revenir chez soi… », on
applaudit Spike Tiggler à trois reprises, dans les
deux directions. L'immense cabriolet avançait lentement, parce que, après le premier passage triom-
phal, Spike était monté sur l'arrière de la voiture

afin que tout le monde puisse le voir. Chaque fois
que la limousine passait comme une tortue devant
la pompe à essence, qui était aussi le magasin de
spiritueux, son propriétaire, Buck Weinhart, hur-
lait : « Tu la conduis ou tu la trais ! » Il se souvenait
en effet de l'habitude qu'avait Spike d'insulter de
cette manière les chauffeurs trop lents, lorsque
ensemble ils sillonnaient la ville, bien des années
auparavant. À six reprises, Buck brama : « Hé !
Spike, tu la conduis ou tu la trais ! » Et Spike, une
silhouette trapue, aux cheveux noirs, répondait à
cette interpellation par un signe de tête de gamin
bien élevé. Plus tard, au restaurant de Wadesville,
que Spike avait autrefois trouvé impressionnant
mais qui lui faisait penser maintenant à un dépôt
mortuaire, le héros, de retour chez lui, tout d'abord
mal à l'aise dans son costume de ville et ses cheveux
coupés court qui donnaient à penser qu'il s'essayait
à imiter le président Eisenhower, fit un discours
dont le thème insistait sur le fait qu'il fallait toujours
se souvenir d'où l'on venait, si loin qu'on puisse
être allé, ce qui plut beaucoup et parut bien vrai à
tous les assistants. Et, parmi ceux qui lui répondirent spontanément, quelqu'un proposa même
qu'en l'honneur de l'exploit de ce fils chéri, il serait
bon de donner maintenant à Wadesville le nom de
Luneville. Cette idée fleurit pendant quelques
semaines, puis mourut paisiblement, en partie surtout à cause de l'opposition de la vieille Jessie Wade,
dernière petite-fille survivante de Ruben Wade, un
représentant de commerce qui, au début du siècle,
avait pensé que les citrouilles pouvaient prospérer

dans les champs alentour. Les citrouilles furent
décevantes, ce qui n'était pas de toute façon une
raison suffisante pour faire aujourd'hui un affront
à cet ancêtre.

Spike Tiggler n'avait pas toujours été aussi populaire à Wadesville qu'il l'était en ce jour de 1971. Et
ce n'était pas seulement la mère de Mary-Beth qui le
trouvait insupportable et qui regrettait que la fin de
la guerre soit survenue trop tôt pour qu'on puisse
envoyer en Extrême-Orient ce jeune Tiggler combattre les Japonais au lieu de s'en prendre à la moitié de la ville. À vrai dire, le garçon avait quinze ans
lorsqu'on lança la bombe sur Hiroshima. La mère
de Mary-Beth ne regretta cet événement que pour
des raisons purement locales. En temps voulu, Spike
eut pourtant droit à sa guerre. Il pilota un F-86 en
Corée, du côté du fleuve Yalu. Vingt-huit missions,
deux Mig-15 abattus. Des raisons suffisantes pour
qu'on le fête à Wadesville, même si Tiggler ne
retourna guère chez lui à cette époque-là ni pendant
quelque temps après. Comme il allait l'expliquer en
1975, lors d'une campagne destinée à lever des
fonds pour son projet, au restaurant Poussière de
lune (un changement de nom qui fut même
approuvé par Jessie Wade), le mouvement de la vie
d'un homme, de tous les hommes, est marqué par
une suite de départs et de retours. Départs et
retours, départs et retours, comme la marée qui
s'exerce dans l'Albermale Sound avant de remonter
la Pasquotank River jusqu'à Elizabeth City. Nous
nous en allons tous avec la marée descendante et
revenons avec la marée montante. Parmi les partici-

pants, certains n'avaient guère quitté Wadesville durant leur vie, aussi ne pouvait-on espérer qu'ils aient une opinion sur la question. Quant à Jeff Clayton, il fit après coup la remarque que l'année dernière, lorsqu'il était allé à Fayetteville en contournant Fort Bragg pour visiter le World Golf Hall of Fame de Pinehurst, et qu'il s'était arrangé pour revenir à temps boire sa bière chez Alma, il n'avait ressenti aucunement les effets de marée qui s'exercent dans la Pasquotank River. Mais, évidemment, qu'en savait Jeff Clayton ? Tout le monde était d'accord pour donner à Spike le bénéfice du doute, puisqu'il n'avait pas seulement été très loin dans le monde — comme l'avait fait remarquer d'une manière mémorable la vieille Jessie Wade —, mais il était allé aussi au-delà du monde.

Spike Tiggler datait le premier flux de son cycle aller-retour de sa vie du jour où son père l'avait emmené à Kitty Hawk. C'était bien avant qu'une réplique de l'Arche ne devienne un centre de prière. À cette époque il n'y avait qu'une route plate et vide avec à peine à l'horizon la lueur d'un camion, qu'un ciel plat au-dessus, et sur les côtés quelques petites dunes et le doux mouvement de la mer. Alors que les autres gosses étaient attirés par les charmes du rouge à lèvres et du jazz dans une ville où l'on aimait la bagarre, Spike, lui, recherchait la calme simplicité de la terre, du ciel et de la mer de Kitty Hawk. C'était en tout cas ainsi qu'il expliqua la chose au cours d'un de ses dîners destinés à lever des fonds. On le croyait, même si Mary-Beth et

Buck Weinhart ne l'avaient jamais entendu parler ainsi à cette époque.

La ville natale de Spike Tiggler était résolument pour les démocrates et encore plus résolument pour l'Eglise baptiste. Le dimanche qui suivit son voyage à Kitty Hawk, on entendit, devant l'église de Holy Water, Spike parler, avec un enthousiasme assez peu respectueux du sacré, des frères Wright. La vieille Jessie Wade émit alors l'avis, devant le gamin de treize ans, que si Dieu avait eu l'intention de nous faire voler, il nous aurait donné des ailes. « Mais Dieu, bien sûr, a eu l'intention de nous mettre au volant d'une voiture, n'est-ce pas ? » répliqua le jeune Spike. La vivacité de sa réplique ne dénotait pas un très grand respect, d'autant qu'il montra du doigt la Packard reluisante dans laquelle sa vieille détractrice avait parcouru les deux cents mètres qui séparaient sa maison de l'église. Sur quoi le père du gamin lui rappela que, si ce n'avait pas été dimanche, le Seigneur aurait probablement voulu que Spike reçoive une bonne gifle. Cette algarade, plutôt que des commentaires sur la terre, le ciel et la mer, était ce que les habitants de Wadesville se rappelaient des conversations de Spike Tiggler autour de 1943.

Deux ans passèrent, puis la bombe tomba sur Hiroshima — bien trop tôt selon la mère de Mary-Beth. Et Spike découvrit que, si Dieu ne lui avait pas donné de roues, son père, du moins, pouvait lui en prêter quatre de temps en temps. Lors des chaudes soirées d'été, Buck Weinhart et lui-même aimaient à repérer une voiture roulant doucement sur une petite route. Ils la suivaient de près, afin que la grille de leur radiateur se trouve presque dans le coffre de la voiture de l'autre type. Ensuite, ils déboîtaient habilement et passaient à toute vitesse, en criant à l'unisson : « Tu la conduis ou tu la trais, mon vieux ! » C'était dans cette même voiture et à peu près à la même époque que Spike, les yeux agrandis par l'espoir, dit à Mary-Beth : « Mais si Dieu n'avait pas voulu que nous nous en servions, pourquoi l'aurait-il mis là en premier lieu ? » — une remarque qui eut pour effet d'ajourner sa cause pendant quelques bonnes semaines. Mary-Beth était en effet d'une nature plus religieuse que celle du jeune Spike et cette manière de lui faire la cour n'était certainement pas la plus efficace qu'on ait jamais inventée. Quelques semaines plus tard, cependant, Spike se retrouva sur la banquette arrière, soupirant : « Franchement, je ne pense pas que je puisse vivre sans toi, Mary-Beth », et ce procédé eut apparemment de meilleurs résultats.

Spike quitta Wadesville peu de temps après. La ville apprit par la suite qu'il pilotait un Sabre F-86 en Corée, afin d'empêcher les Mig communistes de franchir le fleuve Yalu. Il lui avait fallu pas mal de temps et d'émotions mêlées, pas forcément logiquement reliées, pour en arriver là. S'il tentait de résumer sa vie dans une bande dessinée, comme ça lui arrivait parfois, il se voyait d'abord debout sur les dunes à Kitty Hawk, en train de regarder la mer, puis de s'accrocher aux seins de Mary-Beth dans la voiture sans que celle-ci ne le repousse, alors qu'il se disait : « Dieu ne peut me foudroyer pour ça, ce n'est pas possible. Ensuite il se voyait au crépuscule, attendant en compagnie de Buck Weinhart que les premières étoiles apparaissent. Il y avait, bien sûr, d'autres choses : son amour des machines, son patriotisme et cette sensation puissante de se trouver terriblement à son avantage dans son uniforme bleu. Mais d'une certaine manière c'était ce qui était arrivé tout au début dont il se souvenait le plus précisément. Voilà ce qu'il voulait dire quand il fit pour la première fois un appel de fonds, en 1975, et déclara que la vie revenait toujours à l'endroit où elle avait commencé. Sagement, sans doute, il ne mêla pas de souvenirs personnels à ce sentiment général. D'autant plus qu'il n'aurait pas eu dans ce cas-là l'approbation de Mary-Beth.

En plus de la voiture de son père et d'une Mary-Beth pleine de ressentiments, Spike avait également, en quittant Wadesville, laissé derrière lui sa foi. Même s'il portait consciencieusement la mention « baptiste » sur les formulaires de la marine qu'il remplissait, il ne pensait guère aux commandements de Dieu, à la grâce divine ou aux élus, même lors des journées les plus terribles, lorsqu'un de ses camarades pilotes — un de ses amis, nom de Dieu — fut tué au combat. C'était un ami mort, mais on n'essaie pas d'entrer en contact avec Dieu par radio. Spike était un pilote, un scientifique, un ingénieur. On peut accepter Dieu sur les formulaires exactement comme on s'en remet aux officiers à la base. Pourtant l'on n'est vraiment soi, quand on s'appelle Spike Tiggler — ce gosse qui est passé d'une voiture empruntée sur une route tran-

quille à un avion de chasse rugissant dans un ciel
vide —, que lorsqu'on monte presque à la verticale
et qu'on parvient à stabiliser ses ailes argentées tout
là-haut, dans le ciel clair, au sud du fleuve Yalu.
Alors on tient réellement les commandes et l'on est
presque seul. C'est ça, la vie, ces moments où la
seule personne qui peut vous laisser tomber c'est
vous-même. Sur l'avant de son F-86, Spike avait
peint sa devise : « Tu le conduis ou tu le trais ! » Un
avertissement aux Mig malchanceux qui laisse-
raient le lieutenant Tiggler s'accrocher à leur cul.

Après la guerre de Corée, Spike Tiggler fut affecté
à l'école des pilotes d'essai de la marine de Patuxent
River, dans le Maryland. Quand les Russes lancèrent
leur premier Spoutnik et qu'on mit en place le projet Mercury, Spike se porta volontaire, même si
quelque chose au fond de lui — et quelques autres
pilotes autour de lui — pensait que les premiers vols
pourraient être effectués par un chimpanzé, eh
bien, nom de Dieu, ils allaient utiliser un chimpanzé.
Le travail consistait à enfourcher un obus ; on était
transformé en une sorte de colis avec plein de fils
sortant de partout, en un tas de viande destiné à être
étudié par les scientifiques. Une partie de sa personne n'était pas réellement déçue de ne pas faire
partie des sept premiers à être choisis, une autre
pourtant l'était. La fois suivante, il posa de nouveau
sa candidature et fut accepté. La nouvelle fit la première page du *Fayetteville Observer* qui reproduisit
même sa photo. Du coup, Mary-Beth lui pardonna
et lui écrivit. Mais, étant donné que sa jeune femme
Betty traversait une période de jalousie, il lui fit

croire qu'il avait oublié cette fille de Wadesville qui, bien entendu, ne reçut aucune réponse à sa lettre.

Durant l'été de 1974, Spike Tiggler se tint debout à la surface de la lune et fit un tir de quatre cent dix mètres avec un ballon de football. But ! L'événement eut lieu au cours de la demi-heure durant laquelle aucune tâche spécifique n'avait été assignée aux astronautes. Les deux hommes avaient à ce moment l'autorisation de se livrer à tout ce qu'ils auraient envie de faire par curiosité. Eh bien, Spike avait toujours été curieux de savoir à quelle distance on pouvait envoyer un ballon dans une atmosphère raréfiée. Maintenant il le savait. But ! La voix à Mission Control paraissait indulgente, cette indulgence déteignit sur Bud Stomovicz, lorsque Spike lui dit qu'il allait sautiller jusque là-bas pour aller rechercher le ballon. Il partit dans un paysage mort, tel un gros lièvre chargé de tubes. La surface de la lune apparut à Spike plutôt aride et chaotique. La poussière qu'il soulevait et qui se reposait extrêmement lentement ressemblait au sable d'une plage sale. Son ballon s'était posé près d'un petit cratère. Il le poussa doucement dans le trou caillouteux, puis se retourna pour calculer la distance qu'il avait parcourue. Le module lunaire était presque hors de vue. Il semblait fragile, minuscule, une araignée actionnée par une pile dans un magasin de jouets. En mission Spike n'avait guère le temps de ruminer — de toute façon le programme était conçu pour décourager l'introspection —, mais il lui vint à l'esprit que lui et Bud (et Mike qui continuait à décrire des cercles aux commandes de la fusée) étaient aussi loin qu'il était possible de l'être du reste de l'espèce humaine. Hier, ils avaient regardé le lever de terre et, malgré leurs plaisanteries, ç'avait été un événement éblouissant qui vous mettait à l'envers. Maintenant, juste ici, il se sentait au bord extrême des choses. S'il marchait encore une dizaine de mètres, il pouvait tout simplement tomber du bout de l'aile du monde, basculer tête la première dans les profondeurs de l'espace. Bien qu'il sût qu'un incident de cette sorte était scientifiquement impossible, c'était néanmoins ce que lui, Spike Tiggler, ressentait. À ce moment précis, une voix lui dit : « Trouve l'Arche de Noé.

— Qu'est-ce que tu racontes ? répondit-il, croyant qu'il s'agissait de Bud.

— Je n'ai rien dit. » Cette fois, c'était bien la voix de Bud. Spike la reconnut et de toute façon elle lui parvenait, à la manière habituelle, grâce à son casque. L'autre voix lui avait semblé plus directe, comme si elle était autour de lui, à l'intérieur de lui, tout près de lui, forte et en même temps intime.

Il avait parcouru une douzaine de mètres environ en direction du module lunaire quand la voix répéta son ordre. « Trouve l'Arche de Noé. » Grâce à sa réserve d'oxygène, Spike poursuivit son chemin en avançant par bonds, se demandant s'il ne s'agissait pas d'une plaisanterie. Mais personne n'aurait pu mettre un magnétophone dans son casque, il n'y avait d'ailleurs pas la place. Il s'en serait de toute façon aperçu, et là-bas on ne l'aurait certainement pas permis. On peut rendre n'importe qui cinglé avec un truc comme ça. Et, même si deux ou trois de ses camarades astronautes avaient un sens assez vicieux de l'humour, ils ne l'exprimaient qu'en enlevant un morceau dans votre tranche de melon afin de fourrer de la moutarde dans le trou avant de remettre le morceau en place. Rien réellement qui puisse casser les vitres.

« Tu la trouveras sur le mont Ararat, en Turquie, poursuivit la voix. Cherche-la, Spike. »

Des électrodes enregistraient la plupart des réactions physiques de Spike. Il voyait déjà les aiguilles sautillant sur les bandes au moment où on en arrivait à cette partie de sa mission. S'il en était ainsi, il se sentait parfaitement capable d'inventer une histoire afin de tout justifier. Pour l'instant, il ne voulait penser qu'à ce qu'il avait entendu, qu'à ce que ça signifiait. Aussi, lorsqu'il arriva près du ML, il fit sur le récepteur principal une plaisanterie à propos du ballon, puis redevint un parfait astronaute, c'est-à-dire un pilote d'essai transformé en chimpanzé, transformé en héros national, transformé en cascadeur, transformé en futur membre du Congrès ou, sinon, en futur membre honorifique d'une douzaine de conseils d'administration d'importantes sociétés. Spike n'avait pas été le premier homme à mettre le pied sur la lune, mais il n'y en avait pas eu suffisamment encore pour que ça cesse d'être une rareté. C'était un tremplin vers la célébrité et une source de récompenses. Spike Tiggler connaissait quelques bons trucs et Betty un bien plus grand nombre. Ce qui avait été, à différentes occasions, utile à leur mariage. Spike pensait épouser une grande fille athlétique, au joli visage, qui lirait *Les Plaisirs de la cuisine* durant leur lune de miel et garderait son angoisse pour elle-même lorsqu'il aurait quelque retard en regagnant sa base. Mais elle se révéla bien plus douée dans l'art de la reproduction des dollars qu'il ne l'était lui-même. « Toi tu voles, moi je pense », lui disait-elle de temps en temps. Ce qui paraissait être une sorte de plaisanterie, ou du moins c'est ainsi qu'ils le prenaient l'un et l'autre la plupart du temps. Donc, Spike Tiggler poursuivit sa mission, remplit les tâches qu'il devait accomplir, sans laisser personne supposer que quelque chose avait changé, que tout même avait changé.

Après le grand plouf, vint le « comment ça s'est passé » personnel de la Maison-Blanche, puis la visite médicale, le compte rendu, le premier coup de fil à Betty, la première nuit de retrouvailles avec Betty… et la célébrité. Dans ces villes affairées dont il s'était toujours méfié — Washington la prétentieuse, New York la cynique, San Francisco la folle —, Spike Tiggler était quelqu'un d'important, en Caroline du Nord il était un héros. Les serpentins se déversaient sur sa tête comme des plâtrées de spaghettis ; sa main droite découvrit la fatigue liée aux félicitations ; il était embrassé, étreint, peloté, claqué, boxé. Les petits garçons fouillaient dans les poches de sa veste, sans aucune pudeur, pour lui extorquer de la poussière de lune. Mais, avant tout, les gens voulaient simplement être près de lui, à côté de lui pour quelques minutes, respirer l'air qu'il exhalait, s'émerveiller de cet homme qui revenait de l'espace et qui était aussi leur voisin dans le comté. Après quelques mois de gâteries fébriles d'une côte à l'autre, les fonctionnaires de

Caroline du Nord, fiers de cet enfant du pays et vaguement jaloux qu'il apparaisse maintenant comme un bien public, annoncèrent qu'ils allaient frapper une médaille qui lui serait remise lors d'une cérémonie officielle. Quel lieu pouvait être plus approprié — tout le monde en fut d'accord — que Kitty Hawk, ce plat pays, sous un ciel plat ?

Des mots choisis furent prononcés cet après-midi-là, bien que Spike ne parvînt à les saisir qu'à demi. Betty avait son nouveau tailleur, elle portait même un chapeau. Elle aurait eu besoin qu'on lui dise qu'elle était superbe, ce qu'elle était sans en être sûre. Une grande médaille en or, avec d'un côté le *Kitty Hawk* des frères Wright et de l'autre la capsule Apollo, fut accrochée au cou de Spike. Sa main fut broyée de nouveau quelques douzaines de fois, et durant tout ce temps, tandis qu'il souriait poliment en inclinant la tête, il pensait à ce moment du voyage, à ce moment où l'on s'était adressé à lui.

L'atmosphère était cordiale, on pourrait presque dire chaleureuse, à l'arrière de la limousine du gouverneur, et Betty avait été si belle que Spike songeait à le lui dire. Pourtant il n'osait pas le faire devant le gouverneur et sa femme. On parla comme toujours de gravité, d'apesanteur, de levers de terre et dites-moi donc comment ça se passe pour aller aux toilettes, quand brusquement, alors qu'on approchait de Kitty Hawk, Spike aperçut l'Arche sur le bord de la route. Une Arche énorme, échouée, surélevée aux deux bouts, recouverte de lattes de bois. Le gouverneur suivit complaisamment le mouvement à cent quatre-vingts degrés de la tête de Spike, puis répondit à sa question avant même qu'elle ne soit formulée. « Une sorte d'église, dit le gouverneur. On l'a construite là il n'y a pas si longtemps. Il doit sans doute y avoir un tas de bestioles à l'intérieur. » Il éclata de rire et Betty l'imita timidement.

« Croyez-vous en Dieu ? demanda Spike brusquement.

— Il me serait impossible d'être gouverneur de Caroline du Nord si je n'y croyais pas, fut la réponse bon enfant du gouverneur.

— Non, pas ainsi. Croyez-vous en Dieu ? répéta Tiggler avec un franc-parler qui aurait bien pu déboucher sur quelque chose que personne ne souhaitait.

— Mon chéri, fit Betty doucement.

— Je suis sûr que nous sommes presque arrivés », dit la femme du gouverneur, lissant un pli creux de sa jupe avec une main gantée de blanc.

Dans leur chambre d'hôtel, ce soir-là, Betty penchait naturellement pour la conciliation. Ces parades devaient être extrêmement contraignantes, se disait-elle, même si par ailleurs elles étaient épatantes. Je n'aimerais pas monter sur une estrade pour redire à des gens, pour la quinzième fois, ce qui s'est passé, comme j'en suis fier, même si cela m'a rendu effectivement fier et que je désire en parler pour la quinzième fois. Aussi le dorlota-t-elle un peu et lui demanda-t-elle s'il se sentait fatigué, tout en cherchant à lui extirper quelque sorte d'excuse de ne pas lui avoir parlé, pas une seule fois, dans toute cette foutue journée, de sa toilette. Ne savait-il donc pas qu'elle n'était nullement convaincue que le jaune primevère fût sa véritable couleur ? Mais cette astuce ne marcha pas comme elle l'aurait voulu. Aussi Betty, qui ne pouvait s'endormir à moins que les choses ne soient tirées au clair, lui demanda-t-elle s'il voulait un verre et pourquoi il s'était conduit si bizarrement avec tout le monde avant la cérémonie. C'était, s'il voulait son avis sincère, le plus rapide moyen de ficher en l'air sa carrière, cette carrière qu'ils espéraient l'un et l'autre pour lui, que de demander au gouverneur, au nom du Ciel, s'il croyait ou non en Dieu. Mais pour qui se prenait-il ?

« Ma vie a changé, dit Spike.

— Essaies-tu de me mettre au courant de quelque chose ? » Betty était naturellement soupçonneuse, elle ne pouvait s'empêcher de remarquer le nombre de lettres qu'un homme célèbre peut recevoir de femmes qui ne le connaissent pas, et aussi bien entendu des Mary-Beth et de toutes les possibles Mary-Beth de la terre.

« Oui, répondit-il. On revient toujours, tu vois, à son point de départ. J'ai fait trois cent quatre-vingt-cinq mille kilomètres pour voir la lune et c'était la terre qui valait le coup d'œil.

— Tu as besoin de boire un verre. » Elle s'arrêta au milieu de la pièce, alors qu'elle se dirigeait vers le frigobar. Spike n'avait ni parlé, ni bougé, ni fait le moindre geste. « Zut, alors c'est moi qui en ai besoin. » Elle s'assit à côté de son mari avec un whisky citron à la main et attendit.

« Quand j'étais gosse, mon père m'a emmené à Kitty Hawk. J'avais douze ans ou treize ans. C'est ce qui fit de moi un aviateur. C'était ça que je voulais faire à partir de ce jour.

— Je le sais, chéri, dit-elle en prenant sa main.

— Je me suis engagé dans la marine. Je suis devenu un bon pilote. J'ai été transféré à Pax River. Je me suis porté volontaire pour le projet Mercury. On ne m'a pas accepté tout de suite, mais j'ai insisté et finalement on a bien voulu de moi. On m'a fait participer au projet Apollo. J'ai subi un entraînement intensif, je me suis posé sur la lune…

— Je sais, chéri.

— Et là… là, poursuivit-il, en serrant la main de Betty comme il se préparait à le lui dire pour la première fois, Dieu m'a demandé de trouver l'Arche de Noé.

— Hou !

— J'ai lancé un ballon. J'ai simplement tapé dans un ballon. Je suis allé le chercher et je l'ai envoyé dans un petit cratère. Je me demandais si j'étais encore dans le champ de la caméra et s'ils allaient râler lorsqu'ils s'en apercevraient. C'est alors que Dieu m'a parlé. Trouve l'Arche de Noé. » Il regarda sa femme. « C'était quelque chose comme ça : Tu es un homme adulte maintenant, tu as réussi à venir sur la lune et qu'est-ce que tu fais ? Tu tapes dans un ballon. Il est temps de renoncer à ces gamineries. C'était ce que Dieu avait l'intention de me dire.

— Es-tu sûr que c'était Dieu, chéri ? »

Spike ignora la question. « Je ne l'ai dit à personne. Je sais que je n'ai pas d'hallucinations, je sais parfaitement bien que j'ai entendu ce que j'ai entendu, mais je ne l'ai dit à personne. Peut-être n'en suis-je pas totalement sûr, peut-être que je veux l'oublier. Et qu'est-ce qui se passe ? Le jour même où je reviens à Kitty Hawk, là où tout a commencé il y a bien des années, ce même jour où je retourne ici, je vois cette foutue Arche. N'oublie pas ce que j'ai dit — voilà Son message, non ? Fort et clair. C'est ce que ça signifie. Vas-y, reçois ta médaille, mais n'oublie pas ce que J'ai dit. »

Betty prit une gorgée de whisky. « Donc, qu'est-ce que tu vas faire, Spike ? » En général lorsqu'on parlait de la carrière de son mari, Betty disait nous plutôt que tu. Cette fois, il était laissé à lui-même.

« Je ne sais pas encore. Je ne sais pas encore. »

Le psychiatre de la Nasa que Betty alla consulter hocha un nombre incalculable de fois la tête, comme pour suggérer que cette jeune femme devrait lui en dire bien davantage avant qu'il ne repose brusquement sa plume et admette que ce garçon était dingue ou maboul. Il hocha de nouveau la tête et dit que ses collègues et lui-même s'attendaient à quelques problèmes d'adaptation. Après tout, quelqu'un qui va sur la lune et aperçoit la terre doit avoir un peu la même impression que le premier type qui s'est tenu sur la tête afin de regarder le monde à l'envers. Cela peut, bien sûr, affecter la structure du comportement, sans parler des pressions exercées durant le vol et de l'énorme publicité attachée à la mission. Ce n'était donc nullement surprenant qu'apparussent un ou deux déplacements du réel, mais il n'y avait aucune raison de croire que leurs effets pussent être réellement sérieux ou de longue durée.

« Vous ne répondez pas à ma question.

— Quelle est-elle ? » Le psychiatre ne s'était pas rendu compte qu'elle en avait posé une.

Est-ce que mon mari — je ne connais pas le terme technique que vous utiliseriez, docteur —, est-ce que mon mari est réellement givré ? »

Il y eut de nouveau de multiples signes de tête, cette fois plutôt dans le sens horizontal que vertical. On donna des exemples de désordres de la perception, on regarda les rapports de Spike et on vit que, chaque fois, il avait inscrit d'une écriture ferme : « baptiste ». Il apparut à Betty que le psychiatre aurait été bien plus surpris si Spike n'avait pas entendu Dieu lui parler à la surface de la lune. Et quand elle lui demanda : « Mais est-ce que mon mari a des hallucinations ? », il répondit simplement : « Qu'en pensez-vous ? », ce qui ne sembla pas, pour Betty, faire progresser considérablement la conversation. À vrai dire, ça se passait comme si c'était elle qui était folle de douter de son mari. Un des résultats de cette visite fut que Betty s'en alla avec le sentiment d'avoir trahi son mari au lieu de l'aider. L'autre conséquence apparut trois mois plus tard, lorsque Spike demanda qu'on l'écarte du programme spatial. Aucune opposition sérieuse à sa demande ne fut soulevée, à condition que la chose restât discrète. D'après le rapport du psychiatre, Spike était complètement dingue, maboul, fou à lier. Ce patient pensait probablement, conclusion élaborée après un examen personnel et systématique, que la lune était faite de fromage blanc. Aussi trouva-t-on à l'astronaute une place de bureau dans

le département de promotion auprès des médias.
Puis on le renvoya dans la marine rejoindre les ins-
tructeurs. Cependant, un an après avoir sauté dans
la poussière grise de la lune, Spike Tiggler revenait
à la vie civile. Betty se demanda alors comment on
pouvait passer ainsi à côté de sa chance.

Ce fut l'annonce par Spike qu'il allait louer pour
un soir le restaurant Poussière de Lune à Wadesville, afin d'y organiser la première de ses réunions
destinées à trouver des fonds, qui poussa Betty à se
demander si la chose la moins pénible ne serait pas
de refermer définitivement *Les Plaisirs de la cuisine*
et de demander le divorce. Spike n'avait pratiquement rien fait pendant un an, en dehors d'aller un
jour acheter une Bible. Ensuite, il s'était absenté
durant les soirées et Betty l'avait trouvé assis près
de la porte de la cour, les Écritures ouvertes sur ses
genoux et les yeux tournés vers les étoiles. La compassion de ses amies était épuisante : après tout,
cela doit être difficile de revenir de là-haut, de devoir se réadapter au train-train quotidien. Il devint
clair pour Betty que la célébrité de But Tiggler pouvait tenir encore quelques années sans qu'il soit
besoin de remettre du carburant dans le réservoir.
Il apparaissait aussi qu'elle pouvait compter sur
toutes sortes d'aides — étant donné qu'une dépression due à un trop-plein de célébrité n'était pas
seulement typiquement américaine, mais presque
superbement patriotique. Malgré tout, elle se sentait frustrée. Toutes ces années passées à faire ce
qu'il fallait pour la carrière de Spike, à accepter
d'être envoyée partout dans le pays, de n'avoir

jamais réellement un chez soi, d'attendre, d'espérer la grande récompense… et puis, lorsqu'elle survient, lorsque les bons gros dollars descendent en cascade de la machine à sous, que fait donc Spike ? Au lieu de tendre son chapeau pour les attraper, il se colle contre la porte de la cour pour regarder les étoiles. Vous voulez voir mon mari, c'est lui là-bas, avec la Bible sur les genoux, le pantalon déchiré et un curieux éclat dans le regard. Non, il n'a pas été passé à tabac, il est tout simplement passé à côté de sa chance.

Quand Betty demanda à Spike ce qu'il aimerait qu'elle porte pour sa première réunion au Poussière de Lune, elle le fit avec un ton légèrement sarcastique dans la voix. Quand Spike lui répondit qu'il avait toujours beaucoup aimé ce tailleur jaune primevère qu'elle avait acheté lorsqu'il avait reçu sa médaille à Kitty Hawk, elle entendit de nouveau à l'intérieur de sa tête cette voix qui certainement n'appartenait pas au Tout-Puissant, mais qui lui soufflait le mot divorce. L'étrange, c'est que Spike paraissait sincère et que deux fois, une fois avant leur départ, et une autre au moment où ils s'engageaient sur l'autoroute, il lui fit des compliments sur son élégance. C'était un nouveau développement qu'elle ne pouvait s'empêcher de remarquer. Aujourd'hui, il croyait toujours ce qu'il disait, ne disait que ce qu'il croyait et rien d'autre. Il paraissait avoir renoncé aux plaisanteries, aux taquineries, aux diableries, comme s'il avait laissé ces enfantillages dans le cratère avec le ballon (c'était de toute façon un drôle de truc, ce ballon, si on y pensait et ça aurait dû déclencher la sonnette d'alarme bien plus tôt). Spike était devenu sérieux, il était devenu ennuyeux. Il lui disait encore qu'il l'aimait et Betty le croyait, bien que parfois elle se demandât si cela était suffisant pour une fille. Mais il avait perdu sa vitalité, son mordant. Si c'était ça renoncer aux choses puériles, alors les choses puériles, selon Betty, méritaient bien qu'on parle en leur faveur.

Le Poussière de Lune était plein, ce soir d'avril 1975, lorsque Spike Tiggler lança son premier appel de fonds. Toute la ville était là, avec en plus deux journalistes et un photographe. Betty s'attendait au pire. Elle voyait déjà les gros titres : « DIEU M'A PARLÉ », AFFIRME L'ASTRONAUTE DEVENU RAMPANT ET LE MABOUL DE WADESVILLE. Elle s'assit, très énervée, à côté de son mari, tandis que le pasteur de l'endroit félicitait celui-ci de son retour dans la communauté au sein de laquelle il avait grandi. Il y eut des applaudissements. Spike prit gentiment la main de sa femme et ne la lâcha pas jusqu'au moment où il se leva pour parler.

« C'est bon d'être de nouveau là », dit Spike en jetant un coup d'œil autour de lui et en inclinant la tête légèrement à l'intention des visages connus qu'il souhaitait saluer. « Voyez-vous, l'autre jour j'étais assis près de ma porte de derrière et je regardais les étoiles en pensant au gosse que j'avais été, il y a bien des années, à Wadesville. J'avais quelque chose comme quinze ou seize ans et j'imagine que je ne devais pas être facile, lorsque la vieille Jessie Wade, qu'elle repose en paix — je suppose que beaucoup d'entre vous se souviennent de Jessie —, me dit : "Jeune homme, à courir comme ça en criant et en hurlant, un de ces jours, tu finiras par t'envoler." Je suppose que la vieille Jessie Wade connaissait plus de choses qu'on ne croit, car bien des années plus tard ce fut exactement ce que je fis. »

Betty n'aurait pu être plus surprise. Il faisait un numéro. Il faisait un foutu numéro devant tout le monde. Il n'avait guère l'habitude en général de parler avec beaucoup de tendresse de Wadesville. Elle n'avait jamais entendu cette histoire concernant la vieille Jessie Wade. Cependant, il était là, se souvenant de tout, cherchant à se faire bien voir de ses compatriotes. Il leur raconta un tas d'anecdotes sur son enfance, sur sa vie d'astronaute qui était en fin de compte la raison pour laquelle ils étaient ici, mais le message qui se cachait derrière tout ça, c'était que, sans ses compatriotes, ce vieux Spike n'aurait jamais été plus loin que Fayetteville, que c'étaient eux qui l'avaient conduit là-bas, sur la lune, et non ces types trop malins avec des fils sortant de leurs oreilles à Mission Control. Ce qui surprit également Betty fut que ce passage de son discours fut dit avec toute la drôlerie, l'espièglerie anciennes qu'elle croyait disparues pour toujours. Et puis il attaqua le morceau de bravoure, expliquant que la vie de tout homme était une alternance de départs et de retours, un mouvement de va-et-vient, comme les eaux du Pasquotank (même si Jeff Clayton pensait que ce n'était pas ainsi, alors qu'ils se rendaient au World Golf Hall of Fame à Pienhurst). Il expliqua comment on revient tou-

jours aux choses et aux lieux d'où l'on est parti.
Ainsi, il avait quitté Wadesville des années auparavant et, maintenant, il était là de nouveau ; ainsi, il
avait été un fidèle de l'Église de l'Eau bénie, durant
toute son enfance, pour ensuite s'écarter des sen-
tiers du Seigneur, que pourtant il retrouvait
aujourd'hui — ce qui était nouveau pour Betty,
bien qu'elle n'en fût guère surprise.

Et ainsi, poursuivit-il, pour en arriver à la partie
sérieuse de cette soirée, au but de cette rencontre.
(Betty retint son souffle, complètement maboul,
pensait-elle, comment tous ces gens vont-ils prendre
ses élucubrations relatives à Dieu, lui ordonnant de
laisser son ballon dans le cratère et de trouver
l'Arche ?) Mais ici encore, Betty avait sous-estimé
Spike. Il ne parla pas des ordres que le Tout-Puissant
lui avait donnés sur la lune, pas une seule fois. En
revanche, il invoqua sa foi à plusieurs reprises et
parla de retourner à l'endroit d'où l'on était venu en
premier lieu. Il mentionna aussi les difficultés qu'il
fallait surmonter lorsqu'on faisait partie d'un programme de l'espace. Aussi, lorsque finalement il en
vint à expliquer comment il avait ressassé ce sujet en
regardant les étoiles du pas de sa porte de derrière,
comment il lui semblait qu'il était temps, après
toutes ces années, de tenter de savoir d'où nous
venons, et qu'en conséquence il projetait d'organiser
une expédition pour retrouver ce que l'on pouvait
de l'Arche de Noé qui avait accosté, comme chacun
sait, au sommet du mont Ararat, aux confins de la
Turquie et de l'Iran, tout cela parut extrêmement
logique, aller de soi. Le projet Ararat, à vrai dire,

pouvait être perçu comme la suite normale, évidente, de la grande aventure de la Nasa. Les auditeurs de Spike pouvaient même en venir à penser
que la Nasa était un peu égocentrique, un peu maté-
rialiste, étroite d'esprit en se consacrant uniquement
aux vols spatiaux, alors qu'il y avait tant d'autres projets plus proches du cœur et de l'âme des contri-
buables, projets qui auraient pu utilement profiter à
bon escient de cette technologie sophistiquée.

Il avait fait un numéro, il avait fait un foutu
numéro, se disait Betty tandis que son mari s'asseyait
au milieu d'une salle vibrante. Il n'avait même pas
parlé d'argent, il leur avait simplement demandé de
lui faire l'honneur de leur présence afin de partager
quelques idées avec eux. S'ils jugeaient que ses idées
étaient justes, alors il trouverait l'aiguillage qui le
conduirait à des gens susceptibles de l'aider. Ça,
c'est bien mon Spike, se surprit à murmurer Betty,
même s'il était quelque peu différent de celui
qu'elle avait épousé.

« Mrs. Tiggler, comment percevez-vous le projet
de votre mari ? » lui demanda-t-on tandis qu'ils se
tenaient, main dans la main, devant le photographe
du *Fayetteville Observer*.

« Oh ? Je le soutiens à cent dix pour cent »,
répondit-elle en regardant Spike avec sur les lèvres
un sourire de jeune mariée. L'*Observer* rapporta sa
phrase et le journaliste alla même jusqu'à dire combien Mrs. Tiggler paraissait éblouissante dans sa
robe moutarde avec son chapeau assorti (moutarde ! s'exclama Betty, j'imagine qu'il mange des
primevères avec son steak). Quand ils rentrèrent

chez eux, ce soir-là, Spike apparut plus dynamique qu'elle ne l'avait vu depuis près d'un an. Et il ne fut pas question pour lui de se recroqueviller avec sa Bible près de la porte de derrière en regardant les étoiles. Non, il la bouscula même légèrement pour la pousser en direction de la chambre à coucher. Depuis un certain temps ils n'y avaient guère fait grand-chose en dehors de dormir, et Betty, quoiqu'un peu surprise par l'événement, n'en fut nullement fâchée. Elle chuchota quelque chose à l'oreille de Spike dans leur code intime à propos de la salle de bains, mais son mari lui répondit qu'on n'allait pas se tracasser pour ça. Betty aima beaucoup cette manière qu'il avait de se montrer impérieux.

« Je t'aime », dit Spike un peu plus tard ce soir-là.

La première page dans le *Fayetteville Observer* engendra un article dans le *Greensboro News and Record*, qui à son tour engendra une petite information d'agence. Après, ce fut le silence, mais Spike restait confiant et faisait allusion aux feux de joie qu'il regardait enfant, où rien ne semblait se passer jusqu'au moment où les bûches s'enflammaient d'un seul coup. Et, sans aucun doute, il avait raison, car brusquement l'ancien astronaute apparut avec éclat à la une du *Washington Post* et du *New York Times*. Puis arriva l'équipe de télévision qui fit apparaître une nouvelle vague de journalistes qui amena peu après les télévisions et les journalistes étrangers. Durant tout ce temps, Betty et Spike travaillaient dur (ils formaient de nouveau une équipe, comme au début) pour mettre sur pied le projet Ararat. On donna aux reporters des informations détaillées sur les derniers dons et contributions, qu'il s'agît des cinquante dollars d'une congrégation voisine ou de l'envoi de cordes et de tentes d'un magasin bien connu. Bientôt se dressa sur la pelouse devant la maison de Spike et de Betty un grand thermomètre en bois indiquant les progrès de leur campagne. Tout les lundis matin, Spike allait, pinceau à la main, faire monter la colonne de mercure.

Ce n'était donc pas surprenant que Betty et son mari aient aimé comparer cette période critique au lancement d'une fusée : un compte à rebours est toujours excitant, et le moment de la mise à feu captivant. Mais jusqu'à ce que cette salope en forme de tube argenté se mette à bouger, au niveau des hanches et des épaules, avant de s'ouvrir un chemin vers le ciel, on ne sait jamais s'il ne va pas y avoir un fiasco public et pour le moins embarrassant. En tout cas, maintenant qu'elle avait décidé de soutenir son mari à cent dix pour cent, c'était quelque chose que Betty ne voulait absolument pas. La jeune femme n'était pas d'une nature particulièrement religieuse et, tout au fond de son cœur, elle ne savait trop que faire de cette chose que Spike avait expérimentée sur la lune, mais elle discernait facilement une opportunité lorsqu'il s'en présentait une. Après avoir assisté pendant un an aux études bibliques ennuyeuses de son mari et avoir vu ses meilleures amies lui prodiguer tant de sympathie qu'elle aurait pu en crier, Betty ne détestait pas que Spike Tiggler retrouve enfin une place dans l'actualité. Après le projet Apollo, le projet Ararat. Que pouvait-il y avoir de plus limpide que cette progression, à peine perceptible, dans l'ordre alphabétique ? Et personne, aucun des journalistes, n'avait suggéré que Spike pût être complètement maboul ou totalement givré.

Spike se débrouillait parfaitement. Il ne fit pas une seule fois allusion au fait que Dieu s'était joué du président Kennedy lorsque celui-ci avait mis toute cette chose en train. C'était donc bien plus facile pour Betty d'intéresser les gens au projet, des gens qui se seraient sans doute méfiés s'ils avaient reniflé le moindre soupçon de démence. Même le gouverneur de Caroline du Nord se montra disposé à pardonner la grossièreté et la curiosité de Spike visant l'authenticité de sa foi. Il accepta de présider bénévolement à Charlotte un dîner à cent dollars le couvert, afin de lever des fonds. Pour ces occasions, Betty portait son tailleur jaune primevère, avec une constance que ses amies jugeaient superflue et dénuée en fin de compte d'élégance. Spike, quant à lui, continuait à soutenir que cette odeur lui portait chance. Lorsqu'il parlait aux journalistes, il leur demandait parfois de parler de la robe couleur moutarde de sa femme, qu'ils avaient sans doute remarquée. Certains d'entre eux, par paresse, ou peut-être daltoniens, obéissaient obligeamment, ce qui ne manquait pas de provoquer quelques ricanements chez Spike lorsqu'il lisait les journaux.

Il fut aussi invité à un certain nombre de spectacles religieux télévisés. Betty tremblait parfois lorsqu'un de ces représentants de commerce en complet veston lançait une réplique après une séquence publicitaire pour annoncer d'une voix émue que l'amour de Dieu ressemblait au centre tranquille d'une tornade et qu'un de ses invités, ici présent aujourd'hui, avait effectivement été au centre d'une tornade et pouvait témoigner du calme parfait qui y régnait. Cela signifie, bien sûr, que le christianisme nous oblige à aller de l'avant sans cesse — il est impossible en effet de rester immobile dans une tornade —, ce qui, bien entendu, nous amène à notre deuxième invité, Spike Tiggler, qui à une certaine époque de sa vie a voyagé plus vite même qu'une tornade, mais qui maintenant cherche ce centre tranquille, cet emplacement parfaitement calme qui lui permettrait de louer le Seigneur. Spike qui portait de nouveau les cheveux coupés court et un costume bleu, comme lorsqu'il était astronaute, répondait poliment, sans jamais mentionner — comme ce représentant de commerce aurait indubitablement aimé qu'il le fasse — que Dieu s'était trouvé juste là, à l'intérieur de son casque, pour lui chuchoter quelque chose à l'oreille. Il s'en tirait parfaitement bien, avec simplicité et naturel, ce qui favorisait grandement l'arrivée des chèques destinés au projet Ararat, chèques confiés aux soins de Betty Tiggler qui, naturellement, s'octroyait un salaire.

On forma un comité dont faisaient partie le révérend Lance Gibson, respecté ou tout au moins connu dans la plus grande partie de l'État, légèrement fondamentaliste aux yeux de quelques-uns, mais au fond conservateur bon teint qui ne risquait pas d'effrayer les éventuels donateurs ; le Dr Jimmy Fulgood, ancien joueur vedette de basket-ball à l'université, devenu géologue et spécialiste de plongée sous-marine, qui donnerait sa caution scientifique à l'expédition ; et Betty elle-même, la présidente, la coordinatrice et la trésorière. Le gouverneur accepta de figurer dans les papiers officiels en tant que président honoraire. La seule déception au cours du compte à rebours du projet Ararat fut l'impossibilité d'obtenir que le comité soit reconnu comme une institution charitable.

Quelques journalistes, la tête bourrée de connaissances livresques, aimaient demander à Spike comment il se faisait qu'il fût si sûr que l'Arche se trouvât sur le mont Ararat. Est-ce que le Coran ne dit pas qu'elle a accosté sur le mont Judi, à plusieurs centaines de kilomètres de là, aux abords de la frontière irakienne ? Et est-ce que la tradition juive ne diffère pas également, situant l'endroit au nord d'Israël ? Confronté à ces questions, Spike appuyait sur la pédale du charme et répondait que tout le monde, bien entendu, avait le droit d'avoir son avis et que, si un astronaute israélien voulait faire des recherches en Israël, il n'y voyait aucun inconvénient, et que, si un astronaute de l'islam entreprenait la même chose en Irak, c'était vraiment parfait. Les reporters sceptiques s'en allaient en se disant que, si Tiggler était idiot, il n'était en tout cas pas naïf.

Une autre question qu'on mettait de temps en temps en avant, concernant l'Arche — en admettant qu'on puisse effectivement la localiser —, abordait le problème de sa détérioration, de son pourrissement, de sa réduction en poudre par des termites au cours de toutes ces années passées là, qui atteignaient quand même quelques milliers. Une fois encore, Spike ne se laissa pas piéger. Il s'abstint en particulier d'expliquer comment il savait qu'elle ne pouvait être pourrie ou mangée par les termites, étant donné que le Dieu qui lui avait commandé de trouver l'Arche d'une manière aussi claire laissait forcément entendre par là qu'il en restait au moins quelque chose. Au contraire, il renvoya son interpellateur à sa Bible, même si celui-ci ne l'avait pas emportée avec lui, car celle-ci disait que l'Arche était faite en bois de gopher, lequel, comme chacun sait, est extrêmement solide et capable, en conséquence, de résister aussi bien à la pourriture qu'aux termites. Puis Spike cita un nombre de choses miraculeusement préservées au cours des siècles — des mammouths trouvés dans des glaciers avec une chair aussi fraîche que celle du bifteck acheté au supermarché. Il poursuivit en suggérant que, si quelque chose devait être préservé miraculeusement au cours des siècles, grâce à la toute-puissante volonté de Dieu, n'était-ce pas, avant n'importe quoi d'autre, l'Arche elle-même ?

Le révérend Lance Gibson consulta des historiens de l'Église dans les universités baptistes pour connaître le courant de pensée actuel concernant l'emplacement de l'Arche, tandis que Jimmy Fulgood s'occupait des ventes probables et du mouvement des marées à l'époque du Déluge. Lorsqu'ils mirent en commun leurs trouvailles, les deux hommes en arrivèrent à un endroit situé sur la face sud-est de la montagne, à deux ou trois kilomètres du sommet. Bien sûr, approuva Spike, c'est là que nous commencerons à chercher, mais que pensez-vous de mon projet de partir du sommet lui-même et de descendre en décrivant des cercles semblables à ceux d'une toile d'araignée afin d'explorer le sol de la manière la plus systématique possible ? Jimmy apprécia à sa juste valeur la réflexion qui se trouvait derrière cette idée, mais sentait aussi qu'il n'était pas possible de la mettre en pratique dans les conditions requises par l'escalade. Aussi pour cette fois Spike se rendit-il à son point de vue. Jimmy fit une contre-proposition, suggérant que Spike utilise ses relations à la Nasa et dans la marine pour obtenir une série de photographies de reconnaissance aérienne de la montagne, qu'il suffirait d'agrandir pour voir si quelque chose de ressemblant à l'Arche apparaîtrait. Spike reconnut que c'était là une approche parfaitement logique, mais se demandait toutefois si l'intention de Dieu était réellement de les laisser prendre un raccourci. Est-ce que ce projet, dans son ensemble, ne ressemblait pas à un pèlerinage chrétien et est-ce que les anciens pèlerins ne s'arrangeaient pas toujours pour vivre à la dure ? Bien entendu, il ne voulait pas signifier par là qu'il ne fallait pas prendre les matériaux les meilleurs lorsqu'il s'agissait des tentes, des cordes, des chaussures et des montres, néanmoins il espérait qu'ils se sentiraient guidés, une fois qu'ils se trouveraient là-haut, par quelque chose d'autre que la technologie moderne.

Les activités pastorales du révérend Gibson l'empêchaient de faire le voyage en Turquie, mais il fournirait le soutien spirituel et rappellerait sans cesse au Tout-Puissant, grâce à la prière, que les deux autres membres du comité se rendaient dans des pays lointains pour s'occuper des affaires du Seigneur. Betty resterait sur place pour répondre aux questions des médias qui, bien entendu, seraient lancées par rafales. L'expédition — Spike et Jimmy — se mettrait en route en juillet de cette année 1977. Les deux hommes refusèrent de faire des prédictions à propos de la durée de leur absence. On ne tente pas d'en remontrer au Seigneur, dit le révérend Gibson, à moins qu'on cherche à prendre un pruneau dans le ventre.

Un tas de choses avaient été données par des supporters, par des congrégations religieuses et par des magasins spécialisés dans les techniques de survie. Et, tout en ouvrant les paquets qui continuaient d'arriver, même à la veille du départ, Betty se demandait comment le projet était réellement perçu dans certaines couches de la population. Un nombre important de présents apparaissaient rien moins que chrétiens. On aurait pu supposer, après avoir jeté un coup d'œil sur la pièce réservée à l'expédition des Tiggler, que Spike et Jimmy étaient deux réfugiés, nus comme des vers, qu'on envoyait comme tueurs à gages exterminer la majorité des Turcs de l'Est.

Ils laissèrent derrière eux des paquets de vieux vêtements, quelques armes automatiques, quatre grenades paralysantes, un cordon d'étranglement et des pilules, offertes par quelque donateur zélé, à utiliser en cas de suicide. Leurs bagages comprenaient un équipement de camping ultraléger, des vitamines, un appareil de photo japonais avec le zoom dernier modèle, des cartes de crédit, des chèques de voyage de l'American Express, des chaussures de jogging, un flacon de whisky, des sous-vêtements et des chaussettes en Thermolactyl, un grand sac de biscottes de son contre la constipation, des comprimés contre la diarrhée, des lunettes infrarouges pour vision de nuit, des cachets pour purifier l'eau, des aliments déshydratés empaquetés sous-vide, un fer à cheval porte-bonheur, des torches, des pansements dentaires, des piles électriques pour leurs rasoirs, deux couteaux de combat suffisamment aiguisés pour couper le bois de gopher et pour éventrer un assaillant, de la crème antimoustiques, de la crème solaire et une Bible. Lorsque Jimmy vérifia en secret leurs bagages, il découvrit l'enveloppe pliée d'un ballon de football et une petite pompe pour le gonfler. Il remballa le tout soigneusement avec un sourire indulgent au coin des lèvres. Quand Spike vérifia secrètement leurs bagages, il tomba sur une boîte de préservatifs qu'il jeta à la poubelle sans jamais, par la suite, en parler avec Jimmy. Le comité discuta pour savoir ce que l'expédition devait emporter comme présents à distribuer aux paysans de la Turquie de l'Est. Betty suggéra des cartes postales en couleurs de Spike à la surface de la lune, mais celui-ci sentait que ce serait une fausse note, étant donné qu'ils n'allaient pas là-bas pour se faire acclamer, mais en tant que serviteurs du Seigneur. Après de plus amples réflexions, ils décidèrent d'emporter deux cents boutons commémorant l'investiture du président Jimmy Carter et de son épouse, l'adorable Rosalyn, qu'un des amis du révérend Gibson avait réussi à leur fournir au rabais, trop heureux de s'en débarrasser.

Ils prirent l'avion jusqu'à Ankara où ils durent louer des smokings pour assister au dîner offert par l'ambassadeur. Spike cacha sa déception lorsqu'il s'aperçut que la plupart des personnes présentes voulaient parler avec lui d'astronautique, sans s'intéresser le moins du monde au projet Ararat. Un peu plus tard, tous ces gens se révélèrent indifférents, pour ne pas dire radins, lorsque Spike, dans son petit discours à la fin du dîner, lança un appel patriotique destiné à lever de nouveaux fonds.

Le message que Betty envoya à Erzurum grâce au Voyage interéglises, leur disant de louer une Jeep ou une Land Rover ne leur parvint pas, si bien que l'expédition se mit en branle à bord d'une grande Mercedes. On roula vers l'est pour atteindre Horasan, puis en direction de l'est-sud-est pour arriver à Dogubayazit. La campagne était avenante, mélange de vert pâle et de brun clair. Ils mangèrent des abricots frais et distribuèrent l'effigie des Carter souriants à de petits enfants. Certains en parurent heureux, tandis que d'autres continuaient d'insister pour obtenir des dollars ou sinon, au moins des stylos-bille. L'armée était partout, ce qui amena Spike à réfléchir à la signification stratégique de la région. Ce fut une surprise pour Jimmy d'apprendre qu'une centaine d'années plus tôt le mont Ararat, ou Agri Dagi, comme les autochtones voulaient qu'on l'appelle, avait été le point de jonction de trois grands empires — le russe, le perse et le turc. La montagne était alors divisée entre ces trois puissances.

« Ça me paraît malsain que les Soviets en aient eu un morceau, commenta Jimmy.

— Faut savoir qu'ils n'étaient pas encore soviétiques à l'époque, dit Spike. Ils étaient chrétiens comme nous quand ils n'étaient encore que des Russes.

— Peut-être que le Seigneur leur enleva leur morceau de montagne lorsqu'ils sont devenus soviétiques.

— Peut-être, répondit Spike, ne se souvenant plus très bien du moment où les frontières avaient été changées.

— Tu vois, comme s'Il ne voulait pas laisser la montagne sacrée tomber aux mains des infidèles.

— Bon, j'ai compris, dit Spike, légèrement irrité. Mais il me semble savoir que les Turcs ne sont pas vraiment chrétiens.

— Ils ne sont pas aussi infidèles que les Soviétiques. » Jimmy ne semblait pas disposé à renoncer à sa théorie à la première objection.

« D'accord. »

Sur la route qui allait vers le nord à partir de Dogubayazit, Spike cria à Jimmy d'arrêter la voiture. Ils en descendirent et l'astronaute montra du doigt un petit ruisseau. Légèrement, mais indubitablement, l'eau de ce ruisseau remontait la pente.

« Louons le Seigneur », dit Spike Tiggler en s'agenouillant pour prier. Jimmy inclina la tête légèrement, mais resta debout. Après deux minutes environ, Spike retourna à la Mercedes et remplit deux bouteilles en plastique avec l'eau du ruisseau.

« C'est la terre des miracles », proclama-t-il alors qu'ils se remettaient en route.

Jimmy Fulgood, géologue, spécialiste de la plongée sous-marine, resta silencieux durant quelques kilomètres, puis essaya d'expliquer qu'il n'était nullement scientifiquement impossible qu'un courant remonte la pente. Tout dépendait du poids et de la pression que l'eau en amont exerçait à cet endroit précis. En effet, le courant ascendant n'était qu'une toute petite section du ruisseau par rapport à la longueur totale. Le phénomène avait été enregistré, d'après ce qu'il savait, à diverses occasions. Spike, qui conduisait, continuait de hocher la tête, aussi joyeux qu'un pinson. « Peut-être que tu peux expliquer la chose comme ça, finit-il par dire. Néanmoins, l'important c'est de savoir ce qui fait que l'eau coule vers l'amont ? Qui l'a mise là, afin que nous puissions la voir alors que nous passions sur la route pour nous rendre à Ararat ? Le bon Dieu, bien sûr. C'est le pays des miracles », répéta-t-il en secouant la tête d'un air heureux.

Jimmy avait toujours trouvé que Spike était un être plein d'optimisme, mais ici, en Turquie, il devenait carrément exubérant. Ni les moustiques ni la malchance ne le perturbaient, ses pourboires montraient une générosité réellement chrétienne : et il avait l'habitude, lorsqu'ils croisaient une vache sur

leur route, de baisser la vitre et de crier à son propriétaire, ou même au paysage : « Tu la conduis ou
tu la trais, mon vieux ! » Par moments, c'était un peu
casse-pieds, mais Jimmy était à cent dix pour cent
entretenu par le projet Ararat, aussi supportait-il ces
accès de gaieté comme il l'aurait fait pour des crises
de mauvaise humeur.

Ils roulèrent jusqu'à ce que la route s'arrête et
que les deux formes du grand et du petit Ararat se
dressent devant eux.

« On dirait un homme et sa femme, tu ne trouves
pas ? lança Spike.

— Qu'est-ce que tu veux dire par là ?

— Un frère et une sœur, Adam et Ève. Le grand
là et le petit machin tout joli, à côté de lui. Tu vois ?
Homme et femme il les créa.

— Crois-tu que le Seigneur avait ça en tête, à
l'époque ?

— Le Seigneur a absolument tout en tête, dit
Spike Tiggler. Et tout le temps. Jimmy Fulgood
regarda les deux formes jumelles qui se présentaient à ses yeux et garda pour lui ses réflexions.
Betty Tiggler était d'une bonne dizaine de centimètres plus grande que son mari.

Ils partagèrent leur équipement avant de se
confier aux deux jambes que le Seigneur leur
avait données. Ils laissèrent le whisky dans le
coffre, sentant qu'il n'était pas décent de boire des
boissons alcoolisées sur la montagne du Seigneur.
Ils n'avaient plus besoin également des boutons à
l'effigie de Carter. Ils emportèrent leurs chèques
de voyage, le fer à cheval porte-bonheur et la

Bible. Durant le transfert du matériel, Jimmy surprit Spike alors que celui-ci fourrait en douce le
ballon de football dégonflé dans son sac à dos.
Puis ils commencèrent l'escalade de la face sud de
la montagne, l'ancienne vedette dégingandée du
basket-ball quelques mètres derrière l'astronaute
exubérant — un jeune officier sur les talons du
général. De temps en temps, Jimmy retrouvait son
âme de géologue et voulait s'arrêter pour examiner les rochers, mais Spike demandait toujours de
continuer la route.

Ils étaient seuls dans la montagne et trouvaient
cette solitude exaltante. Ils virent des lézards en bas,
des bouquetins et des chèvres sauvages au fur et à
mesure qu'ils montaient. Ils passèrent au-dessus des
aires des faucons et des buses, et plus haut ils attei-
gnirent la ligne des neiges où les seuls mouvements
étaient provoqués par la fuite soudaine d'un petit
renard. Au cours des soirées glacées, Jimmy tenait
le journal de l'expédition, tandis que Spike lisait sa
Bible, près de la lueur sifflante et raide de leur
lampe à gaz.

Ils commencèrent par attaquer la pente sud-est,
cet emplacement où la science et l'Église avaient
trouvé une sorte de terrain d'entente incertain. Ils
explorèrent des défilés rocheux et visitèrent des
grottes nues. Jimmy se demandait s'ils devaient
trouver l'Arche entière, intacte — dans ce cas il
n'était pas question qu'ils puissent la manquer — ou
simplement quelques vestiges significatifs, tels que
le gouvernail, par exemple, ou quelques planches
encore calfatées avec du bitume.

Leur première inspection rapide n'amena aucun résultat, ce qui ne les surprit ni ne les déçut. Ils passèrent la ligne des neiges et partirent pour le sommet. Presque à la fin de leur ascension, le ciel commença lentement à changer de couleur, si bien qu'au moment où ils atteignaient le haut de la montagne il apparut d'un vert éclatant. Cet endroit était plein de miracles. Spike s'agenouilla pour prier et Jimmy l'imita durant un court instant. Juste en dessous d'eux se trouvait un champ de neige en pente douce qui allait rejoindre un deuxième pic. Ce champ aurait pu faire un endroit naturel d'accostage pour l'Arche. Malheureusement, ils le fouillèrent en vain.

Le côté nord de la montagne comportait une énorme crevasse. Spike montra du doigt l'endroit où s'arrêtait le gouffre, quelques centaines de mètres plus bas, et dit qu'il y avait eu là-bas, autrefois, un monastère. De véritables moines et tout ça. Puis, en 1840, dit-il, un terrible tremblement de terre avait secoué la montagne, comme aurait pu faire un chien avec un rat, et la petite église s'était effondrée, ainsi que le village situé plus bas, dont le nom commençait par un A. Apparemment, tout le monde avait été tué et ceux qui n'étaient pas morts sur le coup devaient avoir péri un peu plus tard. Tu vois cette fissure, eh bien, quatre ou cinq jours après le tremblement de terre, une avalanche commença à la descendre, ne laissant rien sur son passage. On aurait dit la vengeance du Seigneur. Le monastère fut balayé de la surface de la terre, ainsi que le petit village.

Jimmy Fulgood hochait la tête l'air pensif, plongé dans ses réflexions, tandis qu'il écoutait. Tout cela était arrivé, se disait-il, alors que les Soviets possédaient cette partie de la montagne. Bien sûr, ils étaient russes alors et chrétiens, mais cela prouve que le Seigneur avait sûrement une dent contre les Soviétiques, même avant qu'ils ne le deviennent.

Ils cherchèrent pendant trois semaines. Jimmy se demandait si l'Arche n'aurait pas pu être enterrée profondément sous la corniche de glace qui entourait la montagne. Spike admit que ce pouvait être le cas, mais que, si c'était ainsi, le Seigneur l'aurait forcément indiqué d'une manière ou d'une autre. Le Seigneur ne les aurait pas envoyés sur la montagne pour ensuite leur cacher l'objet, la raison même de leur présence ici. Ce n'était pas la nature du Seigneur. Jimmy s'inclina devant Spike sur ce point. Ils inspectèrent les pentes à l'œil nu, à la jumelle et à l'aide des lunettes infrarouges. Spike attendait un signe. Était-il seulement sûr de le reconnaître lorsqu'il se présenterait? Peut-être devraient-ils chercher dans la direction, quelle qu'elle soit, d'où venait le vent. Ils cherchèrent dans la direction d'où soufflait le vent. Ils ne trouvèrent rien.

Chaque jour, comme le soleil réchauffait la plaine en bas et que montait la température de l'air, un halo de nuages se formait autour du sommet de la montagne, leur dérobant la vue des pentes, et chaque soir, lorsque l'air se refroidissait, le nuage disparaissait. Au bout de trois semaines, ils redescendirent pour chercher des provisions

dans le coffre de la Mercedes. Ils roulèrent
jusqu'au village le plus proche d'où Spike envoya
une carte postale à Betty disant « Pas de nouvelles,
bonnes nouvelles », ce qui apparut à Betty bien
moins clair qu'on aurait pu le penser. Puis ils
retournèrent dans la montagne et cherchèrent
durant encore trois semaines. Au cours de cette
période arriva le moment de la pleine lune, et
Spike se mit à la regarder chaque soir, se souvenant que cette mission actuelle avait commencé là-
haut, au milieu d'un nuage de poussière. Un soir,
Jimmy, appuyé sur son coude, examina avec lui le
disque crémeux et tacheté. « Sûr, elle ressemble à
une tarte à la crème, dit Jimmy en conclusion, avec
un rire nerveux. — Bien plus à une plage sale
quand tu es là-haut », répondit Spike. Ils continuèrent de la regarder, attendant l'apparition
d'un signe. Aucun ne leur parvint.

Ce fut durant leur troisième séjour sur la montagne — ils étaient d'accord pour que ce soit le
dernier de l'année — que Spike fit une découverte.
Ils étaient à quelques centaines de mètres du sommet et venaient de franchir un éboulis redoutable
quand ils tombèrent sur deux grottes côte à côte.
Comme si le Seigneur avait enfoncé deux de ses
doigts dans le rocher, pensèrent-ils l'un et l'autre.
Avec cet optimisme incorrigible que supportait
noblement Jimmy, l'ancien astronaute s'enfonça
avec désinvolture dans la première des grottes. Il y
eut d'abord un silence, puis une sorte d'ululement.
Jimmy pensa à des ours — et même à l'abominable
homme des neiges — jusqu'à ce que la clameur se

module pour devenir une série de cris de joie étouffés.

Presque au seuil de la grotte, Jimmy aperçut Spike Tiggler en train de prier à genoux. Un squelette humain était allongé devant lui. Jimmy s'agenouilla à côté de Spike. Même à genoux, l'ancienne vedette de basket gardait par la taille un net avantage sur l'ex-astronaute. Spike éteignit sa torche et Jimmy fit de même. Quelques minutes du silence le plus pur s'écoulèrent dans l'obscurité froide, puis Spike murmura : « Nous avons trouvé Noé. »

Jimmy ne répondit pas. Après un moment, ils rallumèrent leurs lampes et les deux faisceaux explorèrent respectueusement le squelette qui se trouvait devant eux. Ses pieds étaient tournés vers l'entrée de la grotte et l'ensemble, autant qu'ils pussent le dire, leur paraissait intact. Il y avait quelques lambeaux de vêtements — certains blancs et d'autres grisâtres, pris entre les os.

« Louons le Seigneur « , dit Spike Tiggler.

Ils plantèrent leur tente à quelques mètres de la paroi de la montagne et inspectèrent l'autre grotte. Spike espérait secrètement trouver la femme de Noé ou peut-être le journal de bord de l'Arche. Mais les découvertes étaient finies pour aujourd'hui. Plus tard, comme la nuit tombait, un sifflement d'air comprimé se fit entendre à l'intérieur de la tente, puis Spike Tiggler lança son ballon au-dessus des rochers du grand Ararat en direction des bras hésitants de Jimmy Fulgood. Coup après coup, la balle frappait les grandes mains de l'ancien joueur de basket. Pourtant, ses lancers à lui étaient souvent défectueux, mais Spike n'en paraissait nullement surpris. Celui-ci lança et relança la balle ce soir-là, jusqu'à ce que l'air devînt froid et que leurs deux silhouettes ne fussent plus dessinées que par le clair de lune. Mais même ainsi les yeux de Spike gardaient une étonnante acuité. Jimmy sentait le ballon venir le frapper de plein fouet, avec la précision nocturne d'une chauve-souris. « Hé ! Spike, cria-t-il à un moment donné, tu ne te sers pas des lunettes infrarouges, hein ? » Il entendit alors un petit ricanement émis par ce partenaire qu'il pouvait à peine distinguer maintenant.

Après qu'ils eurent mangé, Spike prit sa torche et retourna dans la tombe de Noé, comme il l'appelait maintenant. Jimmy, par délicatesse ou superstition, resta dans la tente. Une heure environ plus tard, Spike revint pour dire que la position du squelette aurait très certainement permis à Noé mourant d'apercevoir la lune par l'ouverture de la grotte — cette lune à la surface de laquelle Spike Tiggler s'était si récemment trouvé. « Louons le Seigneur », répéta-t-il tandis qu'il tirait la fermeture Éclair de la tente pour la nuit.

Après un moment, il apparut que ni l'un ni l'autre ne dormait. Jimmy toussa légèrement. « Spike, dit-il avec quelques précautions, il y a… eh bien… à mon avis nous avons ici un petit problème.

— Quel petit problème ? Nous n'avons pas de problème, nous avons un miracle, s'écria Spike.

— Bien sûr que nous avons un miracle, mais nous avons aussi un problème.

— Dis-moi comment tu perçois ce problème,

Jimmy. » La voix était amusée, tolérante, presque suffisante, celle d'un demi de mêlée qui connaît la puissance de sa musculature.

Jimmy poursuivit prudemment, n'étant pas très sûr de ce qu'il croyait. « Eh bien, disons, veux-tu, que je réfléchis à voix haute, Spike, disons que je ne cherche pas en ce moment à faire de l'obstruction.

— Parfait. » Rien ne pouvait entamer l'humeur présente de Spike. Le mélange d'orgueilleuse jubilation et de soulagement lui rappelait le moment du grand plouf.

« Nous cherchons l'Arche, d'accord ? On t'a... dit de trouver l'Arche.

— Certes. Nous la trouverons. Nous y sommes obligés maintenant, sans doute la prochaine fois.

— Mais nous cherchions l'Arche, insista Jimmy. On... t'a... dit de chercher l'Arche.

— On cherchait de l'argent, on a trouvé de l'or.

— Oui. Je me demandais simplement... Est-ce que Noé ne s'est pas déplacé quelque peu après la fin du voyage ? Je veux dire, il a vécu encore quelques siècles. N'est-ce pas ce qu'on dit dans la Bible ?

— Mais si. Trois cent cinquante ans. Oui. Ce village dont je t'ai parlé, lorsque nous étions au sommet, Arghuri, c'est là que Noé s'est établi d'abord. Il a planté sa vigne là. A eu sa première ferme. A reconstruit son foyer.

— C'était le village de Noé ?

— Mais oui. En plein dans la partie soviétique », ajouta Spike d'un air moqueur.

Les choses apparaissaient maintenant moins claires à Jimmy. « Ainsi, Dieu a laissé détruire la propriété de Noé par un tremblement de terre ?

— Devait avoir une raison. Il en a toujours. De toute façon, ce n'est pas là la question. La question c'est que Noé s'est installé là, en bas. Peut-être a-t-il bougé, peut-être pas. De toute façon n'y a-t-il rien de plus vraisemblable que son désir de revenir à Ararat pour y être enterré ?

Quand il a senti le poids du temps sur ses épaules ? Probablement s'était-il réservé cette grotte à l'instant même où il descendait de l'Arche, ayant décidé qu'en signe d'obéissance au Seigneur et de gratitude pour avoir été épargné, il amènerait ses vieux os sur la montagne lorsqu'il saurait son heure arrivée. Comme les éléphants dans la jungle.

— Spike, ces os dans la grotte… ne sont-ils pas… ne t'apparaissent-ils pas un peu, comment dirais-je, trop bien conservés ? Je veux dire, je ne joue ici que l'avocat du diable, tu comprends.

— Calme-toi, Jimmy, tu fais ce qu'il faut.

— Mais ne paraissent-ils pas un peu trop intacts ?

— Jimmy, nous parlons en ce moment de signes et de miracles. On s'attendait qu'ils soient bien conservés, tu ne crois pas ? Noé était quelqu'un de réellement spécial. Regarde, quel âge avait-il lorsqu'il est mort ? Neuf cent cinquante ans. Il avait la bénédiction toute particulière du Seigneur. Donc, s'il avait des os suffisamment solides pour tenir près d'un millénaire, on peut s'attendre bien sûr qu'ils ne s'abîment pas à la même vitesse que ceux des personnes ordinaires.

— Je te l'accorde, Spike.

— Quelque chose d'autre te tracasse ? » Spike semblait accueillir sans aucune réticence les doutes de Jimmy. Apparemment, il sentait qu'il pouvait lui renvoyer la balle sans la moindre difficulté.

« Eh bien, qu'allons-nous faire exactement ?

— Nous allons le dire au monde, c'est ce que nous allons faire, et le monde se réjouira. Et beaucoup d'âmes trouveront la foi à la suite de cette découverte. Une église sera construite, une fois de plus, sur cette montagne, une église bâtie sur la tombe même de Noé. » En forme d'arche, peut-être, ou même dans la forme de la capsule spatiale Apollo. Ce serait vraiment approprié, ça refermerait le cercle.

Je suis entièrement d'accord avec toi sur les répercussions, Spike. Pourtant, laisse-moi te dire quelque chose. Toi et moi sommes des hommes de foi.

— Des hommes de science aussi, dit l'astronaute au géologue.

— D'accord. Et en tant qu'hommes de foi, nous désirons naturellement préserver notre croyance de toute calomnie inutile.

— Certes.

— Bon. Alors peut-être qu'avant d'annoncer la nouvelle nous devrions, en tant qu'hommes de science, mettre à l'épreuve ce que nous, hommes de foi, avons découvert.

— Ce qui veut dire ?

— Ce qui veut dire que nous devrions la bouder

jusqu'à ce que nous ayons fait examiner en laboratoire les vêtements de Noé. »

Un grand silence s'établit de l'autre côté de la
tente lorsque Spike se rendit compte, pour la première fois, que tout le monde sur la terre n'allait
pas battre des mains à l'unisson au même moment,
de la manière que les gens l'avaient fait au moment
du retour des astronautes revenus de la lune. Finalement, il dit : « Je pense que tu as bien réfléchi,
Jimmy. J'imagine que tu t'es arrangé pour que je
me pose certaines questions, par exemple si l'on ne
risquait pas d'avoir quelques problèmes avec les
vêtements.

— Qu'est-ce que tu veux dire ? »

Maintenant, c'était au tour de Spike de jouer les
sceptiques. « Bon, je ne fais que des suppositions.
Tu te souviens de l'histoire de la nudité de Noé ?
Comment ses fils ont couvert leur père nu ? On
peut être sûr, évidemment que les os de Noé sont
vraiment spéciaux, mais est-ce que cela signifie que
ses vêtements le sont aussi ? » Il y eut une pause puis
il continua : « Je ne pense pas que nous devrions
laisser la moindre opportunité aux Thomas incré-
dules et pernicieux. Bon. Alors on a fait la toilette
mortuaire de Noé et on lui a mis sa robe d'apparat
qui, après quelques siècles, est tombée en poussière
et en cendre.

Alors est arrivé un quelconque pèlerin — un
pèlerin qui n'a pas réussi à retraverser sans
encombre les tribus infidèles — qui a découvert le
corps. Apercevant de nouveau la nudité de Noé, le
pèlerin a donné immédiatement ses vêtements au

Patriarche — ce qui expliquerait pourquoi il n'a pas refranchi les lignes pour rapporter la nouvelle. Cela signifie, néanmoins, qu'une sérieuse erreur peut apparaître lors des examens au carbone 14.

— Tu as raison », dit Jimmy. Un long silence suivit, comme si les deux hommes étaient à demi conscients que l'autre allait tirer la prochaine conclusion logique. Finalement ce fut Jimmy qui s'y risqua. « Je me demande quel est, dans un truc comme ça, le point de vue de la loi.

— Hum, fit Spike, sans aucune intention de décourager son interlocuteur.

— À qui penses-tu qu'appartiennent les os de Noé ? En dehors, ajouta rapidement Jimmy, de Notre Seigneur Tout-Puissant ?

— Ça pourrait prendre des années devant toutes les sortes de juridictions. Tu sais comment sont les avocats.

— Bien sûr, dit Jimmy qui n'avait encore jusqu'ici jamais été mêlé au moindre procès. Je ne pense pas que le Seigneur s'attende que nous entreprenions toutes les procédures légales. Comme si nous faisions appel à César ou je ne sais quoi. »

Spike acquiesça, baissa la voix, même s'ils étaient tout seuls dans la montagne du Seigneur. « Ces gens, au fond, n'ont pas besoin de grand-chose, tu ne crois pas ?

— Non non. Un peu suffira. » Jimmy renonçait à son petit rêve de voir un hélicoptère de la marine enlever tout le fourbi.

Sans discuter davantage, l'ex-astronaute et le géologue spécialiste de la plongée sous-marine retournèrent dans la grotte avec deux torches aux rayons tremblotants et se mirent à penser à quelle partie du squelette de Noé il allait falloir faire traverser clandestinement la frontière turque.

Piété, nécessité et cupidité se trouvaient réunies en silence. Finalement, ils enlevèrent un petit os de la main gauche et une vertèbre cervicale qui s'était détachée et avait roulé sur l'omoplate droite. Jimmy prit le bout de doigt et Spike la partie du cou. Ils pensaient l'un et l'autre que ce serait stupide de rentrer chez eux ensemble.

Spike revint par Atlanta, mais les médias ne manquèrent pas de le trouver. Non, il ne dirait rien pour le moment. Oui, le projet Ararat avait fort bien démarré. Non, non, aucun problème. Non, le Dr Fulgood était dans un autre avion, il avait dû régler certaines choses au dernier moment à Istanbul. Quelle sorte de choses ? Oui, nous tiendrons une conférence de presse en temps voulu. Oui, effectivement, Spike Tiggler espérait avoir alors des informations précises, peut-être même que quelques nouvelles réconfortantes seraient annoncées à cette occasion. Comment vous sentez-vous (toute en jaune), Mrs. Tiggler ? Oh ! Je suis à cent dix pour cent derrière mon mari et aux anges de le voir revenir.

Le révérend Gibson, après de longues hésitations et de ferventes prières, accepta que les deux morceaux du squelette de Noé soient soumis à des analyses scientifiques. On envoya donc la vertèbre et la phalange à Washington en utilisant un intermédiaire de confiance qui expliqua les avoir trouvées en Grèce. Betty attendait de voir si Spike avait su de nouveau saisir sa chance.

Dans le compte rendu de Washington, il apparut que les os envoyés à l'analyse avaient environ cent cinquante ans, avec une approximation d'une vingtaine d'années en plus ou en moins. On précisait également, alors que la question n'avait pas été posée, que la vertèbre était presque certainement celle d'une femme.

Le brouillard se déplace lentement sur les eaux noires au moment où le ferry-boat de sept heures part du cap Hatteras pour Ocracoke Island. Le rayon du projecteur glisse sur l'eau. Chaque soir le bateau doit se frayer sa route comme si c'était la première fois. Des bouées lumineuses, blanches, vertes et rouges, le guident au cours de son trajet hésitant. Quelqu'un monte sur le pont, frissonne à cause du froid et lève la tête. Mais cette fois le brouillard empêche de voir les étoiles et il est impossible de dire s'il s'agit d'une nuit avec ou sans lune. De nouveau un frisson et vous retournez au salon fumeurs.

À cent soixante kilomètres de là, à l'ouest, au restaurant Poussière de lune, Spike Tiggler, tenant levée une bouteille en plastique contenant l'eau d'un ruisseau coulant à l'envers, annonce le lancement du deuxième projet Ararat.

Un rêve

Je rêvais que je me réveillais. C'est le plus ancien des rêves et je venais juste de l'avoir. Je rêvais que je me réveillais.

J'étais dans mon lit, ce qui d'abord me surprit pas mal. Mais après un instant de réflexion, ça m'apparut logique. En effet, dans le lit de qui d'autre devrais-je me réveiller ? Je regardai autour de moi et je me dis : Bien, bien, bien. Rien de vraiment profond, n'est-ce pas ? Je le reconnais. Mais au fond, est-ce qu'on trouve à tous les coups les mots justes lors des grands événements ?

On frappa à la porte et une femme entra, en se glissant de côté et à reculons dans le même mouvement. Ce geste aurait dû paraître maladroit, mais ce n'était nullement le cas. Pas du tout. C'était fait avec légèreté et élégance. La femme avait un plateau, ce qui explique qu'elle était entrée de cette manière. Lorsqu'elle se retourna, je découvris qu'elle portait une sorte d'uniforme, si l'on peut dire. Une infirmière ? Non, elle ressemblait plus à une hôtesse sur une ligne aérienne dont on n'a jamais entendu parler. « Servi au lit », dit-elle, avec l'ombre d'un sourire, comme si elle n'avait guère l'habitude de pratiquer la chose ou que je ne dusse pas m'attendre à y avoir droit. À moins que ce ne fût les deux à la fois.

« Servi au lit ? » répétai-je. D'où je viens une chose comme celle-là n'arrive que dans les films. Je m'assis dans mon lit et m'aperçus alors que je n'avais aucun vêtement sur moi. Où donc était passé mon pyjama ? Voilà autre chose ! Ce fut également autre chose lorsque en m'asseyant dans le lit, je découvris que la jeune femme pouvait me voir complètement à poil jusqu'à la taille, sans que je me sente le moins du monde embarrassé, si vous voyez ce que je veux dire. C'était plutôt agréable.

« Vos vêtements sont dans l'armoire, dit-elle. Prenez votre temps, vous avez toute la journée. Et celle de demain aussi », ajouta-t-elle en souriant plus largement.

Je regardai dans mon plateau. Laissez-moi vous parler un peu de ce petit déjeuner. Sans erreur possible, c'était le petit déjeuner de ma vie. Voyez le pamplemousse pour commencer. Bon, vous savez comment c'est, un pamplemousse, cette manière qu'il a d'éclabousser votre chemise, de s'échapper sans arrêt de votre main, à moins que vous ne le teniez à l'aide d'une fourchette ou d'un instrument pointu, vous savez aussi comment la chair s'accroche toujours à ces membranes d'un blanc opaque, pour lâcher brusquement, sans vouloir venir pourtant. Évidemment, il est toujours amer et l'on se sent gêné de le recouvrir d'un tas de sucre. C'est bien à ça que ressemble un pamplemousse, n'est-ce pas ? Maintenant, laissez-moi vous parler de ce pamplemousse. Tout d'abord, sa chair était rose, pas jaune mais rose, et chaque segment avait été soigneusement détaché de la membrane. Le fruit lui-même était fixé à l'assiette par le fond, grâce à une sorte de dent ou une espèce de fourchette, si bien que je n'avais pas besoin de le tenir ni même de le toucher. Je cherchai le sucre, mais ce n'était apparemment pas dans les habitudes de la maison. Le goût semblait avoir deux saveurs bien distinctes — une sorte de picotement destiné à éveiller les papilles, suivi immédiatement par une vague sucrée lorsque chacun de ces petits globules (environ de la taille d'un têtard) éclataient séparément dans la bouche. C'était le pamplemousse de mes rêves, inutile de vous le dire.

Tel un empereur, j'écartai la peau vide et levai le dôme argenté posé sur une assiette armoriée. Bien sûr, je savais ce que j'allais trouver dessous. Trois tranches de bacon entrelardé, parfaitement grillées, débarrassées des tendons et de la couenne, le gras croustillant, émettant une lueur semblable à celle d'un feu de joie. Deux œufs au plat, au jaune crémeux, parce qu'ils avaient été soigneusement arrosés de graisse durant la cuisson, avec au bord du blanc de petites tresses dorées en filigrane. Une tomate grillée qu'il m'est impossible de décrire autrement qu'en disant ce qu'elle n'était pas. Ce n'était pas un trognon avachi, plein de fibres, de pépins et d'eau rougeâtre, c'était tout au contraire compact, facile à couper, cuit uniformément jusqu'au cœur, avec un goût — oui, c'est ce dont je me souviens — un goût de tomate. Et la saucisse !

Elle n'avait rien à voir avec un tuyau de viande de cheval tiède, enfoncé dans une capote anglaise. Elle était terre d'ombre brûlée et délicieuse. C'était... une... une saucisse, c'est le seul mot qui lui convienne. Toutes les autres, celles qu'il m'avait semblé que j'appréciais dans ma vie précédente, auraient voulu au fond devenir quelque chose comme ça ; elles avaient subi une audition mais n'avaient pas été retenues pour le rôle. Il y avait une petite assiette en forme de croissant sur laquelle était posé un couvercle argenté, également en forme de croissant. Je le levai — eh bien, oui, les couennes de bacon avaient été grillées séparément et s'offraient à moi pour que je les grignote.

Les toasts, la confiture... eh bien, vous pouvez les imaginer, les rêver, tels que vous les voudriez pour vous-même. Pourtant, je dois vous parler de la théière. Le thé, bien sûr, était le nec plus ultra. On aurait dit que son goût avait été préparé par l'entourage personnel de quelque rajah. Quant à la théière... Un jour, il y a des années, je suis allé à Paris en voyage organisé. J'ai laissé le groupe et me suis baladé là où vivent les gens chic, où ils font leurs courses, où ils mangent, toutes ces sortes de choses. À un croisement, je suis passé devant un café. Il ne paraissait pas particulièrement luxueux et durant une seconde j'ai pensé entrer pour m'y asseoir. Je ne le fis pas parce que, à une table, j'ai vu un client qui prenait le thé. Alors qu'il s'en reversait une tasse, je remarquai un petit gadget qui m'apparut presque être la définition du luxe — attachée au bec de la théière par trois petites chaînes d'argent se trouvait en suspens une passoire. Lorsque l'homme, au moment de verser, inclina la théière, la passoire avec un léger mouvement de balançoire se mit en place pour retenir les feuilles. Je n'arrivais pas à croire qu'on ait pu un jour penser sérieusement, méthodiquement, à la manière d'éviter à cet homme en train de prendre son thé l'effort incommensurable de tenir une passoire avec sa main libre. Je m'éloignai du café, me sentant vaguement supérieur. Eh bien, sur mon plateau, j'avais une théière portant ce symbole des cafés chic parisiens. Une passoire était attachée à son bec par trois petites chaînes en argent. Et, brusquement, j'en compris l'utilité.

Après le petit déjeuner, je mis le plateau sur la table de nuit et je me rendis à la penderie. Là étaient accrochés tous mes vêtements préférés. Cette veste de sport que je continuais d'aimer, même lorsque les gens commencèrent à me dire : C'est une vraie curiosité, l'as-tu achetée d'occasion ? Dans une vingtaine d'années elle reviendra à la mode. Il y avait aussi ce pantalon de velours que ma femme avait jeté parce que le fond était irréparable, pourtant quelqu'un avait fini par le raccommoder et le pantalon paraissait presque neuf, pas suffisamment pourtant pour qu'on ne puisse plus l'aimer. Mes chemises tendaient leurs bras vers moi, et pourquoi pas, étant donné qu'elles n'avaient jamais été pomponnées de la sorte dans leur vie précédente. Elles étaient toutes bien rangées sur des cintres recouverts de velours. Il y avait aussi ces chaussures dont j'avais regretté amère-

ment la fin, des chaussettes enfin reprisées, des cra-
vates aperçues dans des vitrines. Ce n'était pas une
garde-robe qui aurait pu vous faire envie, mais ce
n'était pas là la question. J'étais tranquillisé. Je
serais de nouveau moi-même, je serais même plus
que moi-même.

Près du lit se trouvait un cordon de sonnette à
gland, que je n'avais pas encore remarqué. Je le tirai
puis me sentis un peu gêné et me reglissai sous les
draps. Quand l'hôtesse infirmière réapparut, je me
tapotai le ventre et lui dis : « Vous savez, je pourrais
recommencer.

— Je n'en suis pas surprise, répondit-elle. Je
m'attendais un peu à ce que vous me disiez ça. »

Je ne me levai pas de la journée. Je pris un petit
déjeuner pour le petit déjeuner, un petit déjeuner
pour le déjeuner et un petit déjeuner pour le dîner.
Ça m'apparaissait un fort bon système. Je m'inquiéterai du déjeuner demain. Ou plutôt je ne m'inquiéterai pas du déjeuner demain, je ne m'inquiéterai
de rien du tout demain. Entre mon petit déjeuner-
déjeuner et mon petit déjeuner-dîner (je commençais vraiment à apprécier cette passoire perfection-
née — on peut continuer à manger son croissant en
se versant une nouvelle tasse de thé), je fis un grand
somme. Ensuite, je pris une douche. J'aurais pu
prendre un bain, mais il me semblait avoir passé des
décennies dans des bains, aussi je pris une douche.
Je trouvai une robe de chambre molletonnée avec
mes initiales brodées en or sur la poche de poitrine.
Elle m'allait bien, mais je trouvais que ces initiales
me faisaient en quelque sorte péter plus haut que

mon cul. Je n'étais pas venu ici pour faire de l'épate comme une vedette de cinéma. Tandis que je regardais ces tortillons dorés, ils disparurent à mes yeux. Je clignai les paupières et ils n'étaient plus là. La robe de chambre m'apparut plus confortable, avec une poche de poitrine toute simple.

Le lendemain, après m'être réveillé, je pris un autre petit déjeuner. Il était aussi bon que les trois précédents. Apparemment, le problème du petit déjeuner avait été maintenant heureusement résolu.

Quand Brigitta vint rechercher le plateau, elle murmura : « Quelques courses ?

— Bien sûr, dis-je, étant donné que c'était exactement ce que j'avais en tête.

— Voulez-vous aller faire des courses ou faire des courses ?

— Je préfère y aller, dis-je, ne voyant pas très bien la différence.

— Parfait. »

Le frère de ma femme, après avoir passé dix jours en Floride, nous avait dit en revenant : « Quand je meurs, je ne veux pas aller au Ciel, je veux faire des courses en Amérique. » Au cours de cette deuxième matinée, je commençai à comprendre ce qu'il voulait dire. En arrivant au supermarché, Brigitta me demanda si je voulais marcher ou conduire. Je répondis : « Conduisons «, ce qui paraissait drôle — une réponse en tout cas à laquelle elle semblait s'attendre. À la réflexion, certaines parties de son travail doivent être affreusement ennuyeuses — je veux dire que probablement nous réagissons tous de la même manière, ne pensez-vous pas ? De toute façon, nous conduisîmes. Les chariots sont de petites voitures en fil de fer à moteur, qui surgissent de tous les côtés comme des autos tamponneuses, sauf que, grâce à une cellule photo-électrique, elles ne se heurtent jamais. Juste au moment où vous pensez que cette fois vous allez avoir un foutu accrochage, vous vous écartez du chariot qui arrive en face. Ce qui est amusant, bien sûr, c'est d'essayer d'avoir un accident.

Le système général n'est nullement compliqué. On a une carte en plastique que l'on introduit dans une fente près des marchandises qu'on désire acheter, puis on indique la quantité souhaitée. Après une ou deux secondes la carte revient et ensuite la marchandise est automatiquement livrée et son prix débité de votre compte.

J'ai passé de bons moments dans mon chariot en fil de fer. Je me souviens que naguère, quand j'allais faire des courses pendant les jours d'antan, je remarquais parfois de petits enfants assis à l'intérieur des chariots, comme s'ils étaient en cage, tandis que leurs parents les poussaient çà et là. Je les enviais toujours. Eh bien, c'est fini maintenant. Ô mes aïeux, que n'ai-je pas acheté ce matin-là ! J'ai pratiquement vidé le rayon des pamplemousses roses. En tout cas, ça en avait l'air. J'ai acheté des petits déjeuners, j'ai acheté des déjeuners, j'ai acheté des dîners, j'ai acheté des pauses café matinales, des pauses thé d'après-midi, des amuse-gueule à grignoter avec l'apéritif, des en-cas de minuit. J'ai acheté des fruits dont je ne connaissais pas le nom. Des légumes que je n'avais jamais vus auparavant, de curieux morceaux de viande découpés dans des animaux familiers, des morceaux de viande habituels découpés dans des animaux que je n'avais jamais vus. Au rayon australien, j'ai trouvé des steaks de queue de crocodile, du filet d'ami, des terrines de kangourous. J'ai acheté tout ça. J'ai dévalisé le rayon des gourmets. Soufflé de langouste lyophilisé garni de cerises en frites. Comment aurais-je pu résister à quelque chose comme ça ?

Quant au rayon des boissons… Je n'avais pas idée qu'on ait inventé tant de moyens de s'enivrer. Je suis essentiellement un amateur de bière et de whisky, mais je ne voulais pas paraître avoir des préjugés, aussi j'ai acheté quelques caisses de vin et de cocktails. Les étiquettes sur les bouteilles étaient réellement d'un grand secours. Elles donnaient des instructions détaillées concernant la sorte d'ivresse que leur contenu pouvait provoquer chez vous, elles prenaient en considération des facteurs comme le sexe, le poids, l'importance de la graisse. Il y avait un alcool transparent, avec une étiquette assez minable, qui s'appelait Aquay Mortyslavia (distillé en Yougoslavie). On y lisait : « Le contenu de cette bouteille vous rendra ivre comme vous ne l'avez jamais été. » Bon, il me fallait bien avoir une caisse de ça chez moi, n'est-ce pas ?

Ce fut une bonne matinée de travail, peut-être bien la meilleure matinée de travail que j'aie jamais eue. Et, dites donc, ne me regardez pas avec cet air supérieur. Vous avez fait, je le sais, quelque chose de comparable. Bien sûr, vous n'êtes pas allé faire des courses, mais qu'avez-vous fait à la place ? Vous avez rencontré des gens célèbres, vous avez fait l'amour, vous avez joué au golf ? Il n'y a pas un nombre infini de possibilités — c'est quelque chose dont il faut se souvenir concernant cet endroit-ci et cet endroit-là-bas. Si je suis allé faire des courses en premier, eh bien, c'est parce que les gens comme moi le font. Je ne vous regarde pas d'un air supérieur parce que vous avez rencontré des gens célèbres, fait l'amour ou joué au golf. De toute façon, j'en arriverai à faire cela aussi en temps utile. Comme je le dis, nous ne sommes pas tellement différents.

Quand nous sommes revenus chez moi, j'étais… pas vraiment fatigué — on n'est jamais fatigué — plutôt rassasié. Ces chariots du magasin étaient vraiment drôles ; je ne pense pas que j'aurai jamais envie de marcher — en fait je n'ai pas vu un seul piéton dans tout le supermarché. Ensuite, c'était l'heure du déjeuner et Brigitta est arrivée avec un petit déjeuner. Puis j'ai fait la sieste. Je m'attendais à rêver, étant donné que je rêve toujours si je dors dans l'après-midi. Ce ne fut pas le cas. Je me suis demandé pourquoi.

Brigitta m'a réveillé avec le thé et les biscuits que j'avais choisis. Il y avait des biscuits secs aux raisins, spécialement conçus pour des gens comme moi. Écoutez, je ne sais pas ce que vous pensez de la question, mais, ma vie durant, j'ai toujours eu envie de me plaindre parce qu'il n'y avait pas suffisamment de raisins secs dans les biscuits aux raisins. Évidemment, il ne faut pas non plus qu'il y en ait trop, autrement ce ne serait plus qu'une masse de raisins secs au lieu

d'un biscuit, mais j'ai toujours cru que la proportion
entre les deux ingrédients pourrait trouver un bon
équilibre. Faire un peu plus pencher la balance en
faveur des raisins secs, naturellement — disons, voulez-vous, environ cinquante, cinquante. Eh bien,
c'était ainsi que s'appelaient ces biscuits, vous
vous rendez compte : Cinquante-Cinquante. J'en ai
acheté trois mille paquets.

J'ai ouvert le journal que Brigitta, pleine d'attention, avait posé sur le plateau et j'ai failli renverser
mon thé. Non, j'ai renversé mon thé — seulement
on ne se soucie plus de choses comme celles-là
maintenant. Il y avait de sacrés gros titres en première page. Bon, ce n'était pas étonnant, n'est-ce
pas ? Leicester avait gagné la coupe. Je ne blague
pas. Leicester avait sacrément gagné la coupe ! Vous
n'arrivez pas à y croire, hein ? Si vous le croyez, c'est
que vous ne connaissez rien au football. Mais, quant
à moi, je connais plus de deux ou trois trucs sur le
football. En outre j'ai été un supporter de Leicester
durant toute ma vie et, bien sûr, je n'arrivais pas à y
croire, c'est là toute la question. Ne vous méprenez
pas, je n'essaie pas de dénigrer mon équipe. C'est
une bonne équipe, même une très bonne équipe
parfois, cependant elle n'a jamais gagné un match
vraiment important. Champion de deuxième division autant de fois que vous voulez, mais oui, mais
les onze n'ont jamais gagné en première division.
Deuxième, oui, d'accord sans problème, une fois.
Et quant à la Coupe… C'est un fait, un fait indé-
niable que durant tout le temps où je fus un supporter de Leicester (et durant tout le temps avant

aussi) l'équipe n'a jamais gagné la Coupe. Ils ont eu
un vrai bon moment juste après la guerre, en allant
en finale — il ne s'en est fallu que d'un but pour
avoir le trophée. 1949, 1961, 1963, 1969 ce sont les
années noires. Une ou deux de ces défaites étaient
à mon avis réellement dues à la malchance, en
vérité je choisirais… D'accord, je vois que vous
n'êtes pas vraiment intéressé par le football. Ce
n'est guère important dans la mesure où vous vous
rendez compte du fait essentiel, que Leicester, qui
n'avait jamais gagné quoi que ce soit avant en
dehors de clopinettes, vient pour la première fois
dans l'histoire de son dub d'emporter la Coupe. Le
match fut, selon le journal, magnifique en tous
points : Leicester a gagné par cinq à quatre après
prolongation et être remonté quatre fois à la
marque. Quelle performance ! Quel mélange
superbe de technique et de détermination ! J'étais
fier des petits gars. Brigitta me passera la vidéo
demain. J'étais sûr qu'elle pourrait le faire. En attendant, j'ai pris un peu de champagne avec le petit
déjeuner que j'ai commandé pour le dîner.

Les journaux étaient superbes. D'une certaine
manière c'est d'eux que je me souviens le mieux.
Leicester a gagné la Coupe comme je l'ai déjà
peut-être mentionné, on a trouvé un moyen de
guérir le cancer. Mon parti a remporté les élections
générales chaque fois sans exception. Finalement
chacun a vu que cette idéologie était la bonne, si
bien que la plupart de nos opposants nous ont
rejoints. De petites vieilles dames deviennent riches
à la loterie chaque semaine. Les détraqués sexuels

repentants sont remis en liberté et mènent des vies immaculées. Les pilotes de toutes les compagnies aériennes ont appris à éviter les catastrophes dues aux collisions en vol. Tous les pays se sont débarrassés de leurs armes nucléaires. Le sélectionneur de l'équipe d'Angleterre a choisi Leicester en bloc pour représenter le pays lors de la coupe du monde. Nos joueurs sont revenus avec le trophée Jules-Rimet, battant d'une manière inoubliable par quatre à un le Brésil en finale. En lisant ce journal, l'encre ne vous maculait pas les mains, ni les articles le cerveau. Les enfants étaient de nouveau d'innocentes créatures, les hommes et les femmes avaient des égards les uns pour les autres, aucune dent ne devait être plombée et les collants des dames n'avaient plus d'échelles.

Quoi d'autre ai-je fait cette première semaine ? Comme je l'ai dit, j'ai joué au golf, j'ai fait l'amour, j'ai rencontré des gens célèbres et je n'ai pas eu le cafard une seule fois. Laissez-moi commencer avec le golf. Bon, je n'ai jamais été très bon dans ce sport, mais j'ai toujours pris plaisir à traînasser sur le parcours municipal où l'herbe ressemble à un tapis de fibres de noix de coco et où personne ne prend la peine de replacer les divots qu'on arrache, étant donné qu'il y a tellement de trous dans la pelouse qu'il est impossible de toute façon de savoir d'où votre divot a été arraché. Néanmoins, j'ai vu la plupart des parcours les plus célèbres à la télévision et j'étais curieux de jouer… disons la partie de golf de mes rêves. Aussitôt que je sentis le contact, mon club se comporta parfaitement sur ce premier tee et je

regardai la balle filer en sifflant à environ deux
cents mètres. Croyez-moi, j'étais au septième ciel.
Mes clubs paraissaient parfaitement équilibrés, le
fairway avait une merveilleuse épaisseur et une parfaite élasticité. Il maintenait la balle soulevée, ainsi
qu'un serveur tient un plateau chargé de verres.
Quant à mon caddy (je n'avais jamais eu de caddy
auparavant, mais celui-ci me traitait comme si j'étais
Arnold Palmer), il débordait de conseils utiles, sans
jamais se montrer arrogant. Le golf paraissait ne
manquer de rien — ruisseaux, lacs, vieux ponts, terrain en bordure de mer comme en Écosse, des cornouillers et des azalées en fleurs, des bouleaux, des
pins, des fougères, des ajoncs. C'était un parcours
difficile, mais un parcours aussi qui vous donnait
votre chance. Je le fis ce matin d'été en soixante-
sept coups, ce qui était cinq en dessous du par et
vingt de mieux que ce que j'avais jamais fait auparavant sur le parcours municipal.

J'étais si content de mon exploit qu'en revenant
j'ai demandé à Brigitta si elle voulait bien faire
l'amour avec moi. Elle me répondit qu'évidemment elle en avait envie, qu'elle me trouvait très
séduisant, et, bien qu'elle n'ait vu que ma partie
supérieure, elle était absolument certaine que le
reste serait en aussi bon état de marche. Il y avait
évidemment quelques légers problèmes dans la
mesure où elle était profondément amoureuse de
quelqu'un d'autre, dans la mesure où selon le
règlement de son emploi il était stipulé que les
employées seraient renvoyées au cas où elles
auraient des relations sexuelles avec les nouveaux

arrivants. De plus, elle avait un petit quelque chose au cœur, ce qui signifiait que toute tension supplémentaire risquait d'être dangereuse. Néanmoins, si je lui accordais quelques minutes, elle allait se déshabiller et enfiler quelques sous-vêtements sexy sur-le-champ. Bien, je me questionnai pendant un instant sur les bons et les mauvais côtés de ce que j'avais proposé et lorsque Brigitta revint, parfumée et décolletée, je lui dis que, tout compte fait, je pensais que nous ne devrions probablement pas aller de l'avant. Elle en fut assez déçue et s'assit en face de moi, jambes croisées, ce qui était une vue, croyez-moi, des plus agréable, mais je restai inflexible. Ce ne fut que plus tard — le lendemain matin en fait — que je compris que c'était elle qui m'avait repoussé. Je ne l'avais jamais été d'une manière aussi charmante auparavant. Ici on s'arrange même pour rendre agréables les choses qui ne le sont pas.

Je bus un magnum de champagne avec mon esturgeon et mes pommes frites ce soir-là (on ne peut pas non plus avoir de gueule de bois ici) et commençai à sombrer doucement dans le sommeil en me souvenant de ce merveilleux coup que je parvins à réussir au sixième trou grâce à mon wedge qui me permit de mettre la balle en haut sur ce célèbre green à deux plans, lorsque je sentis se soulever la couverture du lit. Tout d'abord, je pensai que c'était Brigitta et me sentis mal à l'aise en me souvenant de l'état de son cœur, des risques qu'elle prenait avec son travail, de l'amour qu'elle portait à quelqu'un d'autre. Pourtant, je mis mon bras autour d'elle en murmurant : « Brigitta ? » Une voix me répondit dans un souffle : « Non, ce n'est pas Brigitta. » L'accent était d'ailleurs différent, rauque et étranger. D'autres choses aussi me firent penser que ce n'était pas Brigitta, même si cette jeune personne était de bien des manières une femme séduisante aussi. Ce qui arriva ensuite — et par « ensuite » je ne pense pas à une brève période de temps — est difficile à décrire. Le mieux que je puisse faire est de dire que, si le matin j'avais réalisé le parcours en soixante-sept coups, c'est-à-dire cinq points en dessous du par et vingt points de mieux que ce que j'avais jamais fait auparavant, ce qui se passa cette nuit-là en était la réplique en tous points. Vous comprendrez que je répugne ici à critiquer ma chère femme dans ce domaine. Mais enfin, après quelques années, vous le savez, les enfants, la fatigue, eh bien, on s'entraîne l'un l'autre, disons, dans le mauvais sens. C'est encore très bien mais on se contente si l'on veut de l'indispensable, vous ne trouvez pas ? Car je n'avais pas alors compris que, si un couple peut s'entraîner mutuellement dans la mauvaise direction, un autre couple peut aussi s'entraîner dans la bonne. Oh là là, je ne savais pas de quoi j'étais capable ! Je ne savais pas de quoi on était tous capables ! Nous paraissions connaître d'instinct ce que désirait l'autre. Je n'avais jamais vraiment vécu quelque chose comme ça auparavant. Non, vous le comprendrez, que je souhaite apparaître comme quelqu'un qui critique sa chère femme.

Je m'attendais en me réveillant à me sentir fatigué, mais cette fois encore j'eus plutôt l'impres-

sion d'être agréablement comblé, comme après les
courses. Avais-je rêvé ce qui était arrivé ? Non, il y
avait deux grands cheveux roux sur mon oreiller
qui étaient là pour me confirmer la réalité de la
chose. Leur couleur aussi me prouvait suffisamment que ma visiteuse n'avait pu être en aucun cas
Brigitta.

« Avez-vous bien dormi ? me demanda celle-ci
avec un petit sourire effronté lorsqu'elle m'apporta
mon petit déjeuner.

— Ce fut du commencement à la fin une journée bien remplie, répliquai-je, peut-être sur un ton
un peu grandiloquent parce que je la soupçonnais
d'être au courant. En dehors, ajoutai-je rapidement, de connaître maintenant l'état de votre
cœur. J'en suis profondément désolé.

— Oh ! Je m'en sortirai, dit-elle. La pompe est
encore bonne pour quelques milliers d'années. »

Nous retournâmes faire des courses (je n'étais pas
encore suffisamment paresseux pour vouloir les
faire à domicile), je lus le journal, pris mon déjeuner, jouai au golf, tentai de rattraper le retard que
j'avais pris dans la projection des vidéos des œuvres
complètes de Dickens, je mangeai de l'esturgeon
avec des frites, éteignis la lumière et peu après fis
l'amour. C'était une bonne manière de passer la
journée, une manière presque parfaite, me semblait-
il. J'avais de nouveau fait le parcours en soixante-
sept coups. Si seulement je n'avais pas été me fourrer
dans la haie de cornouillers au dix-huitième trou, je
pense que j'aurais pu arriver à inscrire soixante-six
et peut-être même soixante-cinq sur ma carte.

Et la vie suivait son cours, comme dit le dicton. Pour des mois certainement, peut-être même pour plus longtemps. Après un certain temps, on arrête de regarder la date sur le journal. Je me rendais compte que c'était une bonne chose de n'avoir pas fait l'amour avec Brigitta, car nous devînmes de fort bons amis.

« Que va-t-il se passer, lui demandai-je un jour, lorsque ma femme arrivera ? »

Ma chère femme, il faut que je l'explique, n'était pas avec moi à ce moment-là.

« J'ai pensé que vous pouviez vous inquiéter à ce sujet.

— Oh non, je ne suis pas inquiet là-dessus », dis-je en faisant allusion à ma visiteuse nocturne, parce que toute cette affaire ressemblait un peu à ce qui arrive à un homme d'affaires en voyage à l'étranger, je suppose. « Je veux dire, voyez-vous, en général.

— Il n'y a rien de général par ici. C'est à vous de décider et à elle.

— Va-t-elle en prendre ombrage ? demandai-je cette fois en me référant plus directement à ma visiteuse.

— Le saura-t-elle ?

— Je pense qu'il va y avoir quelques problèmes, dis-je une fois de plus en parlant de façon plus générale.

— C'est le lieu où les problèmes sont résolus, répliqua-t-elle.

— Si vous le dites. » Je commençais à être convaincu que ça pourrait tourner comme je l'avais espéré.

Par exemple, j'ai toujours rêvé de ça. Bon, je ne veux pas dire exactement rêver, je veux dire quelque chose que j'ai réellement désiré. Le rêve d'être jugé. Non, ce n'est pas exactement ça. On a l'impression que j'aimerais avoir la tête tranchée par la guillotine, être fouetté ou quelque chose de la sorte. Ce n'est pas cela du tout. Non, je veux être jugé, voyez-vous ? C'est ce que nous voulons tous, n'est-ce pas ? Je veux, disons, quelque sorte de récapitulation, je veux qu'on jette un coup d'œil sur ma vie. On n'a jamais ça, à moins de passer aux assises ou d'être pris en main par un psychiatre, ce qui ne m'est arrivé d'aucune façon sans que j'en sois particulièrement déçu, étant donné que je ne suis ni criminel ni cinglé. Non, je suis une personne normale et je désire simplement ce que désirent un tas de gens normaux. Je veux qu'on examine ma vie. Comprenez-vous ?

J'ai commencé à en parler un jour à mon amie Brigitta, n'étant pas très sûr de pouvoir l'expliquer beaucoup mieux que je l'ai fait ci-dessus, mais elle a immédiatement compris. Elle m'a dit que c'était une requête extrêmement fréquente et qu'elle n'était pas difficile à contenter. Aussi, deux jours plus tard, j'y suis allé. Je lui ai demandé de m'accompagner afin de m'apporter un support moral. Elle accepta tout de suite.

C'était exactement à quoi je m'attendais d'abord. Il y avait un vieil immeuble bizarre avec des colonnes et plein de mots latins ou grecs, et quelque chose de sculpté sur le fronton. Et aussi des larbins en uniforme qui me firent me féliciter d'avoir insisté pour qu'on me donnât un nouveau costume à cette occasion. À l'intérieur il y avait un énorme escalier, un de ceux qui se divisent en deux parties, forment un grand cercle dans des directions opposées et se rejoignent de nouveau en haut. Il y avait du marbre partout, des cuivres récemment astiqués et de grands panneaux d'acajou qu'on devinait exempts à jamais de vers de bois.

Ce n'était pas une salle immense, mais ce n'est pas ça l'important. L'important, c'est que la pièce vous donnait une impression juste, quelque chose d'officiel sans rien de rébarbatif. Elle avait un aspect presque confortable, avec des tentures en velours anciennes assez fatiguées. Bien sûr, on sentait que des choses sérieuses s'étaient passées là. J'eus affaire à un vieux monsieur fort gentil. Ressemblant un peu à mon père — non, plutôt à un de mes ondes. Des yeux assez bienveillants qui vous regardaient en face, on sentait que c'était quelqu'un qui n'avait pas l'habitude de s'en faire accroire. Il avait lu tous mes papiers, me dit-il. Ils étaient là, sous son coude, l'histoire de ma vie, tout ce que j'avais fait, que j'avais pensé, que j'avais dit, que j'avais senti, tout le foutu bataclan, les bons moments et les mauvais. Comme vous vous en doutez, ça faisait un beau tas. Je n'étais pas sûr d'avoir l'autorisation de lui adresser la parole, mais c'est pourtant ce que je fis. Je lui dis vous lisez drôlement vite, ça c'est sûr. Il me répondit qu'il avait de l'entraînement et nous nous mîmes à rire un peu tous les deux ensemble. Puis il jeta un coup d'œil à sa montre — non, il le fit très poliment — et me demanda si je voulais son verdict. Je me surpris à redresser les épaules, à serrer les poings et à placer mon pouce le long de la couture de mon pantalon. Ensuite je fis un signe affirmatif de la tête et dis : « Oui, monsieur » en me sentant pour le moins tendu, croyez-moi.

Il m'a dit que j'étais OK. Non, je ne plaisante pas, c'est exactement ce qu'il m'a dit : « Vous êtes OK. » J'attendais vaguement qu'il continue, mais il baissa les yeux et je vis que sa main se déplaçait sur la feuille supérieure d'un autre dossier. Il leva les yeux, m'adressa un petit sourire et dit : « Non, franchement, vous êtes OK. » J'inclinai de nouveau la tête et cette fois il retourna réellement à son travail, si bien que je fis demi-tour pour partir. Lorsque nous fûmes dehors, j'avouai à Brigitta que j'avais été un peu déçu. Elle me répondit que la plupart des gens l'étaient et que je ne devais pas le prendre en mauvaise part. C'est ce que je fis.

Ce fut à peu près à cette époque que je me mis à rencontrer des gens célèbres, tout d'abord j'étais un peu intimidé et ne demandais qu'à voir les vedettes de cinéma et les sportifs que j'admirais. Je vis Steve McQueen, par exemple, et Judy Garland ; John Wayne, Maureen O'Sullivan, Humphrey Bogart, Gene Tierney (j'ai toujours eu un petit faible pour Gene Tierney) et Bing Crosby. Je vis aussi Duncan Edwards et le reste des joueurs de Manchester United victimes de l'accident d'avion de Munich. Je rencontrai quelques-uns des joueurs de Leicester des débuts de l'équipe, dont la plupart des noms vous seraient très probablement inconnus.

Après un certain temps, je compris que je pouvais rencontrer qui je désirais. Je rencontrai donc John F. Kennedy et Charlie Chaplin, Marilyn Monroe, le président Eisenhower, le pape Jean XXIII, Winston Churchill, Rommel, Staline, Mao Tsé-toung, Roosevelt, le général de Gaulle, Lindbergh, Shakespeare, Buddy Holly, Patsy Cline, Karl Marx, John Lennon et la reine Victoria. La plupart d'entre eux étaient des gens charmants, très naturels, nullement hautains ou condescendants. Ils étaient juste comme de véritables personnes. Je demandai aussi à voir Jésus-Christ mais on me dit qu'on n'était pas sûr de pouvoir le faire, aussi je n'insistai pas. Je rencontrai Noé, mais, rien de surprenant à cela, il y eut quelques problèmes de langue. Il y avait certaines personnes que je voulais tout simplement regarder. Hitler, par exemple, c'est un homme, voyez-vous, à qui je ne voudrais pas serrer la main, mais on s'arrangea pour que je puisse le voir, caché derrière quelques buissons tandis qu'il passait devant, dans son horrible uniforme, comme si de rien n'était.

Devinez ce qui arriva ensuite ? Je commençai à me faire du souci. Je m'inquiétai des choses les plus ridicules, comme de ma santé, par exemple. N'est-ce pas complètement fou ? Peut-être était-ce quelque chose qui avait à voir avec la déclaration de Brigitta concernant l'état de son cœur, mais brusquement je me mis à imaginer que les choses tournaient mal pour moi. Qui pourrait croire ça ? Je devins maniaque à propos de mon régime, je demandai un appareil à ramer et une bicyclette d'appartement. Je m'entraînai aux poids et haltères, je me passai de sel et de sucre, de graisse animale et de tarte à la crème. Je diminuai ma prise de Cinquante-Cinquante à un demi-paquet par jour. Je commençai aussi à me faire du souci concernant mes cheveux, ma conduite dans le supermarché (est-ce que les chariots étaient si sûrs que ça ?), à propos de mes performances sexuelles et de mon compte en banque. Pourquoi m'inquiétais-je de mon compte en banque alors que je n'avais même pas de banque ? J'imaginais que ma carte de crédit ne me servirait plus à rien au supermarché, je me sentais coupable à l'idée des sommes qui semblaient m'être octroyées. Qu'avais-je donc fait pour mériter tout ça ?

La plupart du temps, bien sûr, ça allait bien, grâce au shopping, au golf, aux relations sexuelles et aux entrevues avec des gens célèbres. Mais il m'arrivait aussi souvent de penser : Que va-t-il se passer si je ne peux plus faire mon parcours de dix-huit trous ? Et aussi si je ne peux pas avoir mes Cinquante-Cinquante ? Finalement, je confiai ces angoisses à Brigitta. Elle pensa alors qu'il était temps de me remettre entre d'autres mains. Brigitta avait fini son travail, m'indiqua-t-elle. Je me sentais triste et lui demandai ce que je pouvais lui acheter en témoignage de reconnaissance. Elle me dit qu'elle avait tout ce dont elle avait besoin. J'essayai de lui écrire un poème parce que Brigitta rime avec délicat, mais ensuite je ne parvins plus à trouver que couci-couça et mange-la, si bien que j'abandonnai.

De plus, je pensais qu'on lui avait probablement donné des poèmes de cette sorte à maintes reprises auparavant.

C'était au tour de Margaret de s'occuper de moi. Elle paraissait bien plus sérieuse que Brigitta, elle portait des tailleurs élégants et des coiffures extrêmement soignées — cette sorte de personne qui se retrouve en finale au cours des compétitions de la femme d'affaires de l'année. Elle me faisait un peu peur — je ne me voyais pas du tout lui proposer de faire l'amour avec moi comme je l'avais demandé à Brigitta — et je m'attendais à demi à ce qu'elle désapprouve la vie que j'avais menée. Mais elle n'en fit rien, bien sûr. Non, elle me dit simplement qu'elle supposait que j'étais maintenant accoutumé avec les aménagements et les facilités et qu'elle serait là si j'avais besoin de quelque chose de plus que d'une simple aide matérielle.

« Dites-moi quelque chose, lui demandai-je lors de notre première rencontre, n'est-ce pas stupide de m'inquiéter à propos de ma santé ?

— Absolument superflu.

— N'est-ce pas stupide de m'inquiéter à propos de l'argent ?

— Absolument superflu », répéta-t-elle.

Quelque chose dans son intonation laissait entendre que, si je me donnais la peine de regarder, je pourrais probablement trouver des choses sur lesquelles ça valait la peine de s'inquiéter. Je renonçai à aller plus loin dans ce sens. J'avais plein de temps devant moi. Le temps était quelque chose dont je ne manquerais jamais.

Bon, je n'étais probablement pas le penseur le plus rapide du monde et dans ma vie précédente j'avais tendance à ne m'occuper que des choses que je devais faire ou que j'avais envie de faire, sans ruminer indéfiniment sur elles. C'est normal, n'est-ce pas ? Mais donnez à n'importe qui du temps et vous verrez qu'il commencera à réfléchir et à se poser quelques bonnes questions fondamentales. Par exemple, qui dirige réellement cet endroit, et pourquoi ai-je vu si peu de responsables ? J'avais supposé qu'il pouvait y avoir une sorte d'examen d'entrée ou peut-être un contrôle permanent, pourtant en dehors de cette espèce de jugement, assez décevant faut-il le dire, par le drôle de vieux bonhomme qui m'avait dit que j'étais OK, personne ne m'avait ennuyé. On me laissait mettre les bouts chaque jour pour améliorer mon score au golf. Avais-je le droit de prendre absolument tout comme un dû ? Attendait-on quelque chose de moi ?

Et puis il y avait ce truc à propos de Hitler. On s'installe derrière un buisson et il passe, silhouette trapue dans un affreux uniforme avec un sourire hypocrite sur le visage. D'accord, je l'ai vu maintenant et ma curiosité a été satisfaite, mais, bon, je suis bien obligé de me demander ce qu'il fait là en premier lieu ? Peut-il commander des petits déjeuners comme tout le monde ? J'ai déjà remarqué qu'il avait le droit de porter ses propres vêtements. Est-ce que cela signifie qu'il peut aussi jouer au golf ? Faire l'amour s'il en a envie ? Comment est-ce que ces choses se passent ?

Et puis il y avait ces inquiétudes que j'avais à propos de ma santé, de l'argent et de ma manière de conduire dans le supermarché. Je ne m'inquiétais plus de ces choses en elles-mêmes, je m'inquiétais du fait de m'être inquiété. Qu'en était-il de tout cela ? N'était-ce réellement rien d'autre qu'un problème habituel d'adaptation, comme l'avait suggéré Brigitta ?

Je pense que ce fut le golf qui finalement me fit me tourner vers Margaret pour obtenir quelques explications. Sans doute possible, au cours des mois et des années passés à jouer sur ce parcours adorable et merveilleusement vert, avec ses petits pièges et ses tentations (combien de fois n'ai-je pas mis la balle dans l'eau au onzième trou !), mon jeu forcément s'améliorait sans cesse. Je le dis ainsi à Severiano, mon habituel caddy : « Mon jeu s'améliore sans cesse. » Il en fut d'accord. Ce n'est que plus tard, entre le dîner et mes ébats sexuels, que je commençai à réfléchir à ce que cela impliquait. J'avais commencé à faire le parcours en soixante-sept coups et peu à peu le nombre allait diminuant. Il y a quelque temps, je le faisais en cinquante-neuf coups et maintenant, sous un ciel sans nuage, j'approchais de cinquante. Je pouvais faire des drives de plus de trois cents mètres, mes pitchings se faisaient sans difficulté et mes puttings précipitaient la balle dans le trou comme si elle avait été attirée par un aimant. Je voyais déjà mon score arrivant à quarante, puis — un moment psychologique clé — descendre en dessous de trente-six, c'est-à-dire en moyenne deux coups par trou, puis en dessous de vingt. Mon jeu s'amé-

liore sans cesse, pensai-je, et alors je répétai les mots
« sans cesse » dans ma tête. Mais c'était naturellement exactement ce qu'il n'était pas possible de
faire, il y avait forcément une fin à mes progrès. Un
jour je ferai le parcours en dix-huit coups, j'offrirai à
Severiano deux ou trois verres, fêterai la chose plus
tard avec l'esturgeon aux frites et quelques prouesses
sexuelles — et puis quoi ? Est-ce que quelqu'un a
jamais fait un parcours de golf en dix-sept coups ?

Margaret ne répondait pas à l'appel lancé grâce
au cordon terminé par un gland comme Brigitta la
blonde. En fait, il fallait lui demander rendez-vous
par vidéophone.

« Je me fais du souci à propos du golf, commen-
çai-je.

— Ce n'est pas vraiment ma spécialité.

— Bien sûr. Mais voyez-vous, quand je suis arrivé
ici, je faisais le parcours en soixante-sept coups.
Maintenant, je suis descendu en dessous de cinquante.

— Ça ne me semble pas vraiment un problème.

— D'ailleurs, je vais continuer à faire des progrès.

— Félicitations.

— Et un jour, finalement, je ferai le parcours en
dix-huit coups.

— Une ambition admirable. » J'avais l'impression qu'elle se moquait un peu de moi.

« Mais alors, que ferai-je après ? »

Elle ne répondit pas tout de suite. « Vous pouvez
essayer de le faire chaque fois en dix-huit coups ?

— Non, ça ne marche pas comme ça.

— Et pourquoi non ?

— Ça ne marche pas.

— Je suis sûre qu'il y a beaucoup d'autres parcours.

— Ce sera exactement le même problème, dis-je, en l'interrompant, un peu brusquement sans doute.

— Eh bien, vous pouvez vous consacrer à un autre sport, ne pensez-vous pas ? Puis revenir au golf quand vous serez fatigué de celui-là ?

— Mais le problème reste le même. J'aurai réussi le parcours en dix-huit coups. Le golf sera hors d'usage.

— Il y a un tas d'autres sports.

— Ils deviendront également caducs.

— Que prenez-vous comme petit déjeuner chaque matin ? » Je suis sûr qu'elle connaissait la réponse, à la façon dont elle secoua la tête lorsque je le lui eus dit. « Vous voyez, vous mangez la même chose chaque matin. Et vous ne devenez pas fatigué du petit déjeuner.

— Non.

— Eh bien, pensez au golf à la manière dont vous le faites pour le petit déjeuner. Peut-être ne serez-vous jamais fatigué de réussir le parcours en dix-huit coups.

— Peut-être, dis-je, l'air sceptique. Écoutez, j'ai vraiment l'impression que vous n'avez jamais joué au golf. De toute façon, il y a autre chose.

— Et quoi donc ?

— Le fait d'être fatigué. On n'est jamais fatigué ici.

— Est-ce une réclamation ?

— Je ne sais pas.

— On peut s'arranger pour la fatigue.

— Bien sûr, répondis-je. Mais je veux bien parier que ce sera une sorte de fatigue agréable. Pas de ces fatigues écrasantes qui vous donnent envie de mourir.

— Ne pensez-vous pas que vous êtes un peu pervers ? » Elle était maintenant légèrement brusque, presque agacée. « Mais que voulez-vous donc ? Qu'espérez-vous ? J'approuvais intérieurement, en me disant que ça suffisait pour aujourd'hui. Ma vie se poursuivait. C'était une autre expression qui me faisait ricaner par instants. Ma vie se poursuivait et mon golf s'améliorait sans cesse. Je faisais aussi toutes sortes d'autres choses, bien sûr :

— Je fis plusieurs croisières.

— J'appris le canotage, l'escalade, le pilotage des montgolfières.

— Je me jetai dans toutes sortes de dangers dont je réchappai.

— J'explorai la jungle.

— J'allai assister à un procès (je n'étais pas d'accord avec le verdict).

— J'essayai de faire de la peinture (je n'étais pas aussi mauvais que je l'aurais pensé !), de devenir chirurgien.

— Je tombai amoureux évidemment un grand nombre de fois.

— Je fis semblant de croire que j'étais la dernière personne sur terre (et la première).

Rien de tout cela ne signifiait que j'avais un seul instant arrêté de faire ce que j'avais toujours fait depuis que j'étais ici. Je fis l'amour avec un nombre de plus en plus grand de femmes, parfois en même temps ; je mangeai des mets de plus en plus rares et étranges ; je rencontrai des gens célèbres, même ceux qui se trouvaient aux confins de ma mémoire. Par exemple, je rencontrai tous les footballeurs possibles. Je commençai avec les plus célèbres, puis ceux que j'admirais, mais qui n'étaient pas forcément célèbres, puis les moyens, puis ceux dont les noms me disaient quelque chose sans que je puisse me rappeler à quoi ils ressemblaient ou quel était leur jeu ; finalement je demandai à voir ceux que je n'avais pas encore rencontrés, les méchants, les déplaisants, les violents, ceux que je n'admirais nullement. Je ne tirais aucun plaisir à les voir — ils étaient aussi méchants, déplaisants et violents hors du stade que dessus —, mais je ne voulais pas manquer de footballeurs. Finalement j'en manquai. Je demandai alors à revoir Margaret.

« J'ai vu tous les footballeurs, dis-je.

— Je crains de ne pas connaître grand-chose non plus au football.

— Et je ne rêve jamais, ajoutai-je sur un ton plaintif.

— À quoi cela pourrait-il servir, me répondit-elle. À quoi vraiment cela pourrait-il servir ? »

D'une certaine manière, je sentais qu'elle était en train de me mettre à l'épreuve, de voir jusqu'à quel point j'étais sérieux. Est-ce que tout cela ne signifiait pas plus qu'un simple problème d'ajustement ?

«Je pense qu'on me doit une explication, annonçai-je d'un air un peu pompeux, je dois l'admettre.

— Demandez tout ce que vous voulez, dit-elle en se calant dans son fauteuil de bureau.

— Écoutez, je veux que les choses soient parfaitement claires.

— Une ambition admirable.» Il y avait quelque chose d'un peu précieux dans sa manière de parler.

Je pensais que ce serait bien de commencer au début. «Nous sommes bien au Ciel, n'est-ce pas?

— Mais oui.

— Et alors, que se passe-t-il le dimanche?

— Je ne vous suis pas.

— Les dimanches, dis-je, autant que je puisse le savoir, étant donné que je ne prête pas grande attention au calendrier, je joue au golf, je fais des courses, je dîne, je fais l'amour et je ne me sens pas mal du tout.

— N'est-ce pas… parfait?

— Je ne voudrais pas paraître ingrat, dis-je avec précaution, mais où est Dieu?

— Dieu. Avez-vous envie de Dieu? Est-ce ce que vous voulez?

— Est-ce que ça a quelque chose à voir avec ce que je veux?

— C'est exactement avec ça que ça a à voir. Avez-vous envie de Dieu?

— Écoutez, je pensais que ça ne marchait pas comme ça. Je pensais ou bien qu'il y en aurait un, ou bien qu'il n'y en aurait pas. Que je découvrirais ce qu'il en était vraiment. Je ne pensais pas que ça puisse dépendre de moi d'aucune manière.

— Bien sûr, que ça dépend de vous.

— Oh !

— Le Ciel est devenu démocratique de nos jours », dit-elle. Puis elle ajouta : « Ou au moins si vous souhaitez qu'il en soit ainsi.

— Qu'entendez-vous par démocratique ?

— Nous n'imposons plus un Paradis particulier aux gens, maintenant, dit-elle. Nous écoutons leurs besoins. S'ils en veulent, ils l'ont, sinon, non. Et bien entendu ils obtiennent le genre de Ciel qu'ils désirent.

— Et quelle sorte veulent-ils en général ?

— Eh bien, ils veulent un prolongement de la vie, c'est ce que nous avons découvert. Mais… en mieux, inutile de le dire.

— Faire l'amour, jouer au golf, faire des courses, dîner, rencontrer des gens célèbres et se sentir bien ? demandai-je vaguement sur la défensive.

— Ça peut varier. Mais, si je suis vraiment honnête je dirai que ça ne varie guère.

— Pas comme dans l'ancien temps.

— Ah ! L'ancien temps, dit-elle en souriant. C'était avant que je sois là, bien sûr. Mais oui, les rêves du Ciel étaient chargés de bien plus d'ambition.

— Et l'enfer ? demandai-je.

— Que voulez-vous en savoir ?

— Y a-t-il un enfer ?

— Oh non ! répondit-elle. C'était juste une propagande nécessaire.

— Je me le demandais, voyez-vous, parce que j'ai rencontré Hitler.

— Un tas de gens le voient, effectivement. Il est une sorte de… site touristique, vraiment. Qu'en avez-vous tiré ?

— Oh ! Je ne lui ai pas parlé, dis-je avec force. C'est un homme à qui je ne voudrais pas serrer la main. Je l'ai regardé derrière un buisson.

— Ah oui ! Un tas de gens préfèrent effectivement agir ainsi.

— Aussi je me disais, s'il est là c'est peut-être que c'est l'enfer.

— Une déduction raisonnable.

— Juste par simple curiosité, dis-je, que fait-il donc, toute la journée ? » Je l'imaginais se rendant aux jeux Olympiques de Berlin en 1936 chaque après-midi pour voir les Allemands gagner toutes les épreuves, tandis que Jesse Owens s'écroule, puis rentrant manger une choucroute avant d'écouter Wagner et de s'ébattre avec une blonde à la poitrine plantureuse, de sang aryen sans mélange.

« Je regrette, mais nous respectons l'intimité des gens.

— Naturellement. » C'était juste. Je n'aurais pas voulu que quelqu'un sache ce que je fabriquais, si l'on y réfléchit.

« Ainsi, il n'y a pas d'enfer ?

— Il y a bien quelque chose que nous appelons l'enfer. Mais ça ressemble plutôt à une attraction foraine. Vous savez des squelettes qui bondissent soudain pour vous effrayer, des branches qui glissent sur votre visage, des boules puantes, cette sorte de choses. Juste pour vous faire une belle peur.

— Une belle peur, remarquai-je, au lieu d'une sale trouille.

— Exactement. Nous pensons que c'est ce que les gens veulent aujourd'hui.

— Savez-vous quelque chose sur le Ciel de l'ancien temps ?

— Sur le Ciel de l'ancien temps ? Oui, nous en savons pas mal. C'est dans les archives. — Que lui est-il arrivé ?

— Oh ! C'est comme s'il avait été fermé. Les gens n'en voulaient plus, de toute façon. Ils n'en avaient plus besoin.

— Mais je connais quelques personnes qui vont encore à l'église, qui font baptiser leurs enfants, qui n'utilisent pas de mots grossiers. Que se passe-t-il pour eux ?

— Oh oui ! Nous en avons effectivement, dit-elle. Ils sont pourvus. Ils prient, ils rendent grâces à Dieu tandis que vous jouez au golf et faites l'amour. Ils semblent prendre plaisir à avoir obtenu ce qu'ils désiraient. Nous leur avons construit quelques bien jolies églises.

— Est-ce que Dieu existe pour eux ? lui demandai-je.

— Oh ! Bien sûr.

— Mais pas pour moi ?

— Il ne semble pas. À moins que vous désiriez changer vos exigences concernant le Ciel. Je ne peux malheureusement m'occuper de cela moi-même. Mais je peux en parler.

— J'ai suffisamment de choses, il me semble, à quoi réfléchir pour le moment.

— Parfait. Et bien, à la prochaine fois. »

Je dormis fort mal cette nuit-là. Je n'étais pas d'humeur lascive, même si elles faisaient de leur mieux. Était-ce une indigestion ? Avais-je avalé trop vite mon esturgeon ? Et voilà, je recommençais à m'inquiéter à propos de ma santé.

Le lendemain matin, je fis le parcours du golf en soixante-sept coups. Mon caddy Severiano réagit comme si c'était le meilleur score que j'aie jamais fait, comme s'il ne savait pas que je pouvais réussir vingt points de moins. Après cela je demandai mon chemin et je me dirigeai vers la seule perturbation atmosphérique visible à l'horizon. Comme je m'y attendais, l'enfer n'était pas à la hauteur : la tempête sur le parking était probablement le meilleur numéro. Il y avait des acteurs au chômage poussant d'autres acteurs au chômage avec de grandes fourches dans d'énormes cuves sur lesquelles était écrit « Huile bouillante ». Des animaux bidons, avec des becs en plastique, picorant des cadavres en latex. J'ai aperçu Hitler dans le train fantôme, un bras passé autour de la taille d'une *Mädchen* avec une queue de cheval. Il y avait des chauves-souris, des cercueils avec le couvercle qui s'ouvrait en grinçant et des odeurs de planches pourries. Était-ce ce que voulaient les gens ?

« Parlez-moi de l'ancien Ciel, dis-je à Margaret la semaine suivante.

— Il ressemblait beaucoup à ce que vous en savez. Je veux dire, c'est le principe même du Ciel, on y obtient ce que l'on veut, ce que l'on attend. Je sais que certaines personnes imaginaient les choses différemment, qu'on reçoit ce qu'on mérite, mais cela n'a jamais été le cas. Nous devons les détromper.

— En sont-ils mortifiés ?

— Pour la plupart, nullement. Les gens préfèrent obtenir ce qu'ils désirent plutôt que ce qu'ils méritent. Il y en a cependant qui sont légèrement agacés de voir que les autres ne sont pas suffisamment maltraités. Une partie de leur attente concernant le Ciel semblait être que d'autres personnes iraient en enfer. Ce n'était pas vraiment une attitude chrétienne.

— Et sont-ils… désincarnés ? Est-ce que ce n'est réellement que vie spirituelle, etc. ?

— Effectivement, oui. C'est ce qu'ils voulaient. Ou en tout cas à certaines époques. Il y a eu un tas de fluctuations au cours des siècles concernant le rejet du corps. En ce moment, par exemple, on insiste beaucoup pour garder son propre corps et sa propre personnalité, mais ça peut tout simplement n'être qu'une phase comme une autre.

— Qu'est-ce qui vous fait sourire ? » demandai-je. J'étais effectivement assez surpris. Je pensais que Margaret n'était là que pour fournir des informations comme Brigitta. Cependant, de toute évidence, elle avait des opinions bien arrêtées et elle ne craignait pas de les dire.

« Seulement parce que ça semble curieux la manière dont les gens s'obstinent à coller à leur propre corps. Évidemment, à l'occasion ils demandent quelques opérations esthétiques de peu d'importance. Quelque chose, voyez-vous, comme disons, un nez différent, des joues plus remplies, un peu de silicone par-ci ou par-là, c'est tout ce qui les sépare, à leurs yeux, de l'idéal parfait qu'ils se font d'eux-mêmes.

— Qu'est-il arrivé à l'ancien Ciel ?

— Oh ! Il a duré encore un certain temps après la construction du nouveau, mais il y avait de moins en moins de postulants pour s'y rendre. Les gens semblaient bien plus attirés par le nouveau Ciel. Ce n'était pas tellement surprenant. Nous prenons ici l'optique du long terme.

— Mais qu'est-il arrivé aux Anciens Célestes ? »

Margaret haussa les épaules avec assez de suffisance, comme aurait pu le faire un planificateur de grande envergure dont les prédictions se seraient réalisées à la virgule près. « Ils se sont volatilisés.

— Juste comme ça ? Vous voulez dire que vous avez fermé leur Ciel et qu'ils en sont morts ?

— Mais non, pas du tout, bien au contraire. Ce n'est pas comme ça que ça marche. Constitutionnellement, il y aurait eu un ancien Ciel aussi longtemps que les Anciens Célestes le désiraient.

— Et y a-t-il encore d'Anciens Célestes dans les parages ?

— Je pense qu'il y en a encore quelques-uns.

— Puis-je les rencontrer ?

— Ils ne reçoivent plus de visites, malheureusement. Ils le faisaient avant. Mais les Nouveaux Célestes avaient tendance à se conduire comme si ces gens appartenaient à une sorte de cirque, ils les montraient du doigt, leur posaient des questions stupides. Aussi les Anciens Célestes s'abstinrent de les rencontrer par la suite. Ils renoncèrent à parler à qui que ce soit en dehors des Anciens Célestes. Puis ils commencèrent à mourir. Maintenant il n'en reste plus beaucoup. Ils sont enregistrés, évidemment.

— Sont-ils désincarnés ?

— Certains d'entre eux, mais pas tous. Ça dépend de leur secte. Naturellement, ceux qui sont désincarnés n'ont guère de difficulté à éviter les Nouveaux Célestes. »

Bon, tout cela semblait logique. En fait, tout paraissait logique en dehors de la chose principale. « Et que voulez-vous dire par les autres sont morts ?

— Tout le monde a la possibilité de mourir s'il en a envie.

— Ça, je n'en savais rien.

— Non, bien sûr. Il y aura forcément quelques surprises. Voudriez-vous réellement pouvoir tout prédire ?

— Et comment meurent-ils ? Les tuez-vous ? Se tuent-ils ? »

Margaret parut assez choquée devant la stupidité de mon idée. « Grand Dieu, non. Comme je l'ai dit, tout est démocratique ici de nos jours. Si vous avez envie de mourir, vous mourez. Il vous suffit de le vouloir assez longtemps et voilà, ça arrive. La mort n'est plus une question de hasard, elle n'a plus rien de fatal comme c'était le cas lors du premier tour. Nous nous sommes arrangés pour avoir le libre arbitre ici comme vous pouvez l'avoir remarqué. »

Je n'étais pas sûr de comprendre tout cela parfaitement. Il me fallait partir et y réfléchir. « Dites-moi, ces problèmes que j'ai eus à propos du golf et des soucis sont-ils communs à ceux des autres personnes d'ici ?

— Oh oui ! Nous avons souvent des gens qui nous demandent de la pluie, par exemple, ou que quelque truc se détraque. Ils regrettent les choses qui se détraquaient. Certains demandent même à souffrir.

— À souffrir ?

— Absolument. Écoutez, vous vous plaigniez l'autre jour de ne pas vous sentir fatigué au point — comme vous l'avez formulé — d'avoir envie de mourir. J'ai pensé que c'était une réflexion intéressante. Les gens demandent à souffrir, ce qui n'a rien d'extraordinaire. Nous en avons également qui demandent à être opérés. Je veux dire des opérations qui n'ont rien d'esthétique, de véritables opérations.

— Les opérez-vous ?

— Uniquement s'ils insistent catégoriquement. Nous essayons de leur faire entendre que vouloir être opéré est le signe de quelque chose d'autre. Normalement, ils en tombent d'accord.

— Et quel est le pourcentage de gens qui choisissent de mourir ? »

Elle me regarda bien en face, ses yeux me sommant de rester calme. « Oh ! À cent pour cent, évidemment. Après beaucoup de milliers d'années, si l'on compte à l'ancienne manière. Effectivement, tout le monde fait ce choix, tôt ou tard.

— Donc, c'est exactement comme lors du premier tour ? Finalement, on en arrive toujours à mourir ?

— Oui, mais il ne faut pas oublier que la vie ici est bien meilleure. Les gens meurent quand ils le décident, quand ils en ont assez, pas avant. Cette deuxième fois, c'est évidemment plus satisfaisant, parce que c'est voulu. » Elle s'arrêta un instant puis ajouta : « Comme je le disais, nous fournissons ce que veulent les gens. »

Je n'essayais pas de lui jeter la pierre, je ne suis pas de cette espèce. Je voulais juste découvrir comment fonctionnait le système. « Ainsi… même les gens, les gens religieux qui viennent ici pour adorer Dieu durant l'éternité… finissent par baisser les bras après quelques années, quelques centaines d'années, quelques milliers d'années ?

— Absolument. Comme je l'ai dit, il y a encore quelques Anciens Célestes dans les parages, mais leur nombre ne cesse de décroître.

— Et qui demande à mourir le plus vite ?

— Je pense que demander n'est pas le mot juste, c'est quelque chose qu'on désire, il n'y a jamais d'erreur ici. Si vous le désirez suffisamment, vous mourez, ça a toujours été la règle.

— Et ?

— Et… pour répondre à votre question, quels sont les gens qui demandent à mourir le plus vite, eh bien, ce sont ceux qui vous ressemblent. Les êtres qui désirent une éternité de relations sexuelles, de bière, de drogue, de voitures de sport — ces sortes de choses. Ils arrivent à peine à croire à leur chance au début et puis après quelques centaines d'années ils ne peuvent croire à leur malchance. C'est cette sorte de gens qu'ils sont, finissent-ils par comprendre. Ils sont condamnés à être eux-mêmes. Millénaire après millénaire, il faut être toujours soi-même. Ils ont tendance à disparaître assez vite.

— Je n'ai jamais pris de drogue, dis-je d'un ton sans réplique, car elle m'avait plutôt mis en boule. Et je n'ai eu que sept voitures. Ce n'est pas beaucoup, d'après ce que je vois autour de moi. Je n'ai même pas conduit très vite.

— Non, bien sûr que non. Je pensais simplement en général, à une catégorie de plaisirs, vous comprenez.

— Et quels sont ceux qui résistent le plus longtemps ?

— Eh bien, ces Anciens Célestes étaient des bonshommes assez durs à cuire. L'adoration leur permettait de tenir millénaire après millénaire. Aujourd'hui… les hommes de loi ne s'en sortent pas mal. Ils adorent se plonger dans leurs vieilles affaires, et ensuite dans celles de n'importe qui d'autre. Ça peut durer une éternité. C'est une image, bien sûr, ajouta-t-elle rapidement. Les chercheurs parviennent également à tenir aussi bien que n'importe qui d'autre. Ils aiment s'asseoir là, à lire tous les livres qu'on peut trouver. Et puis ils n'en finissent pas d'en débattre. Certaines de ces discussions — elle leva les yeux vers le Ciel — se poursuivent durant des millénaires et des millénaires.

Apparemment, pour quelque sorte de raison, de se disputer à propos des livres les empêche de vieillir.

— Et qu'en est-il des gens qui écrivent des livres ?

— Oh ! Ils ne durent même pas la moitié du temps de ceux qui se disputent à leur sujet. Il en est de même avec les peintres et les compositeurs. Ils savent à un moment donné qu'ils ont fait leur chef-d'œuvre et alors ils disparaissent. »

J'aurais pensé que je me sentirais déprimé, mais je ne l'étais pas. « Ne devrais-je pas me sentir déprimé ?

— Bien sûr que non. Vous êtes ici pour profiter des choses agréablement. Vous obtenez tout ce que vous voulez.

— Oui, j'imagine. Peut-être arriverai-je à me faire à l'idée qu'à un certain moment j'aurai envie de mourir.

— Laissons faire le temps, dit-elle vivement mais chaleureusement. Laissons faire le temps.

— À propos, une dernière question » — je voyais qu'elle jouait avec ses crayons, les disposait en rangs —, « qui êtes-vous exactement ?

— Nous ? Oh ! Nous nous ressemblons d'une manière remarquable. Nous pourrions être vous, en fait. Peut-être d'ailleurs que nous le sommes.

— Je reviendrai de nouveau si je peux », dis-je.

Pour les siècles suivants — ce fut peut-être même plus long, j'avais arrêté de compter suivant l'ancien calendrier —, je m'entraînai sérieusement au golf. Après pas mal de temps je parvins à faire le parcours en dix-huit coups chaque fois et l'étonnement de mon caddy avait pris des allures de routine. J'abandonnai le golf et me mis au tennis. Assez vite je battis tous les grands du Hall of Fame, que ce soit sur terre battue, sur herbe, sur bois, sur ciment, sur moquette — quelle que fût la surface qu'ils choisissaient. Je renonçai au tennis. Je jouai avec Leicester en finale de la Coupe et revins avec celle-ci (mon troisième but, une tête puissante de dix mètres, conclut le match). J'écrasai Rocky Marciano au quatrième round à Madison Square Garden (il s'accrochait à moi d'ailleurs au cours des deux dernières reprises), je ramenai le record mondial du marathon à vingt-huit minutes et gagnai le championnat du monde de fléchettes ; mon tour de batte, de sept cent cinquante points, contre l'Australie lors des internationaux de Lords ne sera pas surpassé avant quelque temps. Mais au bout d'un moment, les médailles d'or olympiques m'apparurent comme de la petite monnaie. J'abandonnai le sport.

Je me mis alors à faire des courses extrêmement sérieuses. Je mangeai plus d'animaux qu'il n'y en avait jamais eu sur l'Arche de Noé. Je bus toutes les bières qu'on pouvait trouver au monde, et même plus. Je devins un fin connaisseur de vins et dégustai tous les meilleurs millésimes. Ça s'arrêta trop tôt. Je rencontrai un tas de gens célèbres. J'eus des relations sexuelles avec une variété de plus en plus large de partenaires et un éventail de plus en plus ouvert de techniques. Mais il n'y a qu'une quantité limitée de partenaires et de techniques. Ne vous méprenez pas. Je ne me plains pas. Je pris plaisir à chacune de ces foutues minutes. Tout ce que je dis c'est que je savais ce que je faisais lorsque j'étais en train de le faire. Je cherchais un moyen d'en sortir.

J'essayai de combiner les plaisirs et me mis à avoir des relations sexuelles avec des personnes célèbres (non, je ne vous dirai pas lesquelles, elles m'ont toutes demandé le secret). Je me suis même mis à lire. Je me souvins de ce que m'avait dit Margaret et essayai — oh ! pour quelques siècles environ — de discuter des livres avec d'autres personnes qui les avaient lus. Mais cela m'apparut une vie plutôt austère, tout au moins comparée à la vie elle-même, une vie qui ne valait, en tout cas, pas la peine d'être prolongée. J'ai même essayé de me joindre aux personnes qui chantaient et priaient dans les églises, mais ce n'était pas réellement mon truc. Je ne le fis que parce que je voulais parcourir la totalité du champ possible avant d'avoir ce que je saurais être ma dernière conversation avec Margaret. Elle paraissait exactement la même que plusieurs millénaires plus tôt lorsque nous nous étions rencontrés pour la première fois, mais sans doute en était-il de même pour moi.

« J'ai eu une idée », dis-je. Bon. Il y a quelque intérêt voyez-vous, à arriver avec quelque chose de nouveau après tout ce temps. « Écoutez, si l'on obtient ce que l'on veut au Ciel, alors qu'en est-il si je veux être quelqu'un qui n'est jamais fatigué de l'éternité ? » Je m'assis avec un air suffisant. À ma grande surprise Margaret hocha la tête avec un air presque encourageant.

« Nous sommes heureux de vous proposer un essai, dit-elle. Je peux m'occuper du transfert.

— Mais… ? » demandai-je, sachant qu'il y aurait forcément un « mais ».

« Je vais m'occuper du transfert, répéta-t-elle. Ce n'est qu'une formalité.

— Dites-moi le « mais d'abord. » Je ne voulais pas être grossier, mais d'un autre côté, je ne souhaitais pas passer plusieurs millénaires à glander si je pouvais gagner du temps.

« Des gens ont déjà essayé, dit Margaret sur un ton remarquablement bienveillant, comme si elle ne voulait surtout pas me blesser.

— Et quel est le problème ? Quel est le "mais" ?

— Eh bien, il semble qu'il y ait une difficulté logique. On ne peut pas devenir quelqu'un d'autre sans arrêter d'être soi-même. Personne ne peut supporter une chose comme celle-là. C'est ce que nous avons trouvé jusqu'ici, ajouta-t-elle, laissant entendre que je pouvais être la première personne à résoudre le problème. Quelqu'un… quelqu'un qui doit avoir été un grand amateur de sports comme vous a dit que c'était un sacré changement de passer de l'état de coureur à pied à celui d'une machine à mouvement perpétuel. Après un moment, on a envie de courir de nouveau, tout simplement. Voyez-vous ce que je veux dire ? »

J'approuvai de la tête « Et tous ceux qui l'ont essayé ont demandé à revenir à leur première condition ?

— Oui.

— Et ensuite ils ont tous choisi de mourir ?

— En effet. Tôt ou tard. Il y en a peut-être encore quelques-uns dans les parages. Je peux les envoyer chercher si vous avez envie de les interroger.

— Je vous ferai confiance sur ce point. Je pensais bien qu'il devait y avoir un os dans mon idée.

— Désolée.

— Non, je vous en prie, ne vous excusez pas. Je ne pouvais certes pas me plaindre de la manière dont j'avais été traité. J'avais été mis au même niveau que tout le monde au départ. » Je respirai un bon coup. « Il me semble que le Ciel, c'est une vraiment une bonne idée, c'est une idée parfaite, si l'on peut dire, mais pas pour nous. Pas pour nous, étant donné la manière dont nous sommes faits.

— Nous n'aimons pas influencer les conclusions, dit-elle. Cependant, je vois fort bien votre position.

— Aussi, à quoi ça sert ? Pourquoi avons-nous un Ciel ? Pourquoi avons-nous ces rêves d'un paradis ? » Elle paraissait ne pas vouloir répondre, peut-être parce qu'elle était réellement une vraie professionnelle, mais j'insistai. « Allez-y, dites-moi quelque chose là-dessus.

— Peut-être parce que nous en avons besoin, suggéra-t-elle. Peut-être parce qu'on ne peut pas s'en tirer sans les rêves. Il n'y a aucune raison d'avoir honte, ça me semble tout à fait normal. Je suppose pourtant que si on savait ce qu'est le paradis dès le départ, on risquerait bien de ne pas en vouloir.

— Oh ! Je n'en suis pas si sûr. » Tout cela avait été fort agréable : les courses, le golf, les rapports sexuels, les rencontres avec des gens célèbres, l'impression d'être bien, de ne pas être mort.

« Après un certain temps, obtenir tout ce qu'on a désiré à tout instant ressemble à ne jamais obtenir ce que l'on désire. »

Le lendemain, en hommage à l'ancien temps, je fis de nouveau un parcours de golf. Je n'étais pas tellement rouillé : dix-huit trous, dix-huit coups. Je n'avais pas perdu la forme. Puis j'avalai un petit déjeuner pour le déjeuner et pour le dîner. Je regardai ma vidéo de la victoire en coupe de Leicester par cinq à quatre, bien que ce ne fût pas la même chose étant donné que je savais ce qui arriverait. Je pris une tasse de chocolat chaud avec Brigitta qui, gentiment, était passée me voir. Plus tard je fis l'amour, mais avec une seule femme. Après je poussai un soupir et basculai sur le côté, sachant que le lendemain matin j'envisagerais de prendre une décision.

Je rêvais que je me réveillais. C'est le plus ancien des rêves et je venais juste de l'avoir.

Note de l'auteur

Le chapitre 3 s'appuie sur des procès et des affaires réels décrits dans : *The Criminal Prosecution and Capital Punishment of Animals* par E. P. Evans (1906). La première partie du chapitre 5 renvoie au livre de Savigny et Corréard : *Récit d'un voyage au Sénégal,* et la deuxième doit beaucoup au livre de Lorenz Eitner : *Géricault : His Life and Work* (Orbis 1982). La troisième partie du chapitre 7 emprunte la plupart de ses faits au livre : *The Voyage of the Damned* de Gordon Thomas et Max Morgan-Witts (Holder, 1974). Je suis reconnaissant à Rebecca John qui m'a aidé dans mes recherches et je tiens à remercier Anita Brookner, Howard Hodgkin, Rick Chiles, Jay McInerney, Dr Jacky Davis, Alan Howard, Galen Strawson, Redmond O'Hanlon et Hermione Lee.

DU MÊME AUTEUR

Composition Igs
Impression Maury-Imprimeur
45330 Malesherbes
le 10 juin 2013.
Dépôt légal : juin 2013.
Numéro d'imprimeur : 182809.

ISBN 978-2-07-045203-3. / Imprimé en France.